petite collection maspero

Éviter la guerre ?

Réponses à quelques questions sur les risques de guerre

Sous la direction de Philippe Lacroix

LA DÉCOUVERTE/MASPERO
1, place Paul-Painlevé
Paris Vᵉ
1983

Si vous désirez être tenu régulièrement au courant de nos parutions, il vous suffit d'envoyer vos nom et adresse aux Éditions La Découverte/Maspero, 1, place Paul-Painlevé, 75005 Paris. Vous recevrez gratuitement notre bulletin trimestriel **Livres Partisans.**

Présentation

Philippe Lacroix

Cet ouvrage paraît au moment où doivent être installés en Europe les premiers des 572 missiles prévus par la double décision de l'OTAN du 12 décembre 1979. Cette simultanéité, qui confère une actualité particulière aux questions abordées dans ces pages, n'est pas le fait du hasard : à cette heure cruciale, il paraissait nécessaire de fournir aux lecteurs français les moyens de participer plus activement au vaste débat engagé en Europe et aux États-Unis dans les opinions publiques et au sein des partis politiques, sur les doctrines stratégiques et la notion de sécurité.

La France accuse sur ce point un retard étonnant. L'argumentation rationnelle, fondée sur la pluralité des sources et des expertises, s'y efface en effet derrière un discours simplificateur qui tend à réduire l'actuelle controverse à une lutte idéologique entre « atlantistes » et « pro-soviétiques ». Ainsi, les mouvements de paix, ramenés à l'expression de « l'anti-américanisme », sont-ils perçus par l'opinion publique, dans le meilleur des cas comme des « colombes mécaniques » subtilement téléguidées à leur insu par les officines du KGB, ou dans le pire des cas, comme la fameuse « cinquième colonne ».

À cette hypothèque idéologique s'ajoute, organiquement liée, la confiscation du savoir stratégique par l'élite politique et militaire, qui justifie la fermeture du débat par les impératifs de la « sécurité nationale ». Et le parti socialiste au pouvoir, en choisissant de tenir le langage gaullien de « l'indépendance » de la dissuasion française et d'apporter parallèlement un soutien ferme au déploiement des euromissiles, n'a pas peu contribué à encourager dans l'opinion une tendance latente à s'en remettre, sans doute plus que chez nos voisins, à l'infaillibilité des spécialistes. Malgré plusieurs ouvrages parus ces der-

nières années dans le but d'apporter une contre-expertise aux analyses couramment présentées, l'information sur les grandes questions stratégiques reste ainsi particulièrement lacunaire.

C'est pourquoi nous avons demandé à un collectif d'auteurs, dont plusieurs experts renommés, de donner des réponses aux grandes questions autour desquelles se cristallisent manifestement les craintes, les préjugés ou les doutes du plus grand nombre. Le résultat est un livre qui, sans prétendre à l'exhaustivité et sans vouloir apporter des « recettes », pourra, nous l'espérons, aider tous ceux qui s'interrogent sur l'avenir de la paix et les risques de guerre.

L'avenir de la paix

C'est bien de l'avenir de la paix qu'il s'agit au moment où l'évolution technologique des armements, les mutations intervenues dans les doctrines stratégiques et la persistance d'une crise économique mondiale forment un mélange particulièrement « explosif », qui justifie pleinement la volonté de s'opposer à ce qu'il convient d'appeler désormais une véritable « dynamique de guerre ».

L'aspect le plus pernicieux de cette conjoncture stratégique est ainsi dans l'écart entre le discours officiel présentant inlassablement les armes nucléaires comme les outils de la dissuasion ou les « garants de la paix » et la mise en place de dispositifs nucléaires (ou conventionnels) que leur précision, leur rapidité de mise en œuvre et leur fiabilité font apparaître avant tout comme des instruments de « bataille ». Outre ce déterminisme technologique, déjà fort inquiétant en soi, nous verrons qu'émerge à l'heure actuelle, accompagnant logiquement cette évolution, une conscience stratégique américaine résolument offensive, qui prend par moments les accents d'une véritable « déclaration de guerre » à l'Union soviétique.

Notre propos n'est cependant pas de présenter les États-Unis comme les « fauteurs de guerre » et de nier

6

toute menace soviétique en présentant l'URSS comme une « puissance de paix ». Cette dernière a déployé des moyens militaires qui vont certainement au-delà de ses besoins de défense et, de plus en plus, elle a misé sur la puissance militaire à mesure que s'effritait son prestige socio-politique et économique. Force est de constater cependant que, dans la course à laquelle se livrent les deux grandes puissances, les États-Unis ont pratiquement toujours devancé l'Union soviétique en introduisant des innovations majeures, et que les campagnes alarmistes et mensongères (comme l'ont reconnu ensuite de hauts responsables américains) menées pendant les années cinquante et soixante sur la supériorité soviétique en bombardiers et en missiles doivent inciter à la plus grande prudence.

Au-delà des simplifications et des affirmations péremptoires, cet ouvrage s'attache donc à reconsidérer quelques « évidences » dont se nourrit une information trop parcellaire : « l'équilibre » est-il un concept opératoire ? La menace soviétique est-elle correctement appréciée ? La défense française est-elle « indépendante » ? Le mouvement de paix allemand est-il explicable par le regain du « nationalisme » ? Les mouvements de paix sont-ils manipulés par Moscou ? N'y a-t-il aucune alternative aux doctrines stratégiques en vigueur ?

On se propose de montrer ici que les mouvements de paix n'expriment pas une quelconque abdication devant le chantage politique et militaire de l'adversaire, mais qu'ils dénoncent l'inadéquation entre les doctrines militaires en vigueur et les impératifs de sécurité des peuples, l'inversion de la rationalité militaire dans le sens de la déstabilisation et l'insécurité.

C'est précisément pour bloquer ce processus et promouvoir une nouvelle intelligence de la sécurité que se sont constitués les mouvements de paix, en quête d'une conception globale de la défense qui, hors du concept trop étroit de « défense nationale », soit susceptible d'inclure les dimensions morales, politiques, économiques de la sécurité des peuples. C'est dans ce contexte que les mouvements de paix se trouvent placés devant une double exigence politique : lutter à l'intérieur pour la définition d'un ordre véritablement démocratique assurant la transparence des processus économiques, politiques et militaires ; lutter à l'extérieur pour l'établissement (déjà amorcé comme on le verra dans ces pages) de liens solides avec les mouvements qui luttent à l'Est pour les droits de l'homme (sans lesquels toute paix ne saurait être, selon l'expression allemande, qu'une « Friedhofs-frieden » — une « paix des cimetières »), et pour la défense des intérêts de l'hémisphère Sud, dont le développement reste hypothéqué par la bipolarisation mondiale et dont la militarisation croissante entretient les foyers de crises et de « guerres limitées » d'où peut naître l'escalade.

Le lecteur s'apercevra que l'on peut, sans être un « spécialiste », percer le brouillard entretenu par le silence des experts officiels. Il n'en sera que plus à même d'exercer sa conscience politique et sa citoyenneté, ce qui, somme toute, devrait combler les vœux du ministre de la Défense Charles Hernu qui réactivait naguère le projet socialiste du « soldat-citoyen »...

Philippe Lacroix

1. Y a-t-il supériorité militaire soviétique ?

Philippe Lacroix

« Jamais, je n'échangerais quoi que ce soit avec l'Union soviétique, car nous avons une formidable avance technologique. »

(Réponse de Caspar Weinberger, ministre de la Défense des États-Unis, à une question du sénateur Percy, devant la commission sénatoriale des Affaires étrangères le 29 avril 1982) [1].

Depuis 1979, les médias occidentaux mènent une campagne insistante sur la suprématie militaire soviétique. L'Union soviétique aurait sournoisement profité de la « détente » pour s'armer à outrance, rattrapant puis dépassant les États-Unis. Ces derniers ne seraient plus qu'une « épée brisée » et se verraient contraints de mener un vaste programme de défense pour faire face à la menace soviétique, dont la gravité est censée justifier un budget militaire astronomique qui atteignait quelque 238 milliards de dollars pour 1983.

Il est incontestable que l'effort militaire soviétique a considérablement augmenté sous Brejnev et que l'URSS dispose aujourd'hui d'un potentiel important. Mais il est vrai aussi que les rapports de forces couramment présentés comportent des vices structurels importants qui ne sont guère susceptibles de rendre compte des réalités militaires, stratégiques et techniques. Enfin, ces rapports sont sérieusement contestés par de nombreuses personnalités ou par des organismes de recherche indépendants dont la compétence ne fait aucun doute.

---

1. Cité dans « Militärmacht UdSSR — Im Westen überschätzt » (« Les Occidentaux surestiment la puissance militaire soviétique »), *Der Spiegel*, n° 15, 1983, p. 164.

Cet essai de comparaison des forces portera sur l'équilibre global — c'est-à-dire stratégique —, l'équilibre régional — c'est-à-dire les forces conventionnelles et nucléaires en Europe —, et enfin, le problème de l'appréciation du budget militaire soviétique. Mais il est indispensable de décrire d'abord les problèmes méthodologiques, très importants, que pose l'évaluation du rapport des forces, car ceux-ci relativisent fortement les résultats que l'on peut dégager.

I. Les problèmes méthodologiques
du rapport des forces

La regrettable manie du secret propre aux milieux soviétiques oblige les observateurs à s'en remettre en partie à des estimations. Les rapports publiés se présentent exclusivement, ou principalement, sous la forme de comparaisons de chiffres. La première idée qui sous-tend cette méthode est que le *nombre des armes* est un indicateur fiable de la *puissance militaire* ou des *capacités opérationnelles* d'un pays ou d'une alliance. La deuxième idée est qu'il est possible d'opérer des *segmentations catégorielles* permettant de comptabiliser des tranches de matériels indépendamment du *contexte global* dans lequel ces armes peuvent entrer en jeu, en supposant parallèlement que ces tranches de matériel sont toujours comparables sur le plan opérationnel.

Or, s'agissant de la première idée, il existe un certain nombre de facteurs « non chiffrables » dont le poids est très important. Lors de la parution en octobre 1981 du rapport du Pentagone sur la puissance militaire soviétique (édité dans une nouvelle version encore plus alarmiste en mars 1983), Jacques Isnard et Michel Tatu faisaient remarquer[2] que la solution de facilité consiste

---

2. Jacques ISNARD, Michel TATU, « Le rapport du Pentagone sur la puissance militaire soviétique. Des comparaisons difficiles », *Le Monde,* 4 octobre 1981.

à « aligner des chiffres à la manière d'un catalogue commercial qui oublierait d'indiquer à la clientèle la qualité des produits, leur résistance, leur mode de fonctionnement, le niveau réel des stocks immédiatement disponibles et les délais de livraison ». Parmi les facteurs non chiffrables, les auteurs relèvent par exemple le niveau d'entraînement des forces, le savoir-faire des états-majors, le soutien logistique, etc.

Les segmentations catégorielles sont, elles, très artificielles. L'amiral Sanguinetti fait ainsi remarquer que « par des découpages savants, (...) les commentateurs n'opposent en général à l'ensemble des forces soviétiques qu'une partie des éléments correspondants occidentaux[3] ». Il faut savoir qu'une différence quantitative entre l'Est et l'Ouest n'indique pas forcément une faiblesse occidentale mais peut résulter d'une *différence organisationnelle* entre les armées des deux pactes (la disparité des doctrines stratégiques et des concepts d'emploi — cf. chapitre 4 — détermine ces différences). De même, la séparation stricte entre équilibre global (stratégique) et régional (européen) est très aléatoire : l'évolution des systèmes nucléaires stratégiques a en effet des répercussions considérables sur les forces européennes, par l'affectation de contingents stratégiques au théâtre européen et par la possibilité de faire remplir des « missions de théâtre » à d'autres forces stratégiques américaines (bombardiers FB-111 notamment)[4].

Autre problème : la différence entre les ogives (têtes nucléaires) et les vecteurs est souvent ignorée par les médias. Il n'est pas rare qu'on oppose vecteurs soviétiques et occidentaux en « omettant » d'indiquer le nombre de têtes transportées par chaque vecteur (cf. encadré). On peut également baser la comparaison sur d'autres critères et mesurer par exemple le méga-

3. Antoine SANGUINETTI, *Le devoir de parler,* Fernand Nathan, 1981, p. 72.
4. Dieter S. LUTZ, *La guerre mondiale malgré nous ? La controverse des euromissiles,* avec une préface d'Alain Joxe, La Découverte/Maspero, 1983, note 10, p. 223.

tonnage global (plus important à l'Est qu'à l'Ouest), c'est-à-dire la puissance explosive de l'ensemble des ogives. Mais l'Institut international d'études stratégiques de Londres (IISS), qui publie chaque année une évaluation détaillée du rapport des forces Est-Ouest, souligne que « l'accroissement du pouvoir de destruction n'est pas simplement proportionnel à l'augmentation de la puissance explosive ; une arme de dix mégatonnes n'est pas dix fois plus destructrice qu'une arme de 1 mégatonne[5] ». D'où l'utilisation d'autres facteurs (précision, durcissement des objectifs) pour essayer de rendre compte de la capacité meurtrière des armes nucléaires[6].

On se heurte également au problème de la « bifonctionnalité » ou « multifonctionnalité » et de la « double capacité ». Certains missiles sont « bifonctionnels » : ils peuvent être utilisés aussi bien sur les distances courtes (SRTNF) que moyennes (MRTNF) (cf. encadré). D'autres (probablement nombreux) sont à « double capacité » : ils peuvent emporter des armes nuclaires ou conventionnelles. Soulignons par ailleurs que les avions peuvent changer de bases, être équipés de réservoirs additionnels qui relativisent le problème du rayon d'action, et embarquer des munitions très différentes : un missile guidé n'a pas grand rapport avec une bombe traditionnelle en chute libre. Le rapport des forces dans le domaine des avions est donc très aléatoire. Enfin, il faut fonder l'appréciation des capacités opérationnelles d'un avion sur le concept de « profil de vol » : en raison des défenses adverses, un avion suit une ligne de vol qui n'est pas toujours horizontale car il doit descendre à basse altitude à l'approche du territoire ennemi, ce qui l'oblige à voler rapidement et à consommer beaucoup de carburant.

---

5. IISS (International Institute for Strategic Studies : Institut international d'études stratégiques), *Military Balance 1982-1983*, Londres, p. 138.

6. D. S. LUTZ, *op. cit.*, en particulier pp. 148-166 : « Critères et paramètres d'un scénario nucléaire anti-forces ».

VECTEUR

C'est un véhicule capable de porter une charge explosive vers un objectif ; ce terme désigne aussi bien les avions que les missiles. Le vecteur est donc le « moyen de transport » par opposition à la tête ou ogive (MIRV ou MARV) qui renferme l'explosif et constitue l'arme proprement dite.

MIRV (Multiple Independently-targetable Re-entry Vehicle : véhicule de rentrée indépendamment programmable)

Après leur rentrée dans l'atmosphère, les ogives se détachent du vecteur et se dirigent chacune vers une cible différente.

MARV (Manœuvreable Re-entry Vehicle : véhicule de rentrée manœuvrable)

Les ogives, après s'être détachées du vecteur, peuvent être guidées, c'est-à-dire qu'on peut les manœuvrer pour éviter la défense adverse ou modifier leur approche de l'objectif visé.

ICBM (Intercontinental Ballistic Missile) : missile intercontinental basé au sol.

SLBM (Sea-Launched Ballistic Missile) : missile basé sur sous-marin.

ALCM (Air Launched Cruise Missile : missile de croisière aéroporté)

Fin 1982, furent mis en service les 16 premiers B-52 équipés chacun de 12 ALCM. Les Américains veulent transformer progressivement 168 B-52 G pour leur faire porter 18 ALCM sous la voilure et 8 en barillet dans la soute. Le B-1B embarquera 14 ALCM à l'extérieur et 8 en soute. Si les B-52 H étaient équipés de cette façon, la capacité théorique atteindrait le chiffre considérable de 7 360 ALCM. L'intérêt est double : possibilité de l'attaque « différée », le lancement de l'ALCM étant plus contrôlable qu'une salve de missile stratégique (l'avion

13

peut être rappelé à tout moment avant le lancement de l'ALCM) ; ce système n'oblige plus l'avion à s'approcher de l'objectif pour larguer ses bombes, la portée propre du missile lui permettant de rester loin du territoire ennemi.

TNF (Theatre Nuclear Forces : forces nucléaires de théâtre)

Schlesinger, ancien secrétaire à la Défense des États-Unis, introduisit en 1975 la notion d'armes ou de forces nucléaires de théâtre (TNF) : ce type d'arme est destiné à toucher des objectifs situés en dehors du sanctuaire des deux grandes puissances, le « sanctuaire » désignant le territoire national et la population que l'adversaire ne peut toucher qu'en entraînant une riposte dévastatrice sur son propre sanctuaire. Les TNF sont donc théoriquement appelées à être employées sur un théâtre d'opérations qui exclut le territoire et la population des deux grandes puissances, c'est-à-dire principalement sur le théâtre européen.

On distingue par ailleurs, assez arbitrairement, les TNF de courte portée, jusqu'à 100 km (SRTNF : Short Range TNF), les TNF de moyenne portée, jusqu'à 1 000 km (MRTNF : Medium Range TNF), et les TNF de grande portée, au-delà de 1 000 km (LRTNF : Long Range TNF). Dans le cadre des négociations de Genève, les armes nucléaires de longue portée du théâtre européen ont désormais reçu le nom de « Intermediate Range Nuclear Forces » (INF) ou « forces nucléaires de portée intermédiaire ».

Le choix et le maniement des paramètres qualitatifs utilisés par l'IISS s'avèrent en outre très arbitraires. Nous verrons que le jeu des indices pondérateurs a évolué de façon très négative pour l'OTAN et que cette évolution n'est pas logiquement explicable.

On peut donc légitimement douter de la pertinence des rapports retentissants présentés dans les médias. Surtout, il faut souligner que le concept même d'équilibre est très suspect, voire strictement dénué de sens. Comme le fait remarquer l'expert allemand Dieter

S. Lutz, lorsqu'un sous-marin transporte 160 ogives et que l'ennemi a la capacité technique de repérer des sous-marins, il peut détruire 160 ogives avec un seul missile : on peut donc se demander s'il ne faut pas déjà considérer comme supérieure la partie qui ne possède qu'une ou deux ogives mais a la capacité de repérer les sous-marins. Quant à la recherche obsessionnelle de l'équilibre comptable au niveau stratégique, elle relève évidemment d'un non-sens absolu : la capacité de destruction accumulée par les deux blocs, capables depuis longtemps de se détruire mutuellement plusieurs fois, ne ressortit plus à aucune logique militaire. Signalons au passage que la « stratégie anti-forces » (cf. chapitres 2 et 4) a entre autres pour fonction de redonner un « sens » à la croissance des arsenaux : en désignant comme cibles les armes de l'adversaire, en perpétuelle augmentation, il n'existe plus aucune limite au gonflement des potentiels, à l'Est comme à l'Ouest.

II. L'équilibre global ou statégique à la mi-1982

Les armes nucléaires

Les missiles

Le *Military Balance 1982-1983* de l'IISS indique 6 920 ogives du côté occidental et 7 000 du côté soviétique.

ÉTATS-UNIS
• ICBM : 450 Minuteman II (1 tête), 550 Minuteman III (3 MIRV, soit 1 650 ogives) et 52 Titan (1 tête). (Sur les ICBM, cf. encadré.) ;
• SLBM : 304 Poseidon C-3 (10 à 14 MIRV, soit au moins 3 040 ogives), 216 Trident C-4 (8 à 14 MIRV, soit au moins 1 728 ogives). (Sur les SLBM, cf. encadré.)

15

Sont prévus par ailleurs :

— le déploiement de 100 missiles MX pour la fin des années quatre-vingt. Il s'agit, selon le Pentagone, de contrer la menace de première frappe désarmante de l'URSS (mythe de la « fenêtre de vulnérabilité » de l'arsenal américain) pesant sur les Minuteman. Dernier avatar du projet en mai 1983 : 100 MX à 10 ogives installés dans les silos renforcés des actuels Minuteman et qui seraient remplacés au début des années quatre-vingt-dix par un missile plus léger à une ogive (Midgetman) pour réduire chez les Soviétiques la tentation d'exercer une première frappe en espérant détruire plusieurs ogives avec un seul missile.

— la mise en état opérationnel vers 1987 de 5 sous-marins de la classe Ohio armés chacun de 24 missiles Trident de 7500 km de portée et équipés de 8 MIRV (soit 960 ogives).

URSS

● ICBM : la série des SS-11, 13, 17, 18 et 19 qui représentent quelque 1398 vecteurs et 5230 ogives d'après l'IISS ;

● SLBM : la série des SS N-5, 6 et 8, SS-NX-17 et 18 qui représentent quelque 969 vecteurs et 1809 ogives. Selon l'annuaire 1982 du SIPRI (l'Institut de recherche sur la paix de Stockholm), l'URSS aura probablement remplacé ses missiles à carburant liquide par des engins à carburant solide vers 1985 : son arsenal possédera une plus grande flexibilité d'emploi et sera plus rapide à mettre en œuvre. Les États-Unis ont souligné le lancement en 1980 du premier sous-marin de la classe Typhon qui, d'après le SIPRI, devrait être opérationnel à partir de 1985 et porter des missiles SS-NX-20 de 8300 km de portée et munis de 12 ogives[7].

---

7. SIPRI (Stockholm International Peace Research Institute : Institut international de recherche sur la paix de Stockholm), *Yearbook 1982,* Londres, p. 268.

Les avions (bombardiers lourds)

ÉTATS-UNIS : d'après l'IISS, 75 B-52 D, 151 B-52 G, 90 B-52 H, 60 FB-111A, soit 376 appareils capables de larguer 2 348 charges.

Les Américains prévoient la construction de 100 bombardiers B-1 B. A terme les B-52 D devraient être retirés. Ils travaillent aussi sur un projet « d'avion invisible » (Stealth Aircraft : avion furtif), ainsi nommé parce que sa structure devrait le rendre pratiquement invisible aux ondes radar.

URSS

105 Tu-95 portant 2 charges et 45 Mya-4 portant également 2 charges, soit 150 appareils et 300 charges. Selon les Américains, les Soviétiques doivent produire un nouveau bombardier lourd (le « BlackJack »), capable d'emporter des missiles de croisière.

Somme des armes aéroportées et des ogives sur missiles : États-Unis : 9 268 charges ; URSS : 7 300 charges.

Il faut également rappeler ici l'innovation très importante que représente la mise en service des premiers B-52 équipés de missiles de croisière (cf. encadré). Notons un autre aspect capital : la différence entre les modes de déploiement américains et soviétiques. Ces derniers ont mis l'accent sur le déploiement au sol alors que les États-Unis ont largement opté pour le déploiement en mer (cf. chapitres 2 et 7), option qui s'accentuera à l'avenir avec le sous-marin Trident. Cela assure évidemment une protection bien supérieure, en raison des problèmes que pose la détection des sous-marins, domaine dans lequel les Américains possèdent une avance certaine[8].

---

8. Cf. le système de sonars installé au fond des mers et transmettant ses informations à des satellites : entretien avec Henri Labrousse et Georges Buis, « Quand toutes les escadres du monde... », *Le Nouvel observateur*, 14 août 1982.

Mentionnons enfin l'amélioration du « système C-3 » (commande, contrôle et communication), présentée comme la « priorité absolue » du programme stratégique américain. Il s'agit entre autres de mettre les lignes de communication à l'abri des perturbations électromagnétiques causées par une explosion nucléaire (cf. chapitre 8) et de mettre sur pied un système de communication à très basse fréquence pour les sous-marins.

La balance maritime

Selon l'IISS, l'URSS dispose de 290 gros navires de combat de surface, contre 204 pour les États-Unis, et 204 sous-marins d'attaque contre 90. L'IISS indique par ailleurs 69 sous-marins soviétiques lanceurs de missiles de croisière. Mais le *Defense Monitor*[9] du Centre d'information sur la défense de Washington fait remarquer que le tonnage de la flotte des États-Unis et des autres pays de l'OTAN représente le double de celui de l'URSS et du Pacte de Varsovie. Et l'OTAN dans son ensemble possède 440 gros navires de surface, contre 298 pour le Pacte de Varsovie. Il faut souligner également une différence importante : les États-Unis possèdent 14 porte-avions contre 2 porte-avions (de petite taille) et 2 porte-hélicoptères pour l'URSS. D'après le *Defense Monitor,* il y a environ 550 000 hommes dans la marine américaine contre quelque 435 000 dans la marine soviétique et les performances américaines sont supérieures sur plusieurs plans : moyens amphibies, lutte anti-sous-marine, état de préparation opérationnelle, endurance.

Avantage américain également pour les fusiliers marins : les Soviétiques n'en comptent qu'environ 13 500 (chiffre de l'IISS), contre 192 000 « marines » américains. Il faut souligner aussi l'existence de la

9. « Soviet Military Power : Questions and Answers », *The Défense Monitor* XI, n° 1, Washington D. C., 1982.

« Force de déploiement rapide », sorte de « module opérationnel » d'environ 110 000 hommes constitué à partir des unités existantes et qui pourrait compter 350 000 hommes dans les années à venir (cf. chapitre 4).

Si la flotte soviétique est bien passée d'une situation de « flotte côtière » défensive dans les années soixante à une capacité de projection accrue, l'URSS ne peut en tout cas pas être considérée comme une puissance maritime au même titre que les États-Unis, comme le confirment les remarques de Jacques Sapir (cf. chapitre 2).

Les moyens aéroportés

Les Soviétiques ne semblent pas les mieux placés là non plus. L'IISS exclut l'hypothèse d'interventions soviétiques de ce type en dehors de la périphérie immédiate de l'URSS, les capacités soviétiques de transport aérien étant insuffisantes. En 1983, douze divisions aéroportées au plus pourraient être transportées sur de grandes distances. « Même si, comme il faut s'y attendre, l'URSS accroît fortement ses capacités de transport aérien d'ici la fin de la décennie, les experts estiment que son rayon d'action ne dépassera pas 4 500 km [10]. »

III. L'équilibre régional

Les forces conventionnelles

Toutes les analyses se rejoignent pour admettre la supériorité quantitative des forces conventionnelles soviétiques. On souligne aussi que les équipements du

---

10. *Der Spiegel, op. cit.*, p. 161.

Pacte de Varsovie ont l'avantage d'être standardisés, ce qui leur assurent une « interopérabilité » plus grande qu'aux forces de l'OTAN, plus disparates dans leur conception.

Les hommes et les blindés

Les observateurs isolent souvent l'Europe centrale (à l'Est : Pologne, Tchécoslovaquie, RDA et partie occidentale de l'URSS ; à l'Ouest : RFA, Pays-Bas, Belgique, Luxembourg-Benelux). Sur la base des indications par pays du *Military Balance 1982-1983,* on trouve alors environ 1 400 000 hommes à l'Est contre 1 million à l'Ouest (y compris les forces américaines en Europe : cf. chapitre 5). Mais, on observe, toujours selon le *Military Balance,* que le total des forces occidentales en Europe représente 2 881 000 hommes (forces françaises et canadiennes en Europe incluses, mais forces espagnoles [255 000 hommes] exclues). Certains préconisent d'additionner les chiffres de tous les « adversaires potentiels » du Pacte de Varsovie pour obtenir des évaluations qui « rendent mieux compte de l'environnement stratégique global de l'URSS[11] ». On obtient alors quelque 11 000 000 d'hommes à l'Ouest contre environ 4 821 000 à l'Est (total des forces soviétiques). On retiendra en résumé que bien des évaluations des rapports de forces font état de déséquilibres considérables au profit de l'URSS en décomptant *l'ensemble* des divisions soviétiques, même hors du théâtre européen, et en faisant abstraction de toutes les forces occidentales non intégrées à l'OTAN, alors qu'elles seraient évidemment au côté de l'Alliance en cas de conflit.

---

11. Cité par : GRIP (Groupe de recherche et d'information sur la paix), *Le dossier des euromissiles,* Bruxelles, 1981, p. 97.

La conception du char soviétique T-62, longtemps considéré comme redoutable à l'Ouest, laisse apparemment beaucoup à désirer. En 1975, le général américain Graham, alors directeur de l'Agence de renseignement pour la défense, déclara devant la commission Proxmire (du nom du sénateur dirigeant cette commission) qu'il fallait être un « nain gauchet » pour assurer la manœuvre du char (source : Rainer W. RUPP, « L'évaluation des dépenses militaires soviétiques, une tâche complexe et sujette à controverse », *Revue de l'OTAN*, n° 5, octobre 1981, p. 26-27).

Notons la déclaration d'Harold Brown, ancien secrétaire à la Défense des États-Unis, pour l'année fiscale 1980 : « Je suis bien conscient que nous estimons les chars soviétiques à plus de 45 000 alors que les États-Unis n'en ont que 10 000. Mais bien que nous connaissions cette menace, une comparaison de cet ordre ne me convainc pas de la supériorité militaire soviétique en Europe centrale et ne nécessite pas un déploiement de 35 000 chars par les États-Unis. Nos alliés ont aussi des chars et les armes antichars (17 000 lanceurs avec 4 000 missiles) peuvent également arrêter une avance de blindés » (source : GRIP, *op. cit.*, p. 99).

Selon un expert ouest-allemand en matière de blindés, les changements intervenus avec le T-80, dernier-né des chars soviétiques, ne le distinguent du T-72 que par un blindage latéral supplémentaire et correspondent à des « transformations opérées à l'Ouest dans le cours normal d'une production en série, sans qu'il vienne à l'idée de parler d'un nouveau modèle » (source : *Der Spiegel, op. cit.*, p. 164).

L'étonnant dialogue du sénateur Proxmire et de l'amiral Turner

Notons également l'intérêt des deux dialogues suivants entre le sénateur Proxmire et les militaires américains, en 1978 et 1977.

Sénateur Proxmire : On avance souvent que les chars

de l'OTAN sont qualitativement supérieurs à ceux du Pacte de Varsovie. Les chars de l'OTAN sont plus lourds, ont un rayon d'action supérieur, transportent plus de munitions, possèdent des canons plus précis, sont mieux blindés, offrent plus d'espace à l'équipage et peuvent rouler plus longtemps que les chars soviétiques sans tomber en panne. Êtes-vous oui ou non d'accord avec cette évaluation ?

Amiral Turner : Non, je ne pense pas que la réalité soit aussi tranchée.

Sénateur Proxmire : Bien, prenons les choses une par une. Est-il exact que les chars de l'OTAN sont plus lourds ?

Amiral Turner : En général, oui. Mais ce n'est pas nécessairement positif.

Sénateur Proxmire : S'ils sont plus lourds, je suppose que c'est parce qu'ils sont mieux blindés.

Amiral Turner : En général, cela est exact. Les chars de l'OTAN sont plus lourds parce qu'ils ont un blindage plus important. Mais pour la plupart des chars de l'OTAN, le poids plus élevé n'a pas nui à la mobilité car leur puissance est adaptée. Le « Chieftain » britannique est une exception.

Sénateur Proxmire : Et le rayon d'action ?

Amiral Turner : Celui des chars de l'OTAN est supérieur.

Sénateur Proxmire : Et les munitions transportées. Y en a-t-il plus ?

Amiral Turner : Les chars de l'OTAN transportent plus de munitions. Le M-60 A 1 (américain) transporte par exemple 63 charges alors que le T-62 (soviétique) n'en transporte que 40.

Sénateur Proxmire : Qu'en est-il de la précision des canons ?

Amiral Turner : Pour autant que je sache, elle varie suivant les chars et les modèles soviétiques les plus récents sont très bons. Mais les chars de l'OTAN en général ont jusqu'à maintenant été plus précis.

Sénateur Proxmire : Bien, vous dites qu'un poids plus élevé n'entraîne pas forcément une qualité supérieure. Diriez-vous que nos chars sont mieux blindés ?

Amiral Turner : Oui, les chars de l'OTAN sont mieux blindés. Mais les Soviétiques nous devancent dans l'équipement des nouveaux modèles avec des blindages améliorés. Bien que ce blindage ne soit pas aussi bon que celui du XM-1 (américain), il est supérieur à celui de la plupart des chars qui composent le parc actuel à la disposition de l'OTAN.

Sénateur Proxmire : Qu'en est-il de la manœuvrabilité et de la vitesse ?

Amiral Turner : A l'exception du Chieftain, nos chars sont plus rapides et plus manœuvrables.

Sénateur Proxmire : Et l'espace habitable par le personnel servant ?

Amiral Turner : Nos chars sont plus grands. Il faut être beaucoup plus petit pour entrer dans un char soviétique et c'est très inconfortable, très difficile d'y séjourner longtemps, mais cela leur assure un profil plus discret et une vulnérabilité moindre. Voyez-vous, la lourdeur et l'espace habitable de nos chars est un handicap en matière de vulnérabilité.

Sénateur Proxmire : Les chars de l'OTAN sont-ils capables de rouler plus longtemps que les chars soviétiques sans tomber en panne ?

Amiral Turner : Je pense que c'est vrai en général.
(Source : *Hearings before the Subcommittee on Priorities and Economy in Government of the Joint Economic Committee Congress of the United States*, Washington, 26 juin 1978, pp. 96-97.)

Sénateur Proxmire : Êtes-vous d'accord pour dire que nos armes antichars, tels que les missiles Dragon, Tow et Hillfire sont supérieurs aux leurs (ceux des Soviétiques) ?

Général Wilson : Oui, je suis d'accord.

Sénateur Proxmire : Êtes-vous d'accord pour dire que si les Soviétiques ont déployé une artillerie plus importante que la nôtre sur le théâtre européen, nos obus guidés au laser et autres munitions guidées avec précision sont supérieurs aux leurs (ceux des Soviétiques).

Général Wilson : Oui.
(Source : *Hearings before the Subcommittee on Priorities and Economy in Government of the Joint Economic Committee Congress of the United States*, Washington, 30 juin 1977, p. 92.)

S'agissant des chars, l'IISS indique pour le théâtre européen 27 300 chars à l'Est contre 17 629 à l'Ouest et il décompte 19 200 chars suplémentaires pouvant, selon lui, être ramenés vers l'Europe. On obtient alors 46 500 chars soviétiques. Mais, outre que de nombreux experts occidentaux perçoivent le char comme un système démodé et ne prêtent que des qualités très moyennes aux chars soviétiques, la supériorité de l'OTAN en armes antichars est incontestée (cf. enca-dré). C'est dans ce contexte qu'intervient aussi la bombe à neutrons, perçue par les militaires comme l'arme antichar idéale en raison de ses effets particuliers (cf. chapitre 8). Reagan a annoncé le 6 août 1981 la fabrication et le stockage de cette arme aux États-Unis. La France s'achemine manifestement vers sa fabrica-tion (cf. chapitre 6). Rien n'indique que l'URSS maîtrise cette technologie, même si elle a évidemment entrepris des recherches dans ce domaine.

Ajoutons que l'organisation militaire soviétique pré-sente apparemment des carences assez graves. Lors de l'invasion de l'Afghanistan, on a enregistré, selon l'article déjà cité du *Spiegel,* de nombreuses déficiences dues au manque d'entretien. Jacques Isnard et Michel Tatu soulignaient également « les nombreux accidents en mer des bateaux de guerre soviétiques, (...) les défaillances techniques constatées dans les matériels soviétiques livrés ou exposés à l'étranger [12] ». Enfin, selon le *Spiegel,* citant la revue *Problems of Commu-nism* (éditée par l'Agence internationale de communi-cation du gouvernement à Washington), la tentative soviétique de mettre sur pied une force d'intervention contre la Pologne en 1980 aurait échoué, les désertions des réservistes prenant des proportions « trop impor-tantes pour envisager des sanctions ».

On est donc tenté de conclure que l'interopérabilité de matériels médiocres destinés à des missions anachro-niques sous un commandement sclérosé est certaine-ment moins intéressante que l'action conjointe de

---

12. J. ISNARD, M. TATU, *op. cit.*

matériels de conceptions certes différentes, mais de bonne qualité, pour des missions pertinentes sous un commandement compétent.

Les avions

La balance des appareils « conventionnels » est très aléatoire en raison des problèmes de double capacité évoqués plus haut. Pour le Pacte de Varsovie et l'OTAN respectivement, l'IISS indique 425 bombardiers contre 88, 1 685 avions d'attaque au sol contre 2 355 (mais ce rapport s'inverse à l'avantage du Pacte de Varsovie lorsque l'IISS fait intervenir du côté soviétique 900 appareils « susceptibles d'être ramenés en renfort »), 4 382 appareils d'interception contre 614, 564 appareils de reconnaissance (et éventuellement 400 « en renfort ») contre 348. Ces chiffres doivent être accueillis avec beaucoup de réserve. Nous savons que les avions sont les systèmes les plus difficilement comptabilisables et évaluables. Le *Defense Monitor* souligne de son côté une importante supériorité occidentale pour les appareils de l'aéronavale (environ 1 155 appareils contre 775). Il ne faut pas oublier non plus que l'arsenal considérable des ALCM « stratégiques » que les États-Unis vont mettre en œuvre, pourra jouer un rôle « eurostratégique » capital en saturant la défense adverse.

Le potentiel naval

Les sources occidentales reconnaissent en général la supériorité du potentiel occidental et l'expliquent par les différences dans les missions assignées aux deux flottes. Les forces navales du Pacte de Varsovie sont chargées d'empêcher les forces occidentales d'acheminer des renforts et s'entraînent parallèlement à des débarquements amphibies sur les côtes de la Baltique, de la mer de Norvège ou dans le nord de la Turquie. La flotte de l'OTAN a pour mission de maintenir ouvertes les voies de communication maritime afin d'assurer le transport des troupes et l'acheminement des produits stratégiques et énergétiques [13].

Le tableau récapitulatif de l'IISS montre que, *sans compter les systèmes américains,* le nombre des matériels navals de l'OTAN (Nord Europe + Sud Europe) est soit égal, soit très légèrement inférieur, soit (plus souvent) supérieur aux chiffres relatifs à l'ensemble du Pacte de Varsovie (*URSS + pays satellites*), sauf pour les croiseurs, les mesures anti-mines et les embarcations d'attaque rapide où, selon l'IISS, le Pacte de Varsovie aurait un net avantage [14].

Les forces nucléaires du théâtre européen

Environ 12 000 armes nucléaires sont stationnées en Europe (Est et Ouest), dont la majeure partie (environ 7 000) en RFA (cf. chapitre 12). Il n'est pas possible de s'arrêter ici sur l'ensemble des armes de courte portée (SRTNF) et de moyenne portée (MRTNF) ; ce sont d'ailleurs les armes de théâtre de longue portée (LRTNF) qui constituent l'enjeu majeur de la controverse actuelle.

Nous signalerons seulement que la comparaison effectuée par Dieter Lutz dans son ouvrage déjà cité indiquait une importante supériorité de l'OTAN pour les SRTNF et un équilibre relatif avec une légère avance en faveur du Pacte de Varsovie pour les MRTNF. Soulignons aussi que le tableau général des forces de théâtre risque de beaucoup se transformer à l'avenir : capitalisant le rejet massif du nucléaire, les milieux atlantiques envisagent le déploiement de munitions classiques « super-intelligentes », bourrées d'électronique et de microprocesseurs. Ces armes extrêmement précises possèdent une capacité meurtrière équi-

---

13. J. ISNARD, « Le débat sur les choix stratégiques. L'armée française dans le rapport des forces Est-Ouest », *Le Monde,* 13 novembre 1982.

14. IISS, *op. cit.,* p. 133.

Les SS-20, Pershing II
et missiles de croisière

Contrairement aux SS-4 et SS-5, qu'il doit remplacer, le SS-20 est mobile (mais les emplacements doivent être préparés à l'avance et sont connus des services occidentaux), il possède un carburant solide, donc une plus grande rapidité de mise en œuvre, emporte trois têtes à trajectoires indépendantes d'une puissance unitaire de 150 kt, est plus précis, a une portée de 4 500 à 7 000 km et peut donc (selon le lieu de déploiement, URSS occidentale ou Oural) couvrir toute l'Europe ou les zones maritimes adjacentes.

Le Pershing II, dont les 108 exemplaires doivent tous être installés en RFA, possède un guidage en phase terminale et une très grande précision. Il aura une portée de 1 600 km au moins (et pourra donc atteindre des objectifs *stratégiques* en URSS). Il est conçu pour opérer par tous les temps et la nuit ; il sera éventuellement doté d'une tête pénétrante destinée à traiter les objectifs « durs » (militaires, donc renforcés). Dans son rapport au Congrès, en février 1983, Caspar Weinberger soulignait que les Pershing II « donneront les moyens d'attaquer des points névralgiques et des objectifs qu'il est urgent d'anéantir » (cité par : Ege Konrad, *op. cit.*, note 22).

On remarquera cependant que contrairement à ce qui est le plus souvent implicitement admis par les médias, les Pershing II ne pourront atteindre aucun site de SS-20, situés trop à l'Est sur le territoire soviétique. Il est d'autant plus surprenant d'avancer la thèse de la réponse au SS-20 pour justifier le déploiement de ces nouvelles armes. Dans ces conditions, une seule conclusion est possible : le Pershing II constitue l'un des éléments de la doctrine dite « Air-Land Battle », élaborée par le général Rogers et visant par des frappes sélectives auxquelles la grande précision de l'engin se prête parfaitement, à détruire des objectifs militaire du « deuxième échelon », c'est-à-dire situés dans la partie occidentale de la Russie. Une telle frappe, qui pourrait aussi être conventionnelle, serait destinée à briser la capacité offensive de l'URSS (cf. chapitre 4). Quant au « traitement » des SS-20, il s'opérerait à l'aide des systèmes américains embarqués sur sous-marins, équipés de missiles Trident particulièrement perfectionnés (cf. « modernisations parallèles et évolution » dans le présent chapitre). Mais il pourrait s'opérer également à l'aide d'ICBM basés aux États-Unis, ce qui, en raison du déséquilibre (à l'avantage des États-Unis) dans le nombre des ogives intercontinentales, ne poserait en tout cas pas de gros problèmes d'affectation pour les Américains. Cette configuration montre suffisamment le caractère fictif des équilibres ou déséquilibres « régionaux ».

Les 464 « missiles de croisière » (à répartir entre le Royaume-Uni, l'Italie, la Belgique, les Pays-Bas et la RFA) relèvent d'une technologie également très élaborée. Leur trajectoire est mémorisée sous la forme d'une carte géographique comparée pendant le vol avec la topographie de la région survolée ; ils sont capables de chercher des objectifs mobiles par-dessus l'horizon et peuvent manœuvrer pour éviter les défenses adverses.

« Le missile de croisière se prête à des engagements contre des zones de concentration de troupes ou des centres logistiques, et à la dissuasion en tant qu'arme de seconde frappe contre des objectifs militaires fixes. Mais en accomplissant ce genre de missions, les missiles de croisière viendraient en dispenser les ICBM et SLBM auxquels l'évolution technologique confère de plus en plus nettement, et de plus en plus rapidement, la qualité d'armes de première frappe. Il faut enfin ajouter que le développement de missiles de croisière volant en régime supersonique ne poursuit d'ores et déjà très activement et que cet engin, en raison de son diamètre réduit et de sa faible altitude de vol, est à peine détectable, ce qui le rend donc tout à fait susceptible, malgré sa lenteur, d'être employé aussi en tant qu'arme de première frappe. » (*Source* : LUTZ D.S., *op. cit.*, pp. 98-99.)

LES AVIONS

Selon l'IISS, l'OTAN conserve probablement une avance générale en matière d'électronique et bénéficie d'une flexibilité plus grande en matière de commandement et de contrôle dans les conditions opérationnelles. Mais, d'après la même source, l'URSS améliorerait ses capacités en contre-mesures électroniques, ce qui tendrait à annuler l'avantage de l'OTAN. Les combats aériens qui se sont déroulés dans la vallée de la Bekaa en juin 1982 (guerre du Liban) ont montré en tout cas l'incontestable supériorité du matériel américain. Un appareil américain, bourré d'électronique et évoluant loin du théâtre des opérations, suivait les MiG syriens (soviétiques) dès leur décollage et fournissait aux chasseurs-bombardiers F-15 et F-16 différentes solutions pour détruire leur cible à coup sûr (ce qui s'est produit). Selon certaines sources, les Soviétiques auraient entrepris d'équiper la Syrie d'un système comparable (cf. Georges BUIS, « Les oreilles de Moscou. L'URSS va-t-elle fournir à la Syrie de quoi mettre en échec la technologie israélo-américaine ? », *Le Nouvel observateur,* 4 mars 1983). Toujours d'après l'IISS, les Soviétiques poursuivent la modernisation de leur flotte aérienne tactique. Ils retireraient l'ensemble des MiG 21, Su-7 et 17 pour les remplacer par un nouvel avion d'attaque. L'IISS souligne qu'un avion d'attaque « entièrement nouveau », le Su-25 Frogfoot, aurait été observé en Afghanistan.

valente à celle des engins nucléaires sans présenter leurs « inconvénients » (retombées radioactives, destruction de la couche d'ozone, etc.) : elles ont reçu la dénomination de systèmes « quasi nucléaires ». L'évolution sera probablement la même à l'Est.

LRTNF : le rapport des forces

Pour contrer les SS-20 soviétiques, l'OTAN a décidé, le 12 décembre 1979, de déployer 572 nouvelles fusées nucléaires en Europe : 108 Pershing II et 464 missiles de croisière (cf. encadré). Ce projet fut baptisé « double décision » en raison de la proposition de négociations qui l'accompagnait (cf. chapitre 10).

Dieter Lutz a analysé en détail, à partir de sources occidentales, le rapport des forces en 1979-1980 (date de la décision de l'OTAN) et a tenté de dégager son évolution possible au cours des années à venir. Son étude fait apparaître qu'il y avait à cette époque équilibre numérique entre les pactes et qu'on ne dégageait aucun indice d'une supériorité qualitative du Pacte de Varsovie. Il observe que même dans le cas le plus défavorable pour l'OTAN, l'arsenal occidental (en mer et donc pratiquement invulnérable) disponible après une première frappe soviétique suffirait largement pour anéantir les 30 villes les plus importantes de l'URSS, regroupant 42 millions d'habitants et représentant 40 % de la capacité industrielle du pays.

Certains observateurs ne sont pourtant pas convaincus par ce genre d'argumentation et estiment en quelque sorte que cette menace de riposte est trop forte pour être crédible. L'URSS pourrait quand même exercer une frappe contre les objectifs militaires occidentaux en pensant que l'adversaire n'oserait pas lui infliger une « punition » d'une telle ampleur, par peur des représailles. Cette menace n'opérerait donc qu'au niveau stratégique. Mais alors, est-on tenté de dire avec Richard Barnet, « si l'hypothèse est que l'ennemi est insensible à des catastrophes qui dépassent l'imagination, il n'y a plus de dispositif fiable. Tout dépend alors du hasard[15] ».

En nous limitant aux LRTNF, nous constatons que le rapport établi par l'IISS[16] appelle plusieurs remarques :

— les systèmes répertoriés ne correspondent pas toujours au critère de *l'affectation aux objectifs* retenu par D. Lutz. En s'inspirant des remarques du chercheur allemand, on constate que l'IISS tient compte de 57 systèmes SS N-5, alors que seuls 6 sous-marins de la classe Golf en mer Baltique, totalisant 18 missiles, entrent dans la catégorie des euromissiles[17].

---

15. Richard Barnet, « Bruits de guerre et stratégies impuissantes. Les conditions d'une nouvelle sécurité dans le monde », *Le Monde diplomatique,* avril 1982, p. 18-19.

16. IISS, *op. cit.,* p. 136-137 ; cf. également traduction française, in D. S. Lutz, *op. cit.,* pp. 28 à 31.

17. *Ibid.,* p. 72 ; cf. également SIPRI, *op. cit.,* pp. 10, 13.

— L'IISS inclut les 400 ogives des 2 ou 3 sous-marins américains Poseidon C-3 affectés à l'OTAN, ce que ne font jamais les grands médias.

— Il inclut les forces françaises et britanniques en soulignant qu' « elles correspondent effectivement à notre définition des systèmes nucléaires de théâtre » mais en ajoutant que « leurs missions tendent à se distinguer de celles des autres systèmes répertoriés ».

— Le jeu des indices pondérateurs (capacité de survie, de fiabilité, de pénétration) est devenu plus défavorable à l'OTAN. En 1979, la pondération qualitative, à partir de 1 811 ogives, débouchait sur un équivalent opérationnel de 1 065 ogives, soit environ 59 % du total. En 1982, l'IISS part d'un nombre de têtes déjà plus bas pour aboutir à 47 %. Pour le Pacte de Varsovie, les chiffres équivalents sont 54 % en 1979 et 47 % en 1982. L'IISS ne s'explique pas sur cette « déperdition qualitative » plus grande des systèmes occidentaux.

Pour les armes nucléaires de théâtre de longue portée uniquement, et à partir des données de l'IISS, le rapport peut s'établir de la façon suivante en mai 1983 :

a) Missiles

Pacte de Varsovie :

275 SS-4 (1 ogive)
16 SS-5 (1 ogive)
(environ) 250 SS-20 (3 ogives) (disponibles pour l'Europe sur environ 335 déployés)
18 SS N-5 (1 ogive)
——
(environ) 559 vecteurs ou 1 059 ogives [18].

___

18. Le missile SS-22, de 1 000 km de portée, destiné à remplacer le SS-12 Scaleboard, est rangé par l'IISS dans la catégorie des SRTNF. Il en répertorie 100. L'annuaire 1982 du SIPRI fait remarquer que, selon l'URSS, le SS-22 n'est pas encore opérationnel ; cf. SIPRI, *op. cit.*, p. 10.

OTAN :

80 MSBS M-20 à 1 ogive (France)
64 Polaris A-3 à 1 ogive (Royaume-Uni)
18 IRBM SSBS S-3 à 1 ogive (France)
400 Poséidon C-3 ou Trident C-4 (États-Unis)
———
562 ogives

b) Avions

Pacte de Varsovie : L'IISS répertorie 2 688 appareils pour aboutir, après pondération qualitative, à un nombre de charges de 267. Les Occidentaux ont souligné la mise en service du bombardier Tu-22 Backfire (environ 100 exemplaires). Ses performances, présentées comme exceptionnelles à l'Ouest, ont été contestées par certains milieux occidentaux [19].

OTAN : L'IISS annonce un total de 1 301 appareils et, après la même procédure, aboutit à 129 charges.

Sans tenir compte des pondérations, le total des charges sur missiles et sur avions est de 3 747 pour les forces du Pacte de Varsovie et de 1 863 pour celles de l'OTAN, soit un rapport de 2 à 1. Ce rapport est de 1,9 à 1 (1 326 têtes contre 691) si on tient compte des pondérations qualitatives. Dans tous les cas, la supériorité soviétique sur le « théâtre nucléaire » européen apparaît donc clairement établie en 1983.

Notons toutefois que l'évaluation de l'IISS dans le domaine des avions est surprenante. En 1979, l'inventaire débouchait bien sur un nombre d'appareils supérieur à l'Est — 4 151 — contre 1 679 pour l'OTAN, soit 2,5 contre 1, mais le jeu des indices pondérateurs *inversait* carrément le rapport en faveur de l'OTAN : 615 (OTAN) contre 558 (Pacte de Varsovie) ; l'OTAN avait donc apparemment un niveau technologique deux

---

19. Déclaration du général américain Richard Ellies en 1979 : « S'il fallait échanger le FB-111 A et le F-111 pour le Backfire, les États-Unis ne feraient pas une bonne affaire », cité par D. S. LUTZ, *op. cit.,* note 8, p. 118.

fois et demie plus élevé. Mais quatre ans plus tard, outre que le nombre des avions occidentaux aurait baissé de 378 unités, le nombre des charges aéroportées susceptibles d'atteindre leur objectif est pour les deux pactes d'environ 10 % des systèmes disponibles. Ou bien l'OTAN a totalement perdu son avance technologique, ce qui n'est guère pensable, ou bien la pondération qualitative opérée par l'IISS est parfaitemement arbitraire, ce qui est plus probable.

Ce rapport est de toute façon aléatoire car il est prévu depuis 1974 d'utiliser pour appuyer l'OTAN toutes les forces stratégiques des États-Unis, dotées d'une grande souplesse d'affectation aux objectifs[20]. Il faut donc mettre en doute la thèse de l'indéfendabilité de l'Europe, qui repose sur une segmentation de l'espace géostratégique et des dispositifs militaires sans rapport avec la réalité : *on ne peut pas séparer les composantes régionales des armements de leurs composantes globales et il est clair que l'équilibre des forces en Europe est lié à l'équilibre global.* Le potentiel nucléaire stationné en Europe est étroitement solidaire du potentiel américain, dont il est à vrai dire un prolongement et un complément. Ainsi faut-il mentionner à nouveau, dans ce contexte, l'importance des missiles aéroportés évoqués plus haut qui pourront bien sûr satisfaire à une multitude d'emplois tactiques en Europe.

Modernisations parallèles et évolution

Ce rapport est d'autant plus trompeur que, indépendamment des Pershing II et des missiles de croisière, doivent intervenir d'autres modernisations très importantes du côté occidental :

— *Royaume Uni :* adoption du système Trident, soit 16 à 24 missiles portant chacun 8 ou 14 MIRV sur 4 sous-marins. Le chiffre possible va de 512 à 2 040 ogives. Le SIPRI donne 640 comme chiffre pro-

---

20. Cf. note 4.

bable. Mais les difficultés économiques de l'Angleterre pourraient exiger une révision en baisse de ce programme.

— *France* : introduction du missile M-4 de 4 000 km de portée, muni de 6 MIRV; un seul sous-marin emportera autant d'armes nucléaires que les 5 sous-marins actuels réunis, soit un total de 480 à 560 ogives (toute la flotte sera convertie vers 1987. « L'inflexible » sera équipé des M-4 dès 1985). (Cf. également chapitre 6.)

— *États-Unis* : remplacement des Poseidon C-3 par les Trident I et II en partie équipés de MARV (cf. encadré) entraînant un doublement de la portée (de 5 000 à 10 000 km), une augmentation du nombre de missiles par sous-marin (16 à 24), un triplement de la puissance explosive et, surtout, un décuplement probable de la précision. Ces mesures auront inévitablement des répercussions considérables sur l'équilibre européen, grâce à l'affectation de contingents américains à la défense de l'Europe.

LA MODERNISATION DES MARINES

Le Pentagone vise la constitution d'une flotte de 600 navires. Les projets américains concernent en particulier : trois sous-marins nucléaires supplémentaires, un troisième porte-avions à propulsion nucléaire, deux destroyers équipés de missiles guidés. La marine s'équipe également de chasseurs-bombardiers F-18. Selon l'IISS, les Soviétiques doivent mettre en service un troisième porte-avions (Kiev). Ils équipent un deuxième croiseur lance-missiles à propulsion nucléaire (Kirov) après avoir mis en service le premier d'une nouvelle classe de croiseur. En 1983, l'IISS répertorie par ailleurs un arsenal important de nouveaux missiles en cours de développement ou de déploiement.

Il faut ajouter les modernisations dans le domaine des avions : le F-18 américain pour l'aéronavale (dont le programme semble cependant en retard), le Mirage 2000 en France (pour 1986/87), le Tornado (RFA, Grande-Bretagne, Italie), le F-16 (Belgique et Pays-Bas).

Il est donc clair que, sans les Pershing et les missiles de croisière, l'OTAN disposera à la fin des années quatre-vingt d'un nombre d'ogives très supérieur à celui de l'arsenal soviétique et que l'URSS réagira à cette évolution; elle y a d'ailleurs déjà réagi en augmentant le taux de croissance de ses SS-20, ou en prévoyant l'installation de nouveaux systèmes comme elle l'a déjà annoncé [21].

La mise au point, à l'Est et à l'Ouest, de systèmes de plus en plus précis, dotés d'une grande rapidité de mise en œuvre, débouchera manifestement sur des arsenaux beaucoup moins destinés à la *dissuasion* qu'à l'*emploi dans une guerre nucléaire*. La gestion comptable des arsenaux remplacera la philosophie de la dissuasion, déjà peu rassurante, et déterminera *une course à la capacité de traitement d'objectifs militaires,* foncièrement déstabilisatrice (cf. chapitre 7).

IV. L'appréciation du budget militaire soviétique

L'affirmation d'une supériorité absolue du budget de défense de l'URSS sur celui des États-Unis est destinée à faire apparaître l'Union soviétique comme une puissance entièrement tournée vers l'effort militaire.

Depuis une quinzaine d'années, le ministère des Finances soviétique annonce un budget militaire pratiquement invariable : 17 milliards de roubles. Ce chiffre est peu crédible en raison de l'incontestable augmentation de l'effort militaire soviétique de ces dernières

---

21. Theo SOMMER, « Wollen Sie auf einem Vulkan leben? Die Sowjets und die Nachrüstung. Eindrücke aus Gesprächen in Moskau » (« Voulez-vous vivre sur un volcan? Les Soviétiques et les euromissiles. Impressions au retour de Moscou »), *Die Zeit*, n° 12, 18 mars 1983, p. 3.

années. Aux États-Unis, la CIA s'emploie donc à dégager des données « plus réalistes » sur la base d'estimations qui, cependant, ne font pas l'unanimité. L'Agence américaine de renseignements utilise la méthode dite des « jeux de construction » (« Building-Block-Method ») qui consiste à identifier l'ensemble des éléments des dépenses militaires soviétiques et à en déterminer le coût. Après une estimation physique des effectifs et des équipements disponibles (à partir de photographies aériennes ou de revues soviétiques), la CIA calcule la valeur en dollars du potentiel soviétique aux prix américains, puis estime cette valeur en roubles sur la base d'un taux de change qualifié de « réaliste ». L'hypothèse de départ, très problématique, est que les Soviétiques achètent leur programme militaire aux États-Unis, versent des salaires américains à leur personnel et paient des prix américains pour les matériels soviétiques. Il est également possible d'établir en roubles les dépenses américaines, mais cela pose l'important problème de savoir quel serait le coût pour l'URSS de la production de systèmes d'armes américains qui exigent une haute technologie et qui sont encore hors de portée de la technologie soviétique (cf. encadré).

Il s'agit en tout cas d'une manipulation caractérisée d'affirmer que les États-Unis ne dépensent que 5 % de leur PNB (produit national brut) pour la défense alors que les Soviétiques dépenseraient 14 % du leur pour le même usage, en « omettant » de signaler que le PNB américain est plus de deux fois supérieur au PNB soviétique. En outre, Konrad Ege[22] fait remarquer que le rapport annuel du sous-secrétaire d'État américain De Lauer pour l'année fiscale 1984 montre que l'OTAN a toujours dépensé plus que le Pacte de Varsovie pour la défense : environ 350 milliards de dollars en 1965, un peu plus de 300 milliards dans les

---

22. Konrad Ege, « L'effort de réarmement aux États-Unis. Budget de défense ou budget de guerre ? », *Le Monde diplomatique,* avril 1983, p. 6.

années soixante-dix, quelque 350 milliards également en 1980 et 450 milliards après 1985 (projection). Pour le Pacte de Varsovie, la courbe monte régulièrement de 200 milliards de dollars en 1965 à un peu plus de 300 milliards en 1980 et s'approche des 400 milliards après 1985 (projection). Il note également que le gouvernement américain sous-estime le budget du Pentagone en imputant à d'autres ministères quelque 80 milliards de dollars de dépenses militaires ou liés à l'armée. C'est ainsi que « le coût de la production des ogives nucléaires est pris en charge par le ministère de l'Énergie, tandis que le ministère de l'Éducation finance la scolarité d'une partie des enfants du personnel de l'armée et qu'une agence officielle spécialisée s'occupe des affaires des anciens combattants ». On voit donc que là encore les simplifications abusives brouillent totalement la réalité et débouchent sur des résultats fallacieux.

Les quelques extraits de hearings (auditions) présentés ici sont assez éloquents (cf. l'encadré sur les chars, et l'encadré ci-après). Ces débats organisés dans le cadre de commissions spécialisées du Parlement américain montrent que si, face aux médias, le Pentagone ou la Maison-Blanche peuvent grossir la menace soviétique pour obtenir des fonds pour la défense, les représentants américains soumettent les militaires et les responsables de la CIA et de la DIA (Agence de renseignements sur la défense) à des interrogatoires serrés qui donnent lieu à des réponses fort nuancées et très éloignées des campagnes alarmistes habituelles. C'est que les militaires et les responsables politiques américains sont placés devant un dilemme insoluble : il leur faut soutenir la thèse de la supériorité soviétique, notamment technologique, pour justifier leur boulimie de fonds, mais il leur faut bien aussi, s'ils veulent que la manne continue à couler, convaincre les représentants de la démocratie américaine qu'ils en font une utilisation judicieuse. Et cela les amène plutôt, même en termes contournés, à reconnaître la supériorité occidentale...

La CIA et la supériorité technologique de l'Union soviétique

Question : Veuillez énumérer les systèmes d'armes soviétiques dont la CIA pense qu'ils sont plus perfectionnés que leurs correspondants américains.

Réponse : Bien que certains systèmes d'armes soviétiques aient des capacités supérieures à celles des systèmes américains dans certains domaines comme la portée, cela résulte de choix arrêtés au stade de la conception mais ne reflète pas un niveau technologique supérieur.
(Source : *Hearings before the Subcommittee on Priorities and Economy in Government of the Joint Economic Committee Congress of the United States*, Washington, 24 mai 1976, p. 67).

La campagne alarmiste américaine a notamment porté, ces dernières années, sur « l'avance » soviétique en matière de lasers et de chars. Or, l'existence d'un « programme laser » du côté soviétique n'est plus sûre. Le 11 mai 1982, l'amiral Inman, vice-directeur de la CIA à l'époque, déclarait à une commission du Sénat : « Nous reconnaissons maintenant que les Soviétiques ne se sont pas lancés, comme certains l'avaient craint, dans de grands investissements en recherche et développement pour réussir des percées dans des secteurs ignorés par nous. » (« Transfer of US High Technology to the Soviet Union and Soviet Bloc Nations », US Senate, 1982, p. 238.)

Il faut retenir en conclusion que l'étude du rapport des forces revient à faire « l'éloge de la complexité ». Les oppositions de chiffres bruts, le découpage des dispositifs militaires en théâtres délimités sans tenir compte de la souplesse d'affectation propre à de nombreux systèmes, et la recherche obsessionnelle de l'équilibre numérique assimilé à l'équilibre des capacités, projettent une grille simplifiante et déformante sur les réalités géostratégiques. L'évolution de la technologie militaire conduit par ailleurs à une diffusion multiforme de la menace de mort dont la redondance, l'omniprésence, rendent toujours plus inutiles et aléatoires les comparaisons de forces.

En particulier, l'argumentation officielle relative aux potentiels de théâtre soviétiques et occidentaux, invoquant l'absence à l'Ouest d'un système « équivalent » aux SS-20, revient à placer la discussion sur le terrain formel des systèmes d'armes et de leur localisation alors que la dissuasion renvoie au concept de menace, indépendamment du support matériel de cette menace. C'est pour cette raison que l'exclusion des potentiels nucléaires français et britannique relève d'une vision géostratégique qui n'est pas compréhensible pour l'URSS (cf. chapitre 6). Pour cette raison aussi, il ne faut jamais oublier qu'il n'y a pas de paroi étanche entre le dispositif stratégique des États-Unis et leur potentiel de théâtre, mais complémentarité et continuité. Si l'on ajoute que la dialectique des mutations technologiques et des mutations de doctrine (cf. chapitre 4) annonce clairement une insertion totale à terme dans une dynamique anti-forces, déterminant l'aspiration à la supériorité, la recherche de la capacité de première frappe et la tentation de l'attaque préventive, on conçoit que la sécurité des peuples, à l'Est et à l'Ouest, n'est pas entre les meilleures mains. Si rien ne réussit à inverser la tendance actuelle, il faudra savoir en effet, comme le dit R. Barnett[23], que la guerre aura lieu « lorsqu'un des partenaires conclura que le choix n'est plus entre la paix et la guerre, mais entre la guerre maintenant et la guerre plus tard et dans des conditions encore plus défavorables ».

Philippe Lacroix

23. Richard BARNET, *op. cit.*

2. Comment apprécier la menace soviétique ?

Jacques Sapir

La question de la « menace soviétique » domine aujourd'hui largement les différents débats stratégiques. Son appréciation pose de délicats problèmes, sur le double plan matériel et conceptuel. Qui plus est, cette question est souvent dominée par des *a priori* subjectifs et émotionnels. Si pour certains, l'État issu de la révolution d'Octobre ne peut par nature être agressif, pour d'autres il n'aura de cesse qu'il n'ait détruit le « monde libre ». Il faut donc tenir compte à la fois de ce qui semble rationnel et de ce qui ne l'est pas. C'est pourquoi la question de la « perception » de la menace soviétique en Europe occidentale est aussi importante que l'estimation des différents facteurs qui peuvent déterminer l'action de l'URSS.

I. La vision occidentale, mythes et scénarios

La perception de la menace soviétique se focalise autour d'une série d'affirmations : les « supériorités » de l'URSS, qui fondent les scénarios pour une hypothétique Troisième Guerre mondiale [1]. Or, le plus souvent, ces affirmations sont des mythes que l'on se préoccupe rarement de vérifier.

---

1. Général John HACKETT, *La Troisième Guerre mondiale, l'Allemagne, principal théâtre des opérations,* avec une postface de Paul-Marie de la Gorce, Le Livre de Poche, 1980.

La première serait celle de l'URSS dans le domaine des armes stratégiques nucléaires, qui conduirait à la fameuse « fenêtre de vulnérabilité ». En 1982, le nombre de têtes nucléaires déployées tant sur des fusées (à terre ou en mer) que sur des avions, est de 9 268 pour les États-Unis et d'environ 7 300 pour l'URSS[2] (cf. chapitre 1). Quant aux têtes situées « en mer » et invulnérables à une « première frappe », on en compte 5 768 pour les États-Unis et environ 1 800 pour l'URSS. On peut utiliser un autre mode de calcul, le « mégatonnage équivalent » (prenant en compte le fait que la puissance de destruction est une fonction logarithmique de la puissance de la charge). Dans ce cas, on obtient 3 752 mégatonnes (1 mégatonne = 1 million de tonnes de TNT), pour les États-Unis et 6 100 pour l'URSS, dont respectivement 785 et 1 100 « à la mer ».

Si les Soviétiques possèdent moins de têtes, elles sont donc plus puissantes que les américaines ; mais elles sont sans doute moins précises. De toutes les manières, chaque adversaire dispose de forces « en mer » qui lui assurent, tant par le nombre de têtes que par leur puissance, la capacité de détruire « l'autre » quand bien même tous les autres systèmes auraient été détruits.

La seconde supériorité de l'URSS serait celle de ses forces en Europe. Il faut alors considérer séparément les forces classiques (i.e. non nucléaires) et les forces « euro-nucléaires », celles des pays et celles des pactes (OTAN, Pacte de Varsovie). Du point de vue des matériels non nucléaires, on enregistre une légère infériorité de l'OTAN par rapport au Pacte de Varsovie. Si ce dernier est à 1, l'OTAN est à 0,645 pour les chars, 0,95 pour l'artillerie, 3,23 pour les missiles antichar et 0,51 pour les avions tactiques[3] (cf. égale-

---

2. IISS, *Military Balance 1982-1983*, Londres, 1982, p. 140.
3. *Ibidem*, pp. 132-133.

ment chapitre 1). Mais il faut signaler que pour les chars et les avions, la « masse » du côté du Pacte de Varsovie provient du maintien en service de matériels dépassés. Enfin, puisque nous tentons d'évaluer la *menace* soviétique, rappelons qu'il est admis par les militaires des différents pays que l'agresseur doit disposer d'une supériorité de 3 à 1, soit, si le Pacte de Varsovie est compté 1, l'OTAN devrait être à 0,33 [4].

Pour les missiles nucléaires basés en Europe, un calcul concernant les têtes, après diverses déductions sur les taux de disponibilité et de survie des systèmes, donne en mai 1983 1 059 têtes au Pacte de Varsovie, contre 562 à l'OTAN [5]. En ce qui concerne les têtes nucléaires emportées par les avions, l'estimation après pondération est de 267 têtes pour le Pacte de Varsovie, contre 129 pour l'OTAN. Cette comparaison est toutefois quelque peu faussée par le fait que le Pacte de Varsovie termine la modernisation de ses moyens aériens, alors que celle de nombreux pays de l'OTAN (Royaume-Uni, RFA, Italie) va commencer (programme Tornado).

La troisième supériorité dont on crédite l'URSS est celle de sa marine. Nous avons vu au chapitre 1 qu'on la crédite de 204 sous-marins d'attaque contre 90 pour les États-Unis [6]. Mais pour les sous-marins *nucléaires* d'attaque, le rapport tombe à 56 contre 85, soit une supériorité américaine. Si l'on inclut les sous-marins soviétiques porteurs de missiles anti-navires et si l'on tient compte des sous-marins nucléaires d'attaque de la Grande-Bretagne et de la France (aucun autre pays que l'URSS n'en possède dans le Pacte de Varsovie), le rapport est de 105 contre 97. Pour les unités de surface, on compte 194 unités majeures pour les États-Unis et 290 pour l'URSS, mais les États-Unis disposent de 14 porte-avions (le chapitre 1 a montré l'inexistence

4. R. E. Simpkin, *Tank Warfare,* Braney's, Londres, 1979.
5. IISS, *op. cit.,* pp. 136-137. Voir aussi : D. Lutz, *op. cit.* (chapitre 1, note 4).
6. IISS, *op. cit.,* pp. 7 et 15.

d'un matériel équivalent du côté soviétique) dont 12 normalement opérationnels. On a vu également qu'en comptabilisant le *total des pactes,* on obtient un net avantage pour l'OTAN.

Enfin, la géographie joue contre la puissance navale soviétique. On peut voir sur les cartes que ses flottes sont soumises à des « points de passage » : détroit danois pour la Baltique et Bosphore pour la mer Noire ; barrière « Groenland, Islande-îles Féroé, Grande-Bretagne » pour l'Atlantique ; détroits de Tsu-Chima ou de La Pérouse pour Vladivostock. Ces « points de passage » jouent un double rôle. Ils empêchent la flotte soviétique de se répandre sur l'ensemble des océans, mais ils créent des mers « semi-fermées » où les sous-marins stratégiques soviétiques peuvent être en sécurité.

Au total, il semble difficile de tabler sur une « supériorité » soviétique. Certes, les forces armées de l'URSS sont importantes. Plus sans doute que n'exigerait la simple *défense* de l'Union soviétique. Mais elle ne peut se prévaloir d'une supériorité décisive, voire même significative. Pourtant cela n'empêche pas certains experts de dresser des scénarios apocalyptiques.

Les scénarios

L'affirmation d'une « supériorité » soviétique semble souvent trop peu explicite. Aussi construit-on un « scénario » visant à la mettre en œuvre pour montrer au lecteur ou à l'auditeur ce qui l'attend.

Première « hypothèse » : grâce à sa « supériorité nucléaire » l'URSS peut « désarmer » les États-Unis ou/et l'OTAN. On part du principe que les missiles soviétiques, grâce à leur puissance et leur précision (donnée sur laquelle on a, en fait, peu d'éléments) peuvent détruire les missiles américains basés à terre et les bombardiers stratégiques. Mais il est facile de montrer que les États-Unis ne sont pas « désarmés » pour autant. Ils conservent non seulement les missiles

44

sur sous-marins, mais encore les armes atomiques des porte-avions. Objection ! rétorquent les avocats de ce scénario : les armes nucléaires qui restent peuvent uniquement nous permettre de frapper les centres urbains soviétiques. Et, dans ce cas, les villes américaines, jusqu'alors épargnées, seront détruites.

Variante européenne : les SS-20 détruisent le potentiel militaire de l'OTAN. Il n'y a pas d'autre alternative que de capituler ou de sacrifier nos villes. Le problème, dans ce scénario, réside dans la capacité pour la « victime » de discerner une frappe nucléaire « antiforces » de la frappe « anti-cité ». En effet, la destruction de cibles protégées comme les silos des missiles, les aérodromes, les centres de commandement, exige à la fois précision et puissance. Pour un aérodrome, il faudrait ainsi employer une forte charge *au sol* et une seconde explosant « en l'air », pour détruire les installations et les avions qui auraient pu décoller pendant l'alerte. Les effets secondaires sont nécessairement considérables : souffle, chaleur, mais surtout contamination par les retombées des explosions au sol. La destruction des silos américains, à l'aide de têtes de 3 mégatonnes (une au sol, l'autre en l'air) provoquerait la mort de 8 % à 10 % de la population américaine[7]. Une partie considérable de l'agriculture américaine serait aussi détruite. Si tous les objectifs militaires et économico-militaires sont visés, la proportion des morts varierait de 35 % à 65 % du total de la population.

Dans le cas européen, où la densité de population est plus élevée, les effets seraient pires. Pour la France, par exemple, la destruction des aérodromes de Cambrai, Creil, Dijon, Reims, qui sont des bases militaires importantes, entraînerait celle des villes voisines.

Dès lors, deux cas sont possibles. Ou bien l'URSS ne vise que quelques objectifs, particulièrement isolés, et

---

7. *The Effects of Nuclear War*, Office of Technology Congress of The United States, Washington, 1979.

elle ne peut « désarmer » son adversaire. Ou bien elle cherche à obtenir l'effet maximal et les dommages sont tels que la différence entre une frappe anti-forces et une frappe anti-cité n'a plus de sens.

Signalons, enfin, qu'en raison du temps de détection entre le lancement d'un missile et son « arrivée », il est toujours possible à la « cible » de tirer ses missiles « sur alerte ». Le scénario d'une « frappe désarmante » sur les États-Unis ou sur l'Europe se heurte donc à trois obstacles :

— le « désarmement » est loin d'être total, les forces nucléaires « en mer » restent intactes ;
— les effets sont peu discernables de ceux d'une attaque totale ;
— il y a toujours un risque, important, que les charges nucléaires frappent des silos vides, des aérodromes sans leurs avions.

Second scénario : la « marche sur le Rhin »[8]. Il est un peu plus vraisemblable que ce que l'on peut entendre, ici et là, sur une arrivée hypothétique des chars soviétiques à Brest en quarante-huit heures. Ce scénario tend à illustrer la supériorité conventionnelle des forces du Pacte de Varsovie et constitue un puissant argument pour ceux qui préconisent soit un réarmement de l'OTAN, soit la mise en service d'armes nucléaires tactiques comme la bombe à neutrons (cf. chapitre 8).

De quoi s'agit-il en réalité ?

On suppose que l'armée soviétique, maîtrisant parfaitement sa doctrine des opérations combinées[9], mène une « Blitzkrieg » en direction du Rhin et de la mer du Nord. Les forces de l'OTAN, largement dominées numériquement, se trouvent en position très défavorable. Pour les uns, elles s'effondrent, pour d'autres, elles

8. J. Hackett, *op. cit.*
9. A. A. Sidorenko, *Nastuplenie,* Voennoe Izdatel'stvo, Moscou, 1970 et D. C. Isby, *Weapons and Tactics of the Soviet Army,* Jane's, Londres, 1982.

n'arrêtent les forces adverses qu'après avoir cédé une bonne part du territoire de la RFA. L'URSS propose alors des négociations qu'elle peut conduire en position de force. Si l'on admet l'usage des armes « chimiques » (les gaz), ce scénario est non nucléaire. Il soulève, lui aussi, quelques problèmes.

D'une part, dans sa présentation la plus élaborée, il montre en réalité la capacité de l'OTAN à stopper une telle offensive [10]. Or, même cette présentation, si elle est crédible du point de vue de la structure *actuelle* des armées de l'OTAN, ne rend pas compte des capacités *potentielles* des pays européens. L'offensive repose sur deux principes : la *masse* et/ou le *moment*. Une force réduite et se déplaçant à grande vitesse exerce un effet comparable à une force armée bien plus importante, mais lente. C'est la différence entre la « Blitzkrieg » et le « rouleau compresseur ». On admet, en règle générale, que si l'URSS se lance dans un conflit sur l'Europe, elle cherchera une décision rapide et non nucléaire. Le second point est évident : on ne détruit pas ce que l'on veut utiliser, et les risques d'une escalade nucléaire seraient trop élevés. Quant au *temps,* il est aussi évident qu'il n'est pas de l'intérêt de l'URSS de s'engager dans une guerre de longue durée. Ni son économie, ni ses capacités logistiques, ni l'ordre social dans les pays de l'Est ne supporteraient un conflit de plusieurs mois, indécis. Le risque nucléaire y serait très grand aussi. Donc, la crédibilité du scénario repose sur la capacité de l'URSS à atteindre ses objectifs en quelques jours, en jouant sur un effet de *moment* plus que sur un effet *de masse*.

Quelle est la capacité des forces de l'OTAN de s'opposer efficacement à une telle attaque ? L'emploi de chars pour détruire d'autres chars, quand on n'a pas la supériorité numérique, suppose une forte supériorité technique et/ou dans l'emploi. C'est probablement le cas, mais, en partant du « principe de Lanchester », il

---

10. J. HACKETT, *op. cit.*

faut savoir que pour combattre un adversaire *deux* fois plus nombreux, il faut être *quatre* fois plus efficace[11]. Or, une étude a montré que l'utilisation judicieuse des armes dans lesquelles l'Europe occidentale a une nette supériorité (missiles antichars, armes de haute précision, mines) peut être une parade efficace contre la « Blitzkrieg »[12]. Dans un scénario de « guerre non nucléaire », les pays de la CEE ont les capacités potentielles de faire échec à toute offensive soviétique, sans avoir recours aux armes nucléaires, sans appui américain, et sans dépenser *plus* pour leur défense, mais en dépensant autrement. D'autre part, le scénario d'une « marche sur le Rhin », en général, exclut la mondialisation du conflit, ce qui est, même en restant dans un cadre non nucléaire, plus que douteux.

Troisième scénario : l'URSS met l'Europe à sa merci en détruisant ses lignes de communication. Fondé sur la grande dépendance européenne à l'égard du transport maritime pour les matières premières, ce scénario existe en deux variantes.

La première nous propose une réédition de la « bataille de l'Atlantique ». La flotte sous-marine soviétique détruirait le commerce maritime. Mais cette variante ignore à la fois la structure des flottes de l'OTAN, dont la tâche principale est justement de lutter contre les sous-marins ; la lenteur d'un tel conflit, qui serait en réalité une guerre d'usure de plusieurs mois ; et, enfin, le fait que les navires les plus importants, les pétroliers géants, sont très résistants. En 1942, lors d'un convoi pour Malte, le pétrolier « Ohio » a atteint le port de La Valette, cassé en deux après plusieurs bombes, torpilles, et les carcasses de deux avions allemands écrasés sur ses superstructures, mais avec l'essentiel de sa cargaison intact. Que l'on se souvienne des efforts de la RAF, longtemps infruc-

11. R. E. SIMPKIN, *Tank Warfare, op. cit.*, et D. C. ISBY, *Weapons and Tactics, op. cit.*
12. G. BROSSOLET, *Essai sur la non-bataille*, Belin, 1975.

tueux, pour détruire le « Torrey-Canyon » après que ce dernier se fut échoué devant la Bretagne, libérant l'une des premières « marées noires ». Le développement des moyens modernes de lutte anti-sous-marins, la résistance des bateaux, autant de facteurs qui rendraient incertain un conflit maritime de longue durée.

La seconde variante est tournée vers le Golfe. Elle envisage, soit une poussée de l'URSS vers le sud (à partir de l'Afghanistan ?), soit un blocus du détroit de Bab-el-Mandeb, par lequel la mer Rouge communique avec le golfe d'Aden, et bordé à l'Est par les deux Yémen et à l'Ouest par le territoire de l'Érythrée et Djibouti. Dans l'un ou l'autre des cas, l'accomplissement serait incertain, et les effets aléatoires. Incertitude due aux caractéristiques mêmes de la région, où l'image de l'URSS est loin d'être bonne, et au fait qu'une opération majeure vers le Golfe impliquerait un retournement dans la posture militaire de l'URSS, qui serait détecté avec facilité. Quant aux effets, n'oublions pas qu'il existe, en Amérique, en Afrique, en Asie, d'autres lieux de production de pétrole. L'URSS ne pourrait espérer tarir complètement l'approvisionnement de l'Europe.

Ces divers scénarios, s'ils explorent des conflits possibles, ne peuvent démontrer une supériorité soviétique qui serait, en soi, une menace. Ils ne sont pas inutiles en cela qu'il nous montrent des possibilités. Mais ils ne peuvent que renvoyer à des présupposés qui n'ont que peu à voir avec les considérations d'ordre strictement militaire sur le rapport de forces.

II. Idéologie et histoire

Au-delà des mythes et des scénarios, la question de la « menace soviétique » fait référence à une démarche idéologique et à un contresens historique. Il nous faut aborder séparément ces deux problèmes pour comprendre les bases du discours occidental sur cette question.

Sous des mots un peu différents, on trouve aux États-Unis et en Europe occidentale, les traces d'un discours « khomeyniste » sur l'URSS. Il s'appuie sur trois fantasmes.

L'Union soviétique serait ainsi la perturbatrice de l'« Ordre mondial ». Qu'un attentat ait lieu, qu'un coup d'État liquide une clique « pro-occidentale », et c'est la « main de Moscou » que l'on voit à l'œuvre. Il y a, dans ce fantasme, une part imaginaire qui se fonde sur une réalité. L'imaginaire, c'est d'abord la « toute-puissance » que l'on suppose à l'URSS. Comme si l'on reportait sur Moscou les désirs que l'on a sur sa propre politique. C'est parce qu'ils voudraient bien voir les États-Unis tout-puissants que les conseillers de Reagan imaginent qu'il en est ainsi de l'URSS. L'imaginaire, c'est aussi le refus, classique, de l'existence même du désordre. À la production du schéma walrasien de l'équilibre économique, la bourgeoisie « libérale » a fait correspondre un schéma politique identique. Le désordre ne peut être que l'effet d'une « mauvaise action ». Le dépassement des formes coloniales, les luttes nationales du tiers monde, l'incapacité des structures politiques dans les pays développés à absorber certains changements sociaux, bref, toutes ces évolutions qui, depuis près de trente ans ont produit la décolonisation, les luttes anti-impérialistes, la radicalisation de franges de la jeunesse européenne flirtant avec le terrorisme, ces évolutions sont, pour certains, inconcevables sans l'intervention d'un *Deus ex machina*. D'où la vision paranoïaque d'un monde troublé sans cesse par un ennemi multiforme, qui prend ici la forme des actions terroristes des Brigades rouges, et là-bas celle des révoltes des paysans d'Amérique centrale, toutes bien sûr fomentées par le Kremlin.

Mais cet imaginaire ne pourrait exister s'il n'avait aussi une base réelle. L'URSS intervient dans des conflits quand cela correspond à ses intérêts de grande puissance. Elle fournit des armes aux régimes du tiers monde qui se réclament d'elle. Elle entraîne, par Tchécoslovaquie et Bulgarie interposées, des militants convaincus que l'action armée est la seule issue, et facilement manipulés. Cette réalité décuple alors la paranoïa de ceux qui voient en Moscou le « Grand Satan ». Mais jamais il ne leur viendrait à l'idée que la défense de « l'Ordre occidental » est justement la cause principale des désordres utilisés par les Soviétiques.

Second fantasme : la militarisation de l'URSS. Il produit, à intervalles réguliers, la « découverte » d'une avance soviétique. Au début des années cinquante, ce fut le MiG 15. Les Soviétiques disposaient d'un « avion miracle »... que les F 86 américains détruisirent facilement en Corée. Puis ce fut le « Spoutnik ». On sait ce qu'il advint de l'exploration spatiale quand les Américains se décidèrent à en faire une priorité. Nous eûmes droit au discours sur la supériorité du char T-62 (cf. chapitre 1), jusqu'au moment où les Israéliens en capturèrent. Il y eut aussi la panique du « MiG 25 », qui dura tant que les industriels américains en eurent besoin, et qui se volatilisa comme une bulle de savon quand le lieutenant Belenko se posa au Japon avec un exemplaire de cette prétendue merveille. Bref, de la « stratocratie » dans laquelle se fourvoya Castoriadis en 1981 (on aimerait savoir comment il interprète ce qui s'est passé, militairement et diplomatiquement au Liban en 1982), au film de Clint Eastwood *Firefox, l'arme absolue,* ce fantasme a la vie dure. On aimerait quand même savoir comment un pays dont le PNB est de l'ordre de 40 % de celui des États-Unis, et qui ne peut s'appuyer sur les pays de l'Est en ce domaine, pourrait produire des armes à la fois plus nombreuses et meilleures que l'OTAN.

Troisième fantasme : le danger soviétique est proportionnel à la puissance de l'URSS. Si, par malheur, cette dernière dépassait un jour « l'Occident », alors, elle utiliserait son avantage. Cette fois-ci la base du fantasme est double. D'une part, il y a l'ignorance complète de ce que l'on appelle le « jeu des puissances ». La guerre n'est qu'un des moyens pour affirmer sa puissance, et certainement le plus dangereux et le plus coûteux. D'autre part, un peu d'histoire montrerait à tous ceux qui tremblent, l'œil rivé sur les parutions annuelles du *Military Balance* de l'URSS, qu'en règle générale, il n'y a pas de lien direct entre la supériorité militaire et l'agressivité d'un pays.

Un contresens historique

La perception de la « menace soviétique » en Europe occidentale et aux États-Unis ne s'appuie pas seulement sur des mythes, des scénarios douteux, des fantasmes. Elle repose aussi sur un profond contresens historique. On peut avancer, en effet, que contrairement aux apparences, l'attaque ne vient pas de l'adversaire le mieux armé, mais du plus faible, non du plus solide, mais du plus déséquilibré.

FORCES BLINDÉES EN PRÉSENCE
EN JUIN 1940 [13]

	France	Grande-Bretagne [a]	Total F + G-B	Allemagne
Total	3 400	700	4 100	2 574 [b]
dont :				
modernes	2 900	700	2 600	2 574
lourds (plus de				
20 t)	300	30	330	—
moyens (12 à				
20 t)	416	350	766	765

a. présents en France en 1940 ; *b.* dont 360 ex-tchèques.

13. E. GROVE, *World War II Tanks,* Orbis Publishing, Londres, 1976 ; C. K. KLIMENT, H. C. DOYLE, *Czechoslovak Armoured Fighting vehicles,* Argus Books, 1979.

En ce qui concerne le rapport des forces militaires, il faut rappeler quelques vérités sur la situation de l'Allemagne et du Japon lors du second conflit mondial. Il est courant, en effet, de lire que la victoire allemande de 1940 a été causée par une supériorité en nombre et en qualité des chars et des avions de ce pays sur les forces que lui opposaient la France et la Grande-Bretagne. Or, c'est une contrevérité historique, comme on le constatera à la lecture des tableaux suivants.

FORCES AÉRIENNES EN PRÉSENCE
EN JUIN 1940[14]

	France	Grande-Bretagne[a]	Allemagne
Total	1 394	416 (sur 1 873[b])	3 959 (dont 3 360 avions de combat)
dont : chasseurs	570	120 (sur 850[b])	1 264

a. Nombre d'appareils présents en France ; b. Forces britanniques totales.

Comme on peut le voir, la France et la Grande-Bretagne étaient supérieures à l'Allemagne pour les blindés, et nettement inférieures pour les avions, du moins si l'on exclut les avions restés en Angleterre (le total passant de 1 810 à 3 267 suivant qu'ils sont ou ne sont pas comptés). En ce qui concerne le rapport des forces entre le Japon et les États-Unis, le déséquilibre

14. *Icare*, « *La bataille de France* », n° 54, p. 56 ; voir aussi L. MYSYROWICZ, *Autopsie d'une défaite. Origines de l'effondrement militaire français en 1940*, L'âge d'homme, Genève, 1973.

est si flagrant qu'il ne fut jamais contesté. Dans ces deux cas — et on conviendra facilement de leur importance historique —, la décision d'attaquer, de déclencher les hostilités, provient donc du *plus faible*, qui espère ainsi compenser son infériorité en prenant l'initiative.

Du point de vue des équilibres géostratégiques, que ce soit en 1914 avec l'Autriche-Hongrie, en 1939 avec l'Allemagne, en 1941 avec le Japon, en 1967 pour Israël, le pays qui a recours le premier aux armes est loin d'être le plus avantagé. Soit il est isolé, enclavé (Israël, Autriche-Hongrie, Allemagne), soit il est dépendant pour ses approvisionnements (Japon). Il est enfin remarquable que, dans tous ces cas, le pays qui a pris la décision d'ouvrir les hostilités était celui qui était le plus faible sur mer, autrement dit qui ne disposait pas de l'arme suprême des empires modernes : le pouvoir maritime.

Il faut donc revenir sur certaines idées reçues quant à la genèse du déclenchement des conflits armés. Non seulement il est faux d'établir un lien logique supériorité-menace, mais il faut le renverser. L'infériorité incite plus à prendre la responsabilité du conflit, dans la mesure où l'on estime, avec l'initiative, compenser le rapport des forces (et on peut y réussir à court terme : juin 1940, Pearl Harbour, ou à long terme : la « guerre des Six Jours »).

Quant à ce qui motive la décision du recours aux armes, ce n'est pas le sentiment de sa puissance, mais bien de son impuissance. Impuissance devant des conflits internes, ou impuissance à obtenir ce que l'on estime être « sa » place dans le rapport des forces mondiales. Le Japon actuel, dont les forces militaires sont réduites, mais l'économie prospère, a réussi à constituer sa sphère de domination en Asie, ce à quoi le Japon militariste de 1930 avait échoué.

La question des déséquilibres est donc décisive pour penser le problème d'une quelconque « menace ».

III. La situation de l'URSS :
retour à la case départ ?

On ne peut se borner à traiter les questions de la « menace » soviétique uniquement du point de vue de sa perception à l'Ouest. Encore faut-il considérer la réalité des choses.

Une situation dégradée

La position de l'*Union soviétique* semble aujourd'hui fortement dégradée sur divers terrains. Du point de vue économique, le ralentissement de la croissance indiqué par les chiffres officiels (3,5 % en 1981, 2 % en 1982) cache mal une stagnation de nombreuses productions : acier, machines, automobiles. Ce qui pose déjà des problèmes à des pays fortement développés, comme ceux de la CEE, doit avoir des répercussions encore pires pour une économie lourdement grevée par un énorme secteur militaire, et qui ne peut même pas assurer aux Soviétiques un niveau de consommation supérieur à celui des Tchèques, des Polonais, des Hongrois et des Allemands de l'Est.

Socialement, cette stagnation a des conséquences graves. Non seulement les biens sociaux se dégradent (comme la santé, ainsi la mortalité infantile croît), mais les rapports sociaux en pâtissent. La montée des phénomènes qualifiés d'antisoviétiques par la presse officielle (alcoolisme, renouveau religieux, absentéisme, corruption) montre l'effritement du consensus social. Or, aucune société ne saurait tenir par la force brute. Le problème national, que ce soit celui des peuples de l'Asie soviétique ou des régions de l'Ouest, dans un tel contexte, peut devenir grave. Politiquement, l'existence de clientèles et de groupes de pression structurant l'espace du pouvoir, s'il est une garantie contre le pouvoir absolu d'un homme ou d'une clique, constitue désormais un obstacle. Non seulement les divers groupes se paralysent mutuellement, comme on le voit pour le successeur de Brejnev, Andropov, mais aucun ne semble porter un projet crédible de rénovation de la société. On tâte par-ci de la lutte contre la corruption, par-là de la discipline, mais on reste au niveau des expédients.

Des échecs internationaux

Cette situation pèse sur la capacité de l'URSS à faire aboutir ses objectifs internationaux. L'extension de sa « sphère » d'influence est en échec. Que ce soit en raison de son incapacité à fournir une aide économique, ou en raison de sa faiblesse militaire et diplomatique, l'URSS voit son influence décliner. On le voit en Afrique, où, dans des pays classés comme « prosoviétiques » comme l'Angola ou le Mozambique, l'influence des entreprises occidentales est croissante. On le voit aussi au Moyen-Orient, où l'URSS n'arrive plus, pour l'instant, à développer sa politique face aux pressions américaines.

La montée de la crise dans sa sphère traditionnelle est aussi importante. À la mi-1983, rien n'est réglé en Pologne, un mouvement de jeunesse est-allemand se développe contre le régime, en Hongrie et surtout en Roumanie, la situation économique et sociale est grave.

Enfin, idéologiquement, le recul du mythe soviétique, la perte de l'attirance du « modèle » se fait sentir tant en Europe occidentale que dans certaines fractions du tiers monde (dans le monde musulman, en particulier).

L'URSS est donc confrontée à des pressions tant internes qu'externes. Elles peuvent susciter des déséquilibres profonds, qui peuvent être perçus, la paranoïa n'étant pas l'apanage de la droite américaine, comme le produit de la « main de l'ennemi ». Les dirigeants soviétiques ont largement, depuis 1965, sacrifié les fondements de la puissance (la croissance) à ses appa-

56

rences : l'appareil militaire. Mais cet effort, s'il leur a donné un poids politique certain, est à la fois insuffisant et insupportable. On peut donc craindre que l'accumulation des tensions et des contradictions, qui tiennent tant à la spécificité de la société soviétique elle-même qu'à son insertion « impériale » dans le monde, ne suscite le recours à des solutions de force. Imposer une nouvelle donne politique comme économique au profit de l'URSS peut apparaître aux dirigeants du Kremlin comme une solution aux problèmes qui les assaillent. Grande peut être alors la tentation de renverser les tendances actuelles en « prenant l'initiative ».

Telle est la réelle « menace soviétique ».

Jacques Sapir

3. Pourquoi la course aux armements ? *

Marek Thee

I. Les différentes formes
de la course aux armements

Les causes et la dynamique de la course aux armements relèvent en général de cinq types de facteurs :

1) les rivalités nationales et internationales, les politiques de puissance et les projets expansionnistes ;
2) les problèmes de sécurité suscités par les agressions et les menaces exercées par des États voisins ou d'autres puissances ;
3) l'existence de systèmes compétitifs, les guerres idéologiques ou religieuses (atmosphère de croisade, guerre froide) ;
4) la recherche du profit, ou d'autres formes d'intérêt, par l'industrie, l'armée, la bureaucratie d'État et l'*establishment* technologique (le complexe « militaire-industriel-bureaucratique-technologique ») ;
5) la course au développement technologique impulsée essentiellement par le mode de fonctionnement, les finalités et la structure de la recherche-développement en matière militaire.

Selon les circonstances, la cause première relèvera de l'un ou de l'autre de ces éléments mais, en dernière analyse, tous ces facteurs se combinent et agissent de façon complémentaire.

Il est incontestable qu'on trouve à l'inverse plusieurs

---

* Traduit de l'anglais par Véronique Garros et Anna Libera.

facteurs limitatifs relevant d'une certaine dialectique des processus politiques, sociaux, économiques, technologiques et psychologiques. La rationalité politique, le refus de la violence, des considérations d'opportunité ou de modération économique, la prudence stratégique, des inhibitions d'ordre moral ou, enfin, les limites mêmes des capacités technologiques sont autant de freins possibles à la course aux armements. Il est nécessaire d'en tenir compte, surtout lorsqu'on tente d'élaborer des stratégies concernant la maîtrise des armements et le désarmement. Cependant, les forces qui poussent au développement de l'armement étant aujourd'hui incomparablement plus puissantes que celles qui l'inhibent, c'est sur les premières qu'il faut avant tout concentrer son attention.

Fondamentalement, on peut subdiviser ces facteurs en deux catégories : la première relève d'une pression externe et doit être mise en relation avec le mécanisme action/réaction observable au niveau international ; la seconde relève d'une pression interne, c'est-à-dire, d'une part, essentiellement de mécanismes socio-économiques qui s'auto-alimentent et sont enracinés dans les structures et le fonctionnement de la machine de guerre, et, d'autre part, de facteurs internes spécifiques qui les renforcent.

Au XXe siècle, et surtout depuis la fin de la Deuxième Guerre mondiale, avec le développement de la société industrielle et l'avènement de la seconde révolution technologique, on a observé un déplacement de tendance dans la dynamique de la course aux armements : c'est le facteur interne qui donne désormais l'impulsion prédominante [1], phénomène pouvant s'expliquer par le développement de puissants groupes d'intérêts liés à la production militaire, sur laquelle la course technologique exerce par ailleurs une influence considérable. On

---

1. Klaus Jürgen GANTZEL, « Armaments Dynamics in the East-West Conflict : an Arms Race ? », *The Papers of the Peace Science Society (International)*, vol. XX, 1973.

dira alors que la course aux armements obéit à une dynamique autonome.

II. La course aux armements
dans les années quatre-vingt

S'agissant de l'évolution actuelle, nous dégageons quatre facteurs :

— la forte intensité des impulsions données par le mécanisme action/réaction et le processus de surenchère observable au niveau international ;
— l'exercice de la menace, partie intégrante des doctrines stratégiques en vigueur, et soumis à un effet d'auto-renforcement ;
— le rôle, la dimension, la structure et le mode de fonctionnement de la recherche-développement en matière militaire et la course au développement technologique ;
— l'extension du réseau de forces économiques, militaires, politiques et technologiques formant le complexe « militaire-industriel-technologique-bureaucratique ».

Le schéma action/réaction
et le processus de surenchère

Conflits territoriaux ou liés à la répartition des richesses, problème de sécurité, motivation idéologique, sentiment de peur et de suspicion conduisent les États ou les alliances antagoniques à accroître régulièrement leur potentiel militaire. Dans ce processus, les responsables ne réagissent pas seulement au progrès réels de l'adversaire : ils font également monter les enjeux pour répondre à des progrès imaginaires de l'ennemi, agissant en fonction de leur propre perception du comportement de l'adversaire qu'ils créditent de l'intention d'accroître son potentiel militaire et

61

d'acquérir la suprématie. Le résultat est une surenchère de la part des deux parties en présence, qui entrent alors, par réaction en chaîne, dans un processus en spirale du développement militaire.

De nos jours, où l'avance technologique importe plus que la quantité, l'impact du schéma action/réaction est beaucoup plus puissant que par le passé. À la base de la théorie action/réaction, on trouvait traditionnellement deux propositions essentielles :

— la croissance du dispositif militaire d'un pays est directement proportionnelle aux dépenses militaires de l'adversaire ;

— le rythme d'accélération dans la production militaire est inversement proportionnel au niveau du dispositif existant.

Or, la course technologique remet aujourd'hui complètement en cause la validité de ce postulat : comme il est nécessaire de répondre aux percées supposées de l'adversaire, la course technologique détermine en effet une tendance à anticiper fortement sur l'avenir. La production d'armes nouvelles exigeant des délais importants, on tente d'y remédier en planifiant à très long terme : il est clair que ce comportement pousse dans le sens de la surenchère, les réactions étant en permanence disproportionnées par rapport aux défis réels. Parallèlement, le rythme de l'innovation technologique tend à faire tomber les inhibitions éventuellement suscitées par les coûts et le niveau d'armement, comme le montre la rapidité avec laquelle les États-Unis et l'Union soviétique ont produit et déployé de nouveaux systèmes d'armes (missiles intercontinentaux et de moyenne portée, nouvelles générations de têtes nucléaires, MIRV, armes guidées au laser) au cours des dernières années, bien que les conséquences de cette escalade ne leur échappent pas.

Le secret excessif qui entoure les affaires militaires et les problèmes de sécurité est un élément central de la dynamique action/réaction. Cette pratique s'est encore renforcée dans l'après-guerre, comme en témoigne le foisonnement d'activité observable au niveau des services de renseignements. Accepté de part et d'autre comme une règle de conduite, le secret suscite une propension à analyser la situation sous l'angle du « scénario le plus défavorable » (« worst case ») : on se fonde régulièrement sur des hypothèses pessimistes en attribuant à l'adversaire des intentions et des possibilités qui dépassent largement ce qu'indiquerait un travail concret de renseignements, ce qui revient en fait à institutionnaliser la surenchère et la méfiance. La position des « faucons » s'en trouve renforcée, l'adversaire étant perpétuellement crédité d'une supériorité fictive destinée à justifier l'accélération de la course aux armements : c'est ce qui s'est passé aux États-Unis avec les campagnes menées autour du « bomber gap » pendant les années cinquante, puis du « missile gap » pendant les années soixante.

Depuis la Seconde Guerre mondiale, la dynamique action/réaction trouve évidemment un terrain particulièrement favorable dans la polarisation idéologique liée à l'existence du « rideau de fer » : la suspicion et la psychose de guerre se sont accentuées, parallèlement à une intrusion croissante de l'État dans la vie des citoyens et au développement du dogmatisme politique. On débouche alors sur des schémas manichéens et caricaturaux permettant de justifier et de nourrir les situations conflictuelles.

Ajoutons une dernière remarque sur le schéma action/réaction, envisagé sous l'angle d'une relation triangulaire, comme le suggère l'émergence de la Chine en tant que superpuissance potentielle et partie prenante à la course aux armements. La configuration triangulaire impulse vraisemblablement une dynamique beaucoup plus puissante que l'actuelle bipolarisation, la tendance à la surenchère s'accentuant chez la partie qui doit prendre en compte deux adversaires potentiels. La menace exercée par un troisième adversaire agit comme un catalyseur sur les deux autres parties en présence et c'est précisément ce jeu triangulaire — entre l'Union soviétique, les puissances occidentales et l'Allemagne nazie — qui a conduit à l'explosion de la

Seconde Guerre mondiale. C'est également une dynamique triangulaire — entre les États-Unis, l'Union soviétique et la Chine — qui a contribué à prolonger la guerre d'Indochine[2]. Ainsi, vu le rôle croissant de la Chine dans l'arène internationale et le caractère extrêmement sensible des relations militaires entre l'Union soviétique et la Chine d'une part, et entre cette dernière et les États-Unis d'autre part, il est prévisible que l'effet action/réaction s'intensifiera, entraînant inévitablement une accélération de la course aux armements.

Doctrines militaires, menaces
et pressions « autistiques »

Le climat politique et idéologique des relations internationales au niveau militaire permet de dégager un concept central dans l'analyse de l'actuelle course aux armements : l'autisme. Cette notion désigne le processus par lequel des réflexes et des mouvements agressifs apparus dans des circonstances données finissent par se figer pour déterminer durablement les comportements. Les réactions s'auto-alimentent et les acteurs deviennent imperméables aux modifications intervenant dans l'environnement et aux éventuelles évolutions des positions de l'adversaire. Une étude approfondie des effets de la polarisation internationale sur le comportement des différents acteurs a montré que l'autisme, qui n'est rien d'autre qu'un phénomène d'auto-production des antagonismes, joue un rôle important dans la dynamique de la course aux armements[3]. Catalysées par la doctrine de la dissuasion qui

2. Marek THEE, « The Indochina Wars : Great Power Involvement Escalation and Disengagement », *Journal of Peace Research,* vol. XIII, n° 2, 1976.
3. Dieter SENGHAAS, « Towards an Analysis of the Threat Policy in International Relations », *German Political Studies,* Sage Publications, Londres, 1974.

fonde l'équilibre de la terreur sur la philosophie de la menace, les pressions « autistiques », ou l'autisme à deux pôles, renforcent les antagonismes politiques et la course aux armements.

La doctrine de la dissuasion nucléaire joue un rôle particulier dans la dynamique de la course aux armements. Cette stratégie vise enssentiellement l'acquisition d'une capacité offensive toujours plus puissante, afin d'infliger à l'adversaire une riposte écrasante[4]. Ce besoin impérieux d'avoir l'avantage au niveau de la riposte est devenu un facteur déterminant dans la course aux armements ; allié à la dynamique technologique du développement de l'armement, il a donné naissance au processus automatique de l'escalade, ou *dynamique autonome des armements (Eigendynamik)*.

Les théories de la dissuasion subissent une constante évolution, qui s'effectue au rythme de la « modernisation » des systèmes d'armes et de l'acquisition de nouvelles capacités technologiques utilisables dans cette spirale offensive/défensive. Plus les capacités d'emploi des armes nucléaires s'améliorent, plus elles donnent lieu à l'élaboration de stratégies opérationnelles, l'acquisition, au nom de la dissuasion, de systèmes

---

4. Présentée comme une stratégie défensive, la doctrine de la dissuasion a été acceptée à l'Est et à l'Ouest et codifiée dans les accords SALT. Le terme « dissuasion » est généralement absent de la littérature soviétique qui lui préfère le concept de « prévention de la guerre » ; il apparaît cependant épisodiquement dans certaines déclarations officielles, comme celles du maréchal Nikolaï Ogarkov, selon lesquelles les forces nucléaires stratégiques soviétiques « sont le facteur essentiel pour dissuader l'ennemi et peuvent déclencher une contre-attaque immédiate mettant l'adversaire hors de combat ». (*How to Avert the Threat to Europe*, Progress Publishers, Moscou, 1983, p. 11.) La convergence entre les doctrines militaires n'est pas de nature idéologique mais bien technologique, le fait de disposer d'armes identiques poussant à envisager des emplois similaires. Les doctrines et les stratégies militaires tendent à refléter les progrès accomplis par la technologie militaire et à évoluer en fonction d'eux. Aujourd'hui, les nouvelles capacités nucléaires offensives débouchent ainsi sur des stratégies nucléaires opérationnelles.

LA « DYNAMIQUE AUTONOME » : L'EXEMPLE DES PERSHING II ET DES MISSILES DE CROISIÈRE

Le déploiement en Europe des missiles de croisière et des Pershing II est présenté comme une « réaction » aux innovations soviétiques dans le domaine des missiles de moyenne portée. Pourtant, la genèse de ces deux systèmes d'armes interdit de légitimer ces mesures par le SS-20 ou n'y autorise que partiellement : c'est en 1975 en effet, par l'intermédiaire du satellite américain de reconnaissance Big Bird, que l'Ouest a découvert les essais du SS-20. Or, la mise au point d'une version modifiée du missile Pershing avait commencé dès l'année précédente, en 1974. Et les premiers essais en vol réussis du missile de croisière américain Tomahawk remontant à 1976, les travaux de recherche et de développement ont commencé bien avant cette date, en fait dès 1972. Par ailleurs, on ne relève aucun indice d'un système soviétique comparable aux missiles de croisière américains de la nouvelle génération. Il est très probable que l'Union soviétique n'accédera pas à un tel niveau technologique avant la fin des années quatre-vingt, si tant est qu'elle y parvienne. Il ne peut donc être question d'un « rattrapage » de la part de l'Occident au sens d'un schéma action/réaction.

Lorsque les médias justifient par le déploiement des SS-20 la transformation du Pershing I en une arme eurostratégique de grande portée et le développement et l'introduction d'un missile de croisière entièrement nouveau doté d'une technologie très sophistiquée, il s'agit donc d'une rationalisation *a posteriori*. Cette explication ne signale pourtant pas nécessairement une aspiration délibérée à la supériorité de la part du pays ou de l'Alliance, en l'occurrence l'OTAN, qui produit ces armes : la mise au point et la production de nouveaux systèmes d'armes s'expliquent beaucoup plus par le fait que des capacités de recherche et de production sont inutilisées, ou simplement que l'on a atteint le niveau scientifique et technologique adéquat ; c'est *a posteriori* qu'intervient l'affectation à des usages militaires. On se sert en général de l' « argument de la brèche » pour justifier ces mesures aux yeux de l'opinion publique.

Source : Dieter S. Lutz, *La guerre mondiale malgré nous ? La controverse des euromissiles,* La Découverte/Maspero, Paris, 1983, pp. 187 et 188.

d'armes toujours plus fonctionnels et efficaces devenant au bout du compte partie intégrante de l'accélération de la préparation à la guerre. Rappelons à ce propos l'avertissement formulé dans *L'étude générale sur les armes nucléaires* publiée par les Nations unies : « Dire que la dissuasion est efficace relève de la tautologie car cette proposition ne peut s'avérer vraie que si elle n'est pas démentie par l'histoire[5]. »

Sur le double plan des doctrines et des technologies, cette dynamique évolue de façon particulièrement inquiétante en Europe, où la course à la « modernisation » et au déploiement de nouvelles armes nucléaires débouche là aussi sur l'adoption de stratégies opérationnelles. Si une des parties en présence porte l'essentiel de ses efforts sur l'acquisition de l'avantage dans un conflit nucléaire, la partie adverse élaborera inévitablement une stratégie similaire. William J. Perry, ancien responsable scientifique au Pentagone et sous-secrétaire américain à la Défense, indiquait en 1982 qu'au stade actuel de la course aux armements, c'est toujours la technologie offensive qui assure l'avantage : « À l'avenir, la capacité de pénétration des forces offensives restera supérieure à la capacité des forces défensives de parer à cette pénétration...[6] »

Cette logique conduit en Europe à mettre l'accent sur les armes nucléaires offensives de portée intermédiaire (INF) (cf. chapitre 1), et, en l'absence de résultats à Genève, pourrait déboucher sur le déploiement de fusées supplémentaires après l'installation prévue par la double décision de l'OTAN (cf. chapitre 1).

Le déploiement des INF engendrera par ailleurs une déstabilisation stratégique permanente, sur le double plan mondial et européen, chaque cycle de développe-

5. *Comprehensive Study of Nuclear Weapons*, Report of the UN Secretary General, United Nations, New York, 1981, § 297.
6. William J. PERRY, « Technological Prospects », in B. M. BLECHMAN (ed.), *Rethinking the US Strategic Posture*. A Report from the Aspen Consortium Of Arms Control and Security Issues, Ballinger Publishing Co., Cambridge (Mass.), 1982, p. 142.

ment d'un côté stimulant un cycle correspondant de l'autre. Ce processus sapera tout effort de contrôle des armements, et ceci d'autant plus que les nouvelles armes, telles que les missiles de croisière et les missiles balistiques mobiles, tendent à contrecarrer toute possibilité de surveillance et de contrôle.

Enfin, il est clair que l'institutionnalisation de la méfiance et le manichéisme évoqué plus haut s'opposent résolument à toute démarche visant à instaurer la confiance.

Le rôle de la recherche-développement dans le domaine militaire

Le secteur de la recherche-développement apparaît comme un stimulant fondamental de la course aux armements. La dimension même de ce secteur indique l'ampleur de l'effort fourni, puisqu'à l'échelle mondiale, près de 500 000 chercheurs et ingénieurs travaillent au service de la recherche-développement militaire, dont 85 % aux États-Unis et en Union soviétique[7]. Cette importance est un phénomène international relativement récent et le développement rapide enregistré après la Seconde Guerre mondiale reflète, dans le processus de la course aux armements, le passage de la quantité à la qualité. Alors qu'avant la Seconde Guerre mondiale, ce secteur bénéficiait de moins de 1 % des dépenses d'armements, il en absorbe aujourd'hui 10 % à 15 %. Dans ce domaine, l'investissement a augmenté quatre à cinq fois plus vite que le taux de croissance global de l'ensemble des dépenses militaires. Dans la mesure où ces dernières atteignent

7. Randall FORSBERG, *Resources Devoted to Military Research and Development,* SIPRI, Stockholm, 1972 ; Colin NORMAN, *The God that Limps, Science and Technology in the Eighties,* Norton, New York, Londres, 1981.

en 1982, au niveau mondial, la somme de 700 à 750 milliards de dollars par an (cf. SIPRI Yearbook 1983, p. XXXVII), on peut en déduire que ce secteur bénéficie aujourd'hui d'un budget annuel global de 70 à 80 milliards de dollars américains, trois fois supérieur aux sommes officiellement allouées à l'aide aux pays en voie de développement. L'activité scientifique dans le domaine militaire s'est ainsi transformée en un effort technologique gigantesque, rigoureusement institutionnalisé au sein de l'empire colossal que constitue la recherche-développement. Cette mutation a des effets considérables sur la société et la dynamique de la course aux armements.

L'effort des chercheurs

Il n'est pas besoin d'être particulièrement perspicace pour comprendre que l'effort opiniâtre de 500 000 scientifiques, physiciens et ingénieurs, hautement qualifiés, dont le travail est tout entier consacré à améliorer les armes existantes ou à en inventer de nouvelles, doit exercer une pression puissante sur la course aux armements. Certaines caractéristiques — structurelles, institutionnelles et opérationnelles — de la gestion et du fonctionnement de ce secteur apparaissent à cet égard tout à fait révélatrices.

La recherche-développement en matière militaire se caractérise essentiellement par la dynamique compétitive qui y règne et l'impulsion donnée à la rivalité technologique, inhérentes à l'expansion et aux finalités de ce secteur. Le gigantesque effort quantitatif finit par avoir des conséquences au niveau qualitatif. On observe ici une véritable compétition organisée qui oppose de nombreuses branches et secteurs : laboratoires et centres de recherche dépendants des différents services des forces armées, instituts universitaires, divers établissements de recherches spécialisés, entreprises industrielles, etc. Que ce soit par le biais d'une compétition portant sur des projets parallèles ou par la combinaison de différentes technologies, on aboutit toujours à la mise au point de nouvelles armes sophistiquées [8]. La rivalité internationale renforce cette compétition au niveau national et nous avons montré plus haut la contrainte exercée par le secret qui entoure ce secteur et conduit à envisager systématiquement le « scénario le plus défavorable » (« worst case »). Un effort aussi massif de recherche militaire, stimulé par une atmosphère de compétition, active évidemment la course aux armements, indépendamment des décisions prises sur le plan politique. La fécondité qui caractérise la recherche militaire interfère ainsi de façon destructrice avec le processus politique. Et le fait que de nouveaux systèmes d'armes s'avèrent défectueux ou inefficaces (surtout parce que la rapidité avec laquelle de nouvelles armes sont mises au point engendre un phénomène accéléré d'obsolescence), ne fait qu'intensifier lui aussi la course aux armements.

Une continuité auto-entretenue

Il faut souligner un autre aspect capital : le fait que les processus d'invention, d'application et d'expérimentation s'inscrivent dans le long terme et qu'avant d'arriver au stade de la production d'un nouveau système d'armes, il faut en moyenne une période d'élaboration de dix à quinze ans. Ce phénomène assure une certaine pérennité à la recherche militaire : une fois qu'il a été décidé de développer de nouveaux systèmes d'armes, le processus est enclenché pour des années, quelles que soient les éventuelles transformations du climat politique ou les résultats des négociations sur le contrôle des armements. Confrontés à l'inertie bureaucratique, aux pressions des groupes d'intérêts et aux répercussions politiques internes, les

8. Cf. Kosta Tsipis, « The Building Blocks of Weapon Development », *The Bulletin of Atomic Scientists,* avril 1977 ; Herbert York, *The Origins of MIRV,* SIPRI Research Report, nº 9, 1973 ; Herbert F. York et G. Allen Greb, « Strategic Reconnaissance », *The Bulletin of the Atomic Scientists,* avril 1977.

gouvernements prennent rarement le risque d'abandonner des projets approuvés antérieurement. Les longues périodes d'élaboration conduisent en outre à précipiter les décisions portant sur l'acquisition de nouveaux systèmes d'armements, dans le but d'obtenir un avantage sur l'adversaire. Le corollaire de ce processus est que les milieux liés à la technologie militaire tendent à usurper une position prééminente dans le domaine des prises de décision.

S'ajoutant à la pérennité fondée sur les investissements à long terme de la recherche-développement, la nécessité d'aller de l'avant assure sa continuité et son expansion permanente. Perçue comme un élément essentiel de l'état de préparation opérationnelle des dispositifs militaires et de la sécurité nationale, la recherche-développement bénéficie de privilèges particuliers car il s'agit par définition d'une institution qui doit améliorer constamment ses prouesses. Chaque projet devra être développé à l'infini afin que le « produit » puisse être constamment amélioré. Il n'est donc pas question de lésiner sur les ressources humaines et l'on exigera sans cesse de nouvelles compétences. Enfin, la recherche militaire ayant pour principe fondamental de lier tout projet d'armes offensives à un projet de contre-système défensif et vice versa, on aboutit à une chaîne infinie de cycles offensif/défensif favorisant l'escalade par le processus d'auto-entretien évoqué plus haut.

La structure institutionnelle et le mode de fonctionnement de la recherche-développement dans le domaine militaire agissent donc de façon extrêmement déstabilisatrice sur les relations internationales. Toute nouvelle découverte dans les systèmes offensifs ou défensifs, en renforçant l'avantage d'une des parties, tend en effet à bouleverser le rapport de forces existant. Ainsi, malgré le jeu d'équilibre stratégique entre les grandes puissances, la fonction première de la recherche-développement militaire est, dans un certain sens, de reproduire en permanence la déstabilisation. Loin de contribuer à la sécurité, elle rend tous les États,

grands ou petits, toujours plus vulnérables aux systèmes d'armes et, en acquérant une vie propre, hors de
tout contrôle social, empiète de façon cruciale sur la
politique et les relations internationales. Enfin, l'analyse du fonctionnement et de l'impact de ce secteur
amène à souligner sa place et sa fonction dans la
structure socio-politique d'un État. Au sein des deux
grandes puissances, la recherche-développement militaire forme en effet une partie organique de la puissante alliance concurrentielle entre les militaires, l'industrie d'armement et la bureaucratie d'État — le
fameux complexe militaro-industriel.

L'arrière-plan socio-politique
de la course aux armements

Les facteurs politiques, historiques, technologiques
ou doctrinaux ne suffisent pas à expliquer l'intensité
sans précédent de la course aux armements dans les
années quatre-vingt. Celle-ci doit recevoir un appui et
une stimulation venant de forces socio-politiques
exceptionnellement puissantes, qui y ont investi leurs
intérêts. Cela peut apparaître comme une anomalie
structurelle si l'on considère les effets irrationnels et
autodestructeurs de la course aux armements. Mais
cette situation singulière trouve ses racines dans les
transformations qui s'opèrent aujourd'hui au sein des
sociétés industrielles : modifications du rôle de l'État,
concentration du pouvoir politique et économique,
existence de ressources abondantes et explosion technologique, polarisation de la communauté mondiale.
Ces changements fondamentaux, en particulier chez les
grandes puissances, ont fait apparaître de puissants
groupements d'intérêts liés au processus de militarisation.

72

Le complexe militaro-industriel américain

Le président Eisenhower a été l'un des premiers à attirer l'attention sur ce nouveau phénomène quand il a forgé le terme de « complexe militaro-industriel », dont il a donné la description suivante dans son discours d'adieu : « Cette conjonction entre un gigantesque *establishment* militaire et une puissante industrie d'armement est un fait nouveau dans l'histoire américaine. Son influence se fait sentir à tous les niveaux — économique, politique et même spirituel — dans toutes les villes, dans toutes les assemblées des États, dans tous les bureaux du gouvernement fédéral. Nous reconnaissons le besoin impératif d'un tel développement, mais nous ne devons pas manquer de comprendre la gravité de ses implications, car ce sont notre labeur, nos ressources et notre vie qui en dépendent. Les organes gouvernementaux doivent instaurer des garde-fous contre l'acquisition d'une influence incontrôlée — délibérée ou non — par le complexe militaro-industriel. Il existe un réel danger de voir un pouvoir placé en de mauvaises mains se développer de façon désastreuse. Nous ne devrons jamais laisser le poids de ce complexe compromettre nos libertés et la démocratie[9]. »

Cette description concise est assez éloquente par l'inquiétude qui la traverse. Sans doute est-il simplement nécessaire d'ajouter qu'en parlant d'influences incontrôlées ressenties « dans toutes les villes, dans toutes les assemblées des États et dans tous les bureaux du gouvernement fédéral », Eisenhower laissait entendre que la *bureaucratie politique de l'État* est impliquée dans le complexe militaro-industriel et donc concernée par ce « danger de voir un pouvoir placé en de mauvaises mains se développer de façon désastreuse ».

Étant donné le rôle capital des armements dans la

---

9. Dwight D. EISENHOWER, *Waging Peace 1956-1961*, Doubleday, New York, 1965, p. 616.

politique et la diplomatie des grandes puissances[10], la bureaucratie politique de l'État doit estimer que ses intérêts vitaux dépendent d'une alliance avec les militaires et l'industrie d'armement. Eisenhower était également préoccupé par « la puissance croissante de la science militaire » et mettait en garde contre le « danger de voir la politique des États devenir captive d'une élite scientifico-technologique (militaire)[11] ». Le concept de « complexe militaro-industriel » doit donc être compris au sens plus large de complexe militaire-industriel-bureaucratique-technologique.

L'URSS : un complexe militaro-industriel

Il existe évidemment, bien que dans des conditions et sous des formes différentes, une alliance semblable de groupes d'intérêts en Union soviétique. David Holloway, l'un des rares experts occidentaux non suspect de préjugés anti-soviétiques, a fait la remarque suivante à ce sujet : « L'Union soviétique n'a pas de complexe militaro-industriel, elle *est* un complexe militaro-industriel. Bien que ce point de vue soit exagéré, il montre qu'à la lumière de l'étroite relation entre l'histoire de l'URSS et sa puissance militaire, il est curieux de suggérer que l'une pourrait fonctionner sans l'autre. Il est moins important de se demander si les forces armées et l'industrie militaire en Union soviétique constituent un complexe militaro-industriel que de constater qu'elles présentent beaucoup de traits caractéristiques d'un tel complexe...[12] »

---

10. Barry M. BLECHMAN, Kaplan STEPHEN *et al., Force Without War US Armed Forces as a Political Instrument,* The Brookings Institution Washington, 1978 ; Stephen KAPLAN *et al. Diplomacy of Power, Soviet Armed Forces as a Political Instrument,* The Brookings Institution, Washington, 1981.

11. George B. KISTIAKOWSKY, *A Scientist in the White House,* Harvard University Press, Cambridge (Mass.), 1976, p. 425.

12. David HOLLOWAY, « War, Militarism and the Soviet State », *Alternatives,* vol. VI, n° 1, mars 1980, p. 36.

En Union soviétique, il existe une symbiose entre la bureaucratie politique d'État, les forces armées, l'industrie militaire et l'*establishment* scientifico-technologique. Leur regroupement autour des forces armées est directement lié au rôle joué par ces dernières dans le maintien de la sécurité intérieure et de la cohésion interne de l'empire d'un côté, et la politique extérieure de l'autre. L'importance du facteur extérieur a commencé à augmenter avec l'affaiblissement du pouvoir d'attraction socio-politique et économique de l'Union soviétique. La bureaucratie d'État, du parti et du gouvernement se perçoit comme le représentant des intérêts nationaux, qu'elle entend défendre avant tout par la puissance militaire.

Plusieurs caractéristiques du système et de la société soviétique renforcent la thèse selon laquelle il existe en URSS une forme institutionnalisée et spécifique de complexe militaire-industriel-bureaucratique-technologique.

— À la fois garant de la sécurité de l'État et l'un des principaux instruments de la politique extérieure, l'*establishment* militaire jouit d'un traitement nettement préférentiel : ses intérêts professionnels sont bien protégés, aussi bien par le budget généreux alloué aux forces armées que par la distribution de privilèges matériels au corps des officiers.

— La structure même et l'organisation de la direction des affaires militaires, caractérisées par un secret rigoureux et l'exclusion (en fait l'inexistence) d'experts civils, assurent virtuellement aux militaires le monopole sur les questions relevant de la sécurité de l'État — planification stratégique, structure de l'armement, choix opérationnels, etc. Cette situation garantit aux militaires, formellement subordonnés au parti, une position de pouvoir unique.

— La théorie et la politique économique soviétique accordent la priorité à l'industrie lourde, soutien de la production militaire ; l'industrie militaire a un statut prioritaire dans l'économie soviétique.

— Les groupes d'intérêts de l'armée, de l'industrie

militaire, de la bureaucratie politique de l'État et de la communauté scientifico-technologique sont représentés de façon prééminente à tous les niveaux de la hiérarchie du parti, de l'État et des organes décisionnels.

— Enfin, le moteur du profit, si souvent souligné comme un facteur clé dans le fonctionnement du complexe militaro-industriel en Occident, trouve en URSS une forme de satisfaction spécifique dans les différences considérables de rang, de statut, de privilèges et de revenus. Le rôle de ces différences est renforcé par la pénurie générale de produits et de services essentiels. La bureaucratie politique de l'État, le corps des officiers, les managers de l'industrie militaire et les membres de l'*establishment* militaro-scientifique et technologique bénéficient largement de ces différences.

Comme aux États-Unis, l'alliance des forces socio-politiques qui soutiennent la course aux armements n'offre évidemment pas une structure monolithique. Il existe une concurrence, des conflits et des divergences d'opinion sur certaines questions [13] et on observe, là aussi, de fortes rivalités personnelles. Il y a des faucons et des colombes, des conservateurs et des modérés, des dogmatiques et des pragmatiques. Mais cela n'entame pas fondamentalement l'accord général qui règne en URSS sur l'importance du facteur militaire, et n'affecte pas la position privilégiée des forces armées, de l'industrie d'armement, de la communauté militaire-scientifique-technologique, et surtout le ferme engagement du parti et de la bureaucratie d'État à maintenir une armée puissante et à encourager la production d'armements. Ces différends ne compromettent pas non plus les liens étroits qui existent entre ces divers groupes d'intérêts, ainsi que la conscience de leur interdépendance. Tout comme aux États-Unis — mais en s'adaptant à des conditions structurelles différentes — ces groupes d'in-

_____

13. Cf. Jiri VALENTA, *Soviet Intervention in Czechoslovakia 1968. Anatomy of a Decision*, The John Hopkins Press, Baltimore-Londres, 1981.

térêts constituent ainsi une force considérable soutenant la course aux armements et la militarisation de la société.

S'agissant d'un problème aussi grave, il est cependant essentiel de ne pas abuser de la conscience que l'on peut avoir de la sombre réalité présente pour atteindre des objectifs politiques ou attiser la guerre idéologique. La compréhension des faits devrait au contraire permettre la mobilisation, à la fois aux États-Unis et en Union soviétique, de tous les éléments conscients pour arriver à des changements constructifs.

III. Bloquer la dynamique de la course
aux armements nucléaires

Sous le signe d'une course aux armements désormais hors de contrôle, de l'aggravation de la tension internationale et d'une méfiance grandissante entre l'Est et l'Ouest, la paix et la sécurité sont évidemment gravement menacées. Il existe en effet une limite au-delà de laquelle on ne peut continuer à améliorer et accumuler les armes nucléaires sans finir par les utiliser. Lorsqu'on sait qu'à l'heure actuelle de nombreux stratèges élaborent des scénarios destinés à rendre la guerre nucléaire possible, on conçoit que l'humanité se trouve confrontée à un très grave dilemme : c'est donc une question de vie ou de mort que d'inverser les tendances actuelles et de mettre fin à la course aux armements nucléaires. En cas d'échec, une catastrophe sera peut-être inévitable. Il nous faut donc défier le savoir des stratèges nucléaires et développer une réflexion alternative ouvrant la voie au désarmement nucléaire : ce problème exige aujourd'hui une réponse politique et non militaire.

C'est la dynamique technologique de la recherche-développement militaire qui détermine en fait la façon dont les problèmes de la paix et de la guerre sont abordés, car l'apparition de nouveaux systèmes d'armes conduit à l'adoption d'une nouvelle approche politique. Dès le début de leur production et dès leur introduction dans les forces armées, les nouveaux systèmes d'armes occupent une place de premier plan dans le jeu politico-militaire et corrompent les processus politiques. A la fin, c'est tout l'échafaudage de la politique internationale qui est affecté par la course à la supériorité technologique dans le domaine militaire.

Comment mettre un terme à cette course ?

Les développements qui précèdent nous amènent à formuler deux remarques fondamentales : en premier lieu, il est impératif de réduire rapidement les énormes capacités d' « *overkill* »[14] que représentent les dispositifs nucléaires accumulés à l'heure actuelle. En second lieu, étant donné le rôle capital de la course au développement technologique, il faut être plus attentif au rôle de la recherche-développement militaire et s'efforcer de la placer sous contrôle international.

S'agissant du premier volet, il faut souligner l'importance des différentes propositions portant sur le gel des essais, de la production, de l'achat et du déploiement des ogives nucléaires et de leurs vecteurs, suivies par d'importantes réductions des arsenaux nucléaires. L'engagement de toutes les puissances nucléaires à ne pas utiliser l'arme nucléaire en premier représenterait un pas essentiel vers la réduction du danger de guerre nucléaire et pourrait amorcer une décrispation internationale. À plus long terme, on pourrait envisager de déclarer les armes nucléaires hors la loi et de les éliminer des arsenaux mondiaux.

En ce qui concerne le second volet, il est de plus en plus urgent de lier la maîtrise des armements non pas aux questions politiques, mais aux problèmes structurels du développement de la technologie militaire. S'il reste impossible d'agir sur la dynamique incontrôlée de la recherche-développement, les chances de bloquer la

---

14. Traduction littérale : *sur-tuer*. Le concept d' « overkill » désigne la capacité des arsenaux nucléaires existant de tuer *plusieurs fois* l'humanité entière... (N.d.T.)

course aux armements seront en effet très aléatoires. Il est certain qu'il sera difficile d'imposer un contrôle social et politique rigoureux au niveau international, mais de telles mesures n'en sont pas moins envisageables et pourraient être prévues dans la phase d'essai des armes nucléaires et de leurs vecteurs, l'observation et la vérification étant facilement praticables à ce stade.

Le plus important serait ici une interdiction totale des essais nucléaires, qui fait l'objet de négociations depuis plusieurs années entre les États-Unis, l'Union soviétique et la Grande-Bretagne.

Comme le soulignent les Nations unies, dans un rapport sur cette question publié en 1981, le caractère contrôlable de cette interdiction en fait désormais une perspective réaliste. Elle permettrait non seulement de bloquer l'élaboration de nouveaux modèles d'armes nucléaires, mais elle imposerait des restrictions à la modification ou à l'amélioration des modèles existants[15]. Le projet d'une interdiction totale des essais (CTB : *Comprehensive Test Ban*), à l'ordre du jour des négociations sur la maîtrise des armements depuis deux décennies, n'a malheureusement pas progressé bien qu'il s'agisse d'une condition *sine qua non* pour bloquer la course aux armements nucléaires.

Il faudrait imposer parallèlement une interdiction, ou certaines restrictions, aux tirs d'essai des missiles nucléaires, de façon à freiner leur amélioration qualitative et leur développement ultérieur[16], et réduire également la production de matériaux fissiles utilisés pour les armes nucléaires. La combinaison de ces mesures représenterait effectivement une stratégie susceptible de contrecarrer systématiquement le travail de la recherche-développement au niveau militaire.

Ce n'est pas le lieu ici d'analyser en détail ces propositions, dont il est clair qu'elles ne seraient pas

---

15. *Comprehensive Nuclear Test Ban,* Report of the UN Secretary General, Doc. C D/86, United Nations, New York, 1981, § 154.
16. Miroslav NINIC, « Flight Test Limitations and Strategic Arms Control », *Bulletin of Peace Proposals,* vol. 13, n° 3, 1982.

faciles à appliquer, en particulier au niveau des exigences de contrôle et de vérification. Cependant, il est possible de surmonter toutes les difficultés techniques si la volonté politique existe [17]. Lorsque celle-ci est insuffisante, l'action d'une opinion publique éclairée s'avère un renfort nécessaire.

La course aux armements pèse de plus en plus lourdement sur les processus économiques, sociaux et politiques, et détermine une déstabilisation croissante du système international. La prolifération nucléaire verticale stimule la prolifération horizontale. La modernisation permanente et le caractère toujours plus opérationnel des armes nucléaires tactiques et stratégiques renforcent la tentation de les utiliser. Les risques et les dangers représentés par la course aux armements nucléaires augmentent. Pour toutes ces raisons, les efforts visant au désarmement nucléaire acquièrent aujourd'hui une importance vitale : pour arriver graduellement à une réorganisation pacifique de notre système international, il faut engager, rationnellement et à partir d'informations solides, un large débat public permettant de dégager des solutions humaines et politiques à la course aux armements et d'éliminer la menace que représentent les armes nucléaires.

Marek Thee

17. Mark Niedergang, « Verification of a Nuclear Weapon Freeze », *Bulletin of Peace Proposals,* vol. 13, n° 3, 1982.

4. Quelles sont les doctrines stratégiques à l'Ouest et à l'Est ?

Alain Joxe, Jacques Sapir

I. Les stratégies américaines

Remarque préalable

Les deux grandes puissances croisent le fer au-dessus du monde dans des conditions d'égalité nucléaire approximative depuis la fin des années cinquante. Partant d'une situation de monopole, les États-Unis ont été rattrapés par l'URSS, mais ce rattrapage n'a cependant jamais abouti à une équivalence des dispositifs. L'objectif permanent des États-Unis est de maintenir à tout prix *une forme* de supériorité stratégique. Mais ils doivent tenir compte d'une asymétrie structurelle (géographique) qui permet à l'URSS de prendre l'Europe occidentale en otage stratégique, soit par des moyens classiques (ses effectifs évidemment toujours potentiellement supérieurs aux effectifs européens), soit, depuis 1959 (déploiement des SS-4), par des moyens nucléaires à portée intermédiaire, dont l'efficacité pèse sur la cohésion de l'Alliance atlantique.

La question de savoir si, au-delà des grandes déclarations, l'Europe occidentale fait partie ou non de l'espace couvert par la garantie nucléaire américaine n'est jamais complètement résolue et elle fait l'objet d'une recherche incessante de garantie et de contre-assurance de la part des États européens depuis la fin du monopole américain. Les Américains ont intérêt à faire parfois planer un doute pour monnayer leur garantie, et on peut dire en ce sens que la menace soviétique sur l'Europe est toujours manipulée par les États-Unis au profit de leur *leadership* économique et militaire. Les Européens cherchent toujours à faire prendre à cette garantie américaine des formes géographiques et matérielles, de telle sorte que l'engagement — la compromission concrète des Américains — paraisse irrémédiable et allant de soi. Présence de troupes américaines, déploiement de fusées nucléaires terrestres à portée tactique ou stratégique (c'est-à-dire touchant le territoire soviétique), présence de sous-marins porteurs de fusées affectées à des objectifs énumérés dans des plans de feu OTAN coordonnés avec les alliés sur certains scénarios, présence de navires de surface équipés d'armes nucléaires, notamment en Méditerranée, entraînement d'une force d'intervention rapide : tel est le *vocabulaire* de l'engagement américain en Europe, et avec des combinaisons et des variantes, il apparaît comme limité à ces possibilités. D'où une certaine monotonie dans les « relations transatlantiques » qui paraissent depuis 25 ans repasser volontiers par des conflits donnant l'impression du « déjà vu ».

L'autonomie des pensées stratégiques nucléaires

Depuis le début de l'ère des fusées, les deux Grands peuvent se menacer de destruction réciproque et cette réciprocité fonde ce qu'on a appelé, du côté américain, la paralysie ou le « pat » nucléaire. Cependant, réciprocité ne signifie pas symétrie des deux pensées. Les deux grandes stratégies s'appuient bien l'une sur l'autre pour aboutir à la non-guerre mais elles passent par des voies logiques différentes et elles paraissent avoir évolué depuis vingt-cinq ans chacune de son côté, d'une manière qui n'est qu'en partie déterminée par l'interaction avec la stratégie adverse.

On peut comprendre cette autonomie relative des deux pensées stratégiques, non seulement en rappelant que les deux sociétés sont très différentes et qu'elles poursuivent des objectifs extérieurs très hétérogènes, mais aussi pour une raison tellement simple qu'on l'oublie parfois : il n'y a jamais eu de guerre nucléaire entre puissances nucléaires et il n'existe donc pas un « art de la guerre nucléaire » que les deux ennemis pourraient fonder sur une expérience commune du combat. Autrefois, toute amélioration tactique ou stratégique révélée par une bataille entrait immédiatement dans l'art de la guerre des armées les plus diverses et des deux armées ennemies. Il s'ensuivait une homogénéisation des écoles stratégiques. Rien de tel avec les doctrines stratégiques des deux Grands — et avec la doctrine française ou chinoise ; elles sont des produits unilatéraux de plusieurs pensées organisatrices qui dérivent de choix scientifiques, technologiques, bureaucratiques ou politiques *sui generis* et qui — heureusement — n'ont jamais été mises à l'épreuve de la pratique.

L'auto-intoxication

Les deux puissances paraissent donc poursuivre séparément un rêve logique qui, non seulement ne cherche pas à tenir compte de la réalité des forces adverses mais qui, parfois, cherche à mentir et à « se » mentir sur l'état des forces adverses. Le *gonflement* des forces ennemies, un procédé d'auto-intoxication, est plusieurs fois intervenu en Amérique pour relancer les dépenses militaires et la production de nouveautés, comme si cet objectif se suffisait à lui-même, indépendamment du rapport stratégique aux Russes. Par ailleurs, on ne peut apprécier la conjoncture stratégique sans y faire entrer les positions prises par les leaders en matière de désarmement. Guerre nucléaire comme désarmement nucléaire sont des opérations « imaginaires », et c'est par rapport à cette approche opérationnelle imaginaire que les deux Grands contrôlent le rapport des forces qui s'établit entre eux. Les Soviétiques ont toujours « suivi » les Américains, dans le sens que leur industrie est moins capable et moins agile, même si leur science fondamentale est équivalente. Cette série de remarques est nécessaire avant de résumer les étapes de l'histoire stratégique du dernier quart de siècle. On examinera ensuite la configuration stratégique actuelle, ou plutôt le moment de l'évolution stratégique de chacun des deux Grands, comme sans doute explicable par des stratégies plus générales de *sortie de la crise économique.*

L'époque du quasi-monopole américain

C'est après quatre ans de monopole nucléaire américain qu'éclate, le 29 août 1949, la première bombe atomique soviétique, moins de cinq mois après la signature du traité de l'Atlantique Nord. Mais l'ère stratégique nucléaire ne commence pas réellement à ce moment-là. En effet, la supériorité américaine est encore telle, grâce aux bombardiers B-26 du SAC (Strategic Air Command) et grâce à la politique des bases ceinturant l'URSS, que rien ne paraît changé dans l'aspect unilatéral, monopoliste, simpliste de la stratégie américaine. Il s'agit plutôt d'une grande tactique de représaille « néo-douhettiste » (du nom du général Douhet, dont les théories avaient inspiré les doctrines d'emploi de l'armée de l'air américaine) visant l'écrasement de l'agresseur sous les bombes sans risque réciproque. Seule cette « posture » permettait, pensait-on, de neutraliser l'expansionnisme soviétique soutenu par leur supériorité en hommes et en armes conventionnelles en Europe.

Ce qu'on peut dire de cette première période, c'est que le monopole américain n'avait pas servi à empêcher le blocus de Berlin (1947-1949) et que le quasi-monopole ne servit pas à empêcher la guerre de Corée (juin 1950-1953). Le nucléaire, dès cette époque, ne permettait pas de gagner une guerre, c'est-à-dire de viser un gain au-delà de la restauration pure et simple du statu quo. Il est vrai que les États-Unis ne disposaient à l'époque que d'un stock de 300 bombes atomiques, chiffre qui paraît minime aujourd'hui. Le frein à l'usage de la bombe ne venait pas seulement d'une inhibition morale, mais aussi du fait qu'aucun intérêt majeur des États-Unis n'était en jeu en Corée, et qu'il n'y avait chez les alliés français ou britanniques aucun consensus politique pour une atomisation de la Corée qui risquait d'entamer les stocks limités réservés en priorité à la défense de l'Europe.

Malgré cette première expérience de guerre limitée sans victoire, où la politique l'emporta sur la dynamique militariste représentée par l'aventurisme du général McArthur, on a vu dès cette époque quelque chose s'inverser dans la hiérarchie des instances : la pactomanie qui ceinture l'URSS de bases du SAC signifie que c'est désormais *la politique des alliances* qui doit se plier aux exigences spatiales du déploiement de *l'arme de destruction massive* [1]. La hiérarchie clausewitzienne qui place les buts politiques (Zweck) au-dessus des objectifs militaires (Ziel) paraît mise en cause. L'effort des politiciens pour maîtriser cette arme hors du commun se polarise à partir de là en deux directions doctrinaires opposées :

— l'école de la dissuasion et de la non-guerre ;
— l'école de la banalisation de l'arme nucléaire et de sa mise en place opérationnelle.

Ces deux tendances recouperaient si l'on veut les tenants d'une importance accordée d'abord à la stratégie des moyens contre les doctrinaires de la stratégie opérationnelle [2].

L'armistice signé finalement à Panmunjon, le 27 juillet 1953, met fin à la guerre de Corée, 16 jours avant l'explosion de la première bombe thermonucléaire soviétique. L'URSS est en avance cette fois sur les États-Unis qui ne procéderont à leur premier essai thermonucléaire qu'en mars 1954. Depuis 1951, les

---

1. Cf. notamment sur ce point Lucien POIRIER, *Des stratégies nucléaires,* Hachette, Paris, 1977, p. 64.
2. Lucien POIRIER, « Essais de stratégie théorique », *Cahiers de la Fondation pour les études de Défense nationale,* n° 22, Paris, 1982, p. 43.

Européens étaient invités fermement à renforcer leur défense classique, afin que les États-Unis ne soient pas contraints de faire jouer trop nécessairement leur menace nucléaire en défense de l'Europe. Mais les objectifs fixés pour les effectifs terrestres à la Conférence de l'OTAN de Lisbonne, en 1952, sont totalement irréalistes. On cherche alors à utiliser les Allemands qui, en tant que vaincus, sont privés d'armée par leur Constitution. Des contingents allemands sous commandement OTAN avaient été envisagés en 1951, puis on signa, le 6 mai 1952, un traité de Communauté européenne de défense. Mais après des freinages venus d'une coalition gaulliste-communiste en France, la CED est repoussée le 22 août 1954. Tout le monde préférait laisser finalement l'Allemagne se réarmer dans le cadre de l'OTAN. Le problème que l'on appelle maintenant le « decoupling » (disjonction entre les intérêts stratégiques américains et les intérêts stratégiques européens) ne date donc pas d'aujourd'hui.

Les palinodies de la CED avaient en effet permis aux Européens de gagner quelques années sans donner l'image d'une capacité de défense auto-suffisante, qui eût été équivalente à un désengagement stratégique des États-Unis. En Indochine, la défaite de Diên Biên Phu met fin à une guerre que la quatrième République a tenté en vain de « vendre » aux Américains et même de nucléariser. Staline est mort depuis plus d'une année quand les accords de Genève, l'élimination de la CED et la bombe H américaine permettent à la configuration stratégique de pénétrer dans une zone nouvelle qu'on va rapidement appeler la « détente » et la « coexistence pacifique », et ceci malgré les crises nombreuses et très vives qui la marquent (Suez-Hongrie, 1956 ; Cuba, 1962 ; guerre du Vietnam, 1965 ; invasion de la Tchécoslovaquie, 1968).

Ce changement d'appellation provient évidemment d'une modification, soudain perceptible, du rapport des forces au profit de l'URSS. On peut dire que l'entrée dans l'ère stratégique proprement nucléaire correspond à la détente de 1954. De quelle manière ?

Un premier équilibre stratégique avait été atteint car l'aviation soviétique commençait à égaler le SAC, grâce à ses bombardiers à long rayon d'action, les Bear (720 km/h et 12 500 km d'autonomie de vol) en 1954, puis les Bison (9 650 km seulement d'autonomie de vol, mais moins vulnérables grâce à leur vitesse de 980 km/h) en 1955. C'est d'ailleurs à cette époque que les Occidentaux lancent les grands plans de désarmement progressifs et équilibrés (memorandum franco-britannique du 11 juin 1954) puis bloquent toutes les négociations autour de la question du contrôle, que les Américains lient à la proposition d' « open sky » de Eisenhower (inspection libre par avion U-2 d'observation stratosphérique). En avril 1957, les Soviétiques acceptaient finalement le principe d'une inspection aérienne partielle couvrant en Europe tous les pays du Pacte et tous les pays de l'Alliance et deux zones égales en Sibérie et aux États-Unis (en Alaska). Une contre-proposition américaine, en août 1957, aboutit à un piétinement. Le désarmement paraît arrêté par une question d'inspection, une fonction que les satellites exercent aujourd'hui sans aucun problème.

La stratégie fixée alors par Foster Dulles à l'Alliance atlantique est celle de la « représaille massive » (massive retaliation). Cette posture permet de défendre l'Alliance aux moindres frais : on renonce à contrer l'URSS en Europe par de gros bataillons (qui sont aussi très coûteux) en affirmant par la faiblesse même du dispositif classique, qu'on sera contraint de passer à la riposte nucléaire massive à la moindre attaque russe.

Un premier déséquilibre imaginaire en faveur de l'URSS intervient alors avec le lancement du Spoutnik, en octobre 1957. Marquant une certaine avance des Russes sur les Américains en matière de fusées lourdes intercontinentales, une extrapolation de la CIA fonde alors le mythe d'une supériorité quantitative de l'URSS sur les États-Unis, appelée « missile gap ». En attribuant à l'URSS les mêmes capacités d'engineering et de réalisation industrielle que celles des États-Unis, les « spécialistes » de la CIA concluent qu'à bref délai les Russes vont aligner des fusées intercontinentales en grandes séries. Les démocrates attaquant Eisenhower et les républicains au pouvoir commencent à dénoncer l'inertie qui se cache derrière la doctrine de représailles massives. Les partisans de Kennedy mobilisent l'opinion pour l'accélération des programmes américains de fusées Polaris (sur sous-marins) et Minuteman (en silos terrestres). Des fusées de portée intermédiaire sont déployées en Europe : les Jupiter en Turquie et en Italie du Nord et les Thor en Grande-Bretagne, mettant l'URSS sous la menace d'une salve de première frappe à 5/10 minutes d'alerte, capable d'équilibrer la menace intercontinentale qui pèse sur le territoire américain et qu'on imagine écrasante. En novembre 1959, un journaliste connu proche du Pentagone, Joseph Alsop, prévoyait que l'URSS disposerait en 1961 de 500 ICBM (cf. chapitre 1) contre 70 seulement aux États-Unis. Cette estimation fut considérée comme très exagérée mais l'Institut d'études stratégiques de Londres prévoyait encore en 1960, 150 ICBM soviétiques pour 1961 contre 50 américains (alors que les Soviétiques n'atteindront 150 ICBM qu'en 1964).

C'est dans ce contexte d'auto-intoxication que Kennedy avait remporté de peu sa victoire sur Eisenhower, accusé de négligence. Dès le 7 février 1961, McNamara avait nié qu'il existât une infériorité stratégique américaine, mais il était impossible de revenir trop vite en arrière sans se discréditer. Le doublement de la production de Minuteman et de sous-marins nucléaires fut donc demandé par Kennedy. Le 28 mars 1961, il exigeait une augmentation des crédits de défense de l'année 1961-1962, conformément aux engagements pris sous le thème du « missile gap » pendant sa campagne. Le 8 juillet, les Soviétiques ripostent en augmentant, à leur tour, leurs crédits militaires. Le 26 juillet, Kennedy révise encore en hausse son budget qui atteignait 47,5 milliards de dollars (3,4 milliards de plus que l'année précédente) et le mythe du « missile gap » reste vivant dans l'opinion jusqu'en 1962, ce qui explique la sensibilité de celle-ci à la mise en batterie à 10 minutes d'alerte des fusées soviétiques SS-4 et SS-5 à Cuba.

L'équilibre des années soixante et la « riposte flexible »

La grande poussée des systèmes Minuteman/Polaris aboutit au début des années soixante à une supériorité des États-Unis en nombre de fusées stratégiques. Les Soviétiques cependant visent à compenser cette avance par le choix d'une « filière » de fusées lourdes associées à des têtes thermonucléaires atteignant des puissances explosives terrifiantes de l'ordre de plusieurs dizaines de mégatonnes. Si bien qu'en termes de puissance explosive délivrable sur le sanctuaire ennemi, les Soviétiques l'emportent en général sur les États-Unis (probablement 524 mégatonnes du côté américain sur 96 Atlas, 54 Titan et 20 Minuteman au moment de la crise cubaine d'octobre 1962, contre 800 mégatonnes sur 80 ICBM du côté soviétique)[3]. Ce qui fut négocié sur le plan stratégique lors de la crise d'octobre 1962, c'est le démantèlement des fusées à moyenne portée pouvant toucher le sanctuaire de l'autre. Le retrait des 42 SS-4 et SS-5 soviétiques de Cuba fut compensé par le retrait des fusées Jupiter de Turquie (15) et d'Italie (30) et des Thor de Grande-Bretagne (60), dont le déploiement avait été commencé en 1959. Mais, détail qui passa presque inaperçu, les États-Unis avaient concédé sans bruit à l'URSS le déploiement permanent des mêmes fusées SS-4 et SS-5 pointées contre l'Europe occidentale depuis 1959-1960. Cet accord complexe marque l'avènement des fusées Polaris sur sous-marins

3. Alain Joxe, *Socialisme et crise nucléaire*, l'Herne, Paris, 1973, p. 393.

nucléaires, censées remplacer les IRBM (Intermediate-Range Ballistic Missile : missile balistique à portée intermédiaire) Jupiter et Thor dans leur rôle européen et neutraliser les SS-4 et SS-5 ; mais avec un caractère bien différent qui n'échappait pas aux Européens : les Polaris n'étant basées sur le sol d'aucun pays d'Europe ne procuraient pas le même genre de certitude d'emploi en cas d'invasion soviétique.

En effet, cet « échange » marque le début d'une nouvelle stratégie américaine qu'on intitule « riposte flexible » ou proportionnée (« flexible response »). Dès 1959, un memorandum, établi à la demande de la commission des Affaires étrangères du Sénat, avait condamné les déploiements d'IRBM vulnérables et donc utilisables seulement pour une attaque par surprise, ce qui liait la liberté d'action du président. En 1959, paraissent aussi deux ouvrages qui annoncent l'abandon de la stratégie de représailles massives, et soulignent l'importance d'une force de « seconde frappe » invulnérable pour assurer l'équilibre stable de la dissuasion (*The Uncertain Trumpet,* du général Maxwell Taylor et « The Delicate Balance of Terror », *Foreign Affairs,* janvier 1959, par Albert Wohlstetter). Le retrait des fusées du type Jupiter ou Thor était finalement prévu dès leur déploiement. Pour expliquer le retrait prévisible des Jupiter, Helmut Schmidt, alors député, écrivait en 1961 : « Quiconque est capable d'un raisonnement objectif doit concéder que l'installation de IRBM ennemis, pour ainsi dire sur le pas de votre porte, ne peut que produire l'effet psychologique d'une provocation sur une grande puissance. On n'a qu'à s'imaginer comment les Américains réagiraient si les Soviétiques se mettaient à installer des fusées IRBM à Cuba[4]. »

Malgré le ralliement de l'ensemble des alliés européens aux nouvelles conceptions stratégiques américaines, la France résiste alors et le général de Gaulle préfère sortir, en 1966, du commandement intégré de l'Alliance plutôt que d'accepter la doctrine de la riposte

---

4. Helmut SCHMIDT, *Defense or Retaliation,* p. 27.

flexible (cf. chapitre 6). Celle-ci n'est acceptée officiellement par l'OTAN qu'en 1967. Entre-temps, la supériorité américaine (qui est écrasante en 1964-65) soustend l'intervention au Vietnam en 1965 ; celle-ci commence comme une escalade de bombardements classiques sur le Nord-Vietnam. Il existe d'ailleurs toute une école d'interprétation selon laquelle l'orientation vers la « flexible response » qui impliquait un retour aux dispositifs opérationnels classiques, ne se justifie qu'en fonction d'une grande stratégie d'intervention non nucléaire dans le monde. Ce point doit être remémoré pour analyser le débat stratégique actuel.

La conjoncture stratégique
et la stratégie américaine actuelle

La « flexible response » supposait une abondance d'options et donc de niveaux d'armements, de panoplies ordonnées permettant l'escalade graduée de la menace, par une décision placée sous la seule responsabilité du président des États-Unis. C'est sous Kennedy qu'on avait retiré aux chefs de divisions américains la capacité de décider du feu nucléaire tactique au vu de la situation sur le champ de bataille, à la suite de manœuvres qui montrèrent que les officiers, formés à l'usage de l'artillerie de campagne, tendaient à demander l'intervention de l'arme nucléaire dès que l'engagement local tournait mal : l'Allemagne était complètement détruite en quelques heures (cf. chapitre 12). Le retrait du droit d'usage des armes nucléaires à cet échelon de décision devait sans doute affaiblir la certitude de l'escalade au plus bas échelon (« relever le seuil ») et abolir la vraisemblance de la riposte « disproportionnée », chère à l'école antérieure de la stratégie des représailles massives. La centralisation absolue, entre les mains du pouvoir éminemment politique du président, et le développement de la puissance et de la variété des moyens devait cependant servir au maintien d'un nouveau type de crédibilité stratégique.

Au fil des années, cette abondance qualitative est devenue quantitative et incontrôlée à la suite d'une série de glissements logiques que le pouvoir américain, pris entre la logique militaire et la logique industrielle, n'a pas nécessairement bien maîtrisé.

En même temps que les États-Unis préparaient des missiles antimissiles (ABM : Anti Ballistic Missiles) Nike Zeus, puis Nike X à la fin des années soixante, ils ont mis au point la contre-mesure à cette innovation, c'est-à-dire la fusée à têtes multiples et à leurres (MRV, MIRV : cf. chapitre 1). Or l'ABM est encore coûteux et inefficace et les deux Grands se mettent d'accord pour en limiter et pratiquement en interdire le déploiement (seulement quelques batteries autour des capitales et des silos d'ICBM). Tel est un des résultats de l'accord dit SALT I de 1972 (cf. chapitre 10). Mais le *mirvage,* lui, continue sur sa lancée. Il conduit les Américains, qui ont décidé de limiter le niveau de leurs ICBM à 1 053, à faire proliférer les têtes à l'intérieur des fusées et on aboutit ainsi à une surabondance de têtes, qui chacune est affectée à un objectif militaire distinct dans différents « plans de feu » correspondant à différentes hypothèses, le tout mémorisé dans le SIOP (Single Integrated Operational Plan).

Tout ceci finit par conformer une sorte de *grande tactique anti-forces,* (c'est-à-dire dirigée contre les silos et forces nucléaires de l'ennemi, et non plus contre les villes). Sur le plan stratégique, ce concept avait été évacué par McNamara, qui lui préférait la notion de « city sparing strategy » (stratégie d'emploi visant à épargner les villes). Lorsque le plan de feu nucléaire atteint plusieurs dizaines de milliers d'impacts, il est clair cependant que l'on se trouve dans une stratégie anti-forces et cette évolution fut assumée par Schlesinger, secrétaire d'État à la Défense en 1974[5]. La

---

5. Cf. J. SCHLESINGER, *Annual Defense Department Report,* 1975 (analysé par Janet FINKELSTEIN, « Vers une nouvelle doctrine de l'OTAN aux États-Unis », *Cahiers de la Fondation pour les études de Défense nationale,* n° 3, 1976).

rationalité stratégique avait en quelque sorte *suivi* la rationalité de l'abondance des têtes.

Cette stratégie anti-forces fut ensuite attribuée aux Soviétiques, que l'on créditait d'un effort considérable en armement et cette hypothèse s'est vu alors confirmée, sur le mode alarmiste, par le fait que les Soviétiques commençaient également avec quelques années de retard à fabriquer des MIRV. La crainte de les voir l'emporter en capacité anti-forces du fait que leurs fusées ont une capacité d'emport supérieure en moyenne à celle des fusées américaines, est à l'origine de l'alerte à la « fenêtre de vulnérabilité » qui est lancée à la fin des années soixante-dix.

On est donc entré, par les grands nombres, dans une stratégie anti-forces qui devient en outre offensive et opérationnelle à la fin du gouvernement Carter ; cette stratégie n'a plus rien à voir avec la « flexible response » originelle. La capacité de seconde frappe n'est plus considérée comme le fondement de la dissuasion et l'existence d'une « capacité de destruction mutuelle assurée » n'est plus considérée comme la garantie de la stabilité et de la coexistence pacifique. Seule la supériorité absolue et la capacité de menacer l'URSS de « gagner une guerre nucléaire », c'est-à-dire une guerre nucléaire limitée, si possible en épargnant le territoire des États-Unis, paraît le but recherché par l'administration Reagan.

On peut distinguer plusieurs embranchements dans cette nouvelle école unilatéraliste et offensive.

1) Pour l'Europe, la « posture » a mis l'accent sur la « guerre nucléaire limitée » (c'est-à-dire épargnant les États-Unis), et l'importance d'aboutir à un « équilibre nucléaire stratégique de théâtre européen » est particulièrement soulignée. Le déploiement des Pershings et des missiles de croisière est exigé maintenant des États-Unis au nom de cet équilibre local. On s'est rallié assez souvent, du côté du gouvernement socialiste français, à une demande dont le moins qu'on puisse dire est que sa signification stratégique est faible et sans intérêt pour la France (cf. chapitre 6). D'abord, l'équilibre en fusées

stratégiques européennes a toujours existé, comme nous l'avons montré dans le paragraphe précédent : depuis le retrait des Jupiter et des Thor en 1963, cet équilibre est assuré par les fusées Polaris sur sous-marin qui sont affectées à des objectifs de théâtre européen. Depuis, les Polaris ont été remplacés par des Poséidons mirvés et depuis peu par des Trident encore plus mirvés (cf. chapitre 1). La comptabilité n'en est pas visible et le déploiement n'en est pas terrestre. C'est pourquoi les Américains répugnent maintenant à les faire figurer dans un équilibre « européen » : le départ des fusées américaines sur sous-marin ne peut pas servir à limiter la guerre à l'Europe occidentale. On espère au contraire que l'existence d'une addition visiblement et matériellement locale, européenne, pourra faire passer le « message » aux Soviétiques : ces euromissiles signifient que vous pouvez riposter sur l'Europe mais pas sur les États-Unis.

Comme tout cela n'est nullement rassurant pour les Européens, et se trouve précisément à l'origine du grand mouvement allemand et anglais contre ce déploiement (cf. chapitres 11, 12, 13), les États-Unis ont donc dû trouver un moyen de présenter à l'opinion une face plus sécurisante de leur doctrine.

2) La doctrine dite de l'Air-Land Battle, que le général Rogers a été chargé de présenter aux Européens par des dizaines d'interviews et d'articles de presse, constitue l'aspect non nucléaire de la stratégie de guerre limitée à l'Europe. La doctrine proposée met en jeu une stratégie offensive classique, visant par des salves de fusées non nécessairement nucléaires à détruire des objectifs militaires soviétiques dits du « deuxième échelon », c'est-à-dire situé en profondeur du dispositif du Pacte de Varsovie, en Russie occidentale. Cette salve aurait pour conséquence, sans doute, de briser toute capacité d'offensive prolongée de l'URSS. Mais surtout, si on admet qu'il est bien question techniquement d'une attaque *préemptive*[6]

---

6. Une attaque *préemptive* est un coup porté à l'adversaire alors que celui-ci se dispose à attaquer, en le prenant de vitesse.

contre l'URSS, il est clair que cette posture peut servir à lancer une guerre d'agression et non plus une guerre défensive.

Ni les Allemands, liés par leur Constitution (la « loi fondamentale ») qui leur interdit, en souvenir de Hitler, de participer à aucune guerre d'agression, ni l'Alliance atlantique, qui repose clairement sur un pacte militaire défensif, ne peuvent absorber officiellement une telle stratégie. D'où l'apparition, à la conférence de Williamsburg en juin 1983, d'un cadre nouveau d'*alliance militaire élargie,* sans charte et sans limites, qui permettra éventuellement aux États-Unis d'imposer leur stratégie en pariant sur l'obsolescence juridique de certains principes, et sur la transnationalisation des États occidentaux.

3) En direction du tiers monde, la doctrine américaine nouvelle a été exprimée surtout par le secrétaire d'État à la Défense des États-Unis, Caspar Weinberger, dans un document secret publié par le *New York Times* du 30 mai 1982 sous la signature de Richard Halloran. La nouveauté en est que les États-Unis se donnent pour objectif de refouler l'URSS partout dans le monde. Les ports des pays qui donnent aux navires soviétiques non seulement des bases mais aussi de simples droits de carénage ou des points d'avitaillement, sont désormais couchés sur un plan de feu *nucléaire,* relevant des fusées tactiques embarquées sur navires de surface ou sur avions embarqués. La nouvelle doctrine, qui est « sortie » en même temps que les leçons des Malouines, met l'accent sur une coordination interarmes intégrale et globale, destinée à aboutir à la maîtrise de l'espace aérien au-dessus de la flotte et à la maîtrise navale dans les zones d'intervention. On doit évidemment rattacher cette conception à la mise en place de la « Rapid Deployment Force » (Force de déploiement rapide) qui était destinée à l'Asie du Sud-Ouest (c'est-à-dire le territoire d'intervention situé autour du golfe Arabo-Persique, de l'Iran au Zaïre et de la corne de l'Afrique à la Grèce). La Rapid Deployment Force est :

— un tableau d'effectifs auquel sont affectées certaines unités américaines ;

— un système logistique mondial de bases et de points de stockage qui est en plein remaniement (bases aux Açores, au Portugal, en Espagne, au Maroc, en Sicile, à Chypre-Nord, peut-être, et en Turquie) ;

— un "moyen pour demander aux nations européennes de contribuer par des levées d'effectifs de remplacement, au départ éventuel de troupes américaines d'Allemagne en opération (cas de l'Allemagne). Par là, les États-Unis compromettent les pays européens dans des zones d'intervention situées clairement en dehors de la zone de garantie de l'OTAN.

L'ensemble formé par ces trois « aspects » donne une composante où l'opérationnel, l'offensif, le conventionnel et le naval global paraissent l'emporter sur le dissuasif, le défensif, le nucléaire et le terrestre régional. C'est ce qui permet de dire qu'il y a mutation et que le danger de guerre réelle s'en trouve accru.

Alain Joxe

II. La doctrine stratégique soviétique

Deux traits dominent l'évolution de la doctrine stratégique de l'URSS. Les Soviétiques ont fait leur la proposition de Clausewitz : « La guerre est la poursuite de la politique par d'autres moyens ». Les « autres moyens » doivent donc être clairement corrélatifs à une analyse et à un projet. Mais, et c'est le deuxième trait, la guerre est un domaine d'étude scientifique. En conséquence, on doit dégager des *lois générales* et des *principes d'application*. Or, seule l'étude historique le permet.

La stratégie soviétique se présente donc comme le bras armé de sa doctrine globale, se conçoit dans la référence explicite et constante à l'Histoire.

Une certaine perception de l'insertion de l'URSS dans la politique mondiale conduit au primat de l'offensive. La constance de cette loi recouvre, par contre, de nombreuses variantes dans la doctrine d'emploi. Celle qui prévaut aujourd'hui, si elle se présente comme un essai de synthèse, n'est donc pas la dernière ; ses limites, internes et externes, nécessiteront probablement de nouveaux ajustements.

De la perception de la menace
au primat de l'offensive

Trois facteurs dominent largement la perception de la menace en URSS. Tout d'abord, la *nature d'un conflit.* Celui-ci ne peut être qu'une guerre visant à l'anéantissement de la société soviétique. Dans la mesure où, avec la Seconde Guerre mondiale, le rapport des forces a été substantiellement modifié en faveur du « camp socialiste »[7], la défense de la paix devient le lieu de la confrontation entre capitalisme et socialisme. Si les capitalistes « conduisent le monde à la catastrophe thermonucléaire »[8], le socialisme défend la paix, par le rassemblement des forces de paix et par la puissance des forces armées soviétiques[9]. La nature du conflit pose alors le problème de l'*isolement de l'URSS.* Cette dernière le combat en développant l'« internationalisme prolétarien », en garantissant l'existence d'un « camp socialiste » en extension, et en disposant d'une puissance militaire qui assure « l'absence de danger »[10]. Tout obstacle à la mise en œuvre des « liens fraternels », toute remise en cause du « camp socialiste », et toute tentative de limiter le développement

---

7. A. IDANOV, *Rapport sur la situation internationale,* Éditions Norman Béthune, 1947.
8. *Lénine et la science militaire,* Éd. de Moscou, p. 124.
9. A. A. GRETCHKO, *Voorvjennie sili sovetskogo gasydarstva,* Moscou Voenizdat, 1975, pp. 102 et s.
10. Traduction littérale du terme russe qui signifie *la sécurité.*

des forces armées, apparaissent donc, dans le discours soviétique, comme la concrétisation des menaces potentielles du capitalisme.

L'analyse de ce dernier est donc fondamentale. Sur ce point les Soviétiques sont passés de l'idée qu'un conflit est inévitable (période de Staline), à celle d'une possibilité d'éviter la guerre. C'est essentiellement le renforcement politique, économique et militaire du camp socialiste qui permet d'envisager une victoire mondiale du socialisme sans conflit généralisé[11]. Mais elle ne l'exclut pas. La guerre, pour avoir cessé d'être une fatalité, reste une issue possible. En tout état de cause, par la paix ou par la guerre, *le capitalisme est condamné à périr*[12].

Ce cadre général permet de comprendre *le primat de l'offensive* qui domine la stratégie soviétique. Sa constitution est ancienne. Dès 1925, les deux « pères » de la pensée militaire soviétique, Frunze et Tukhachevsky, en font la loi fondamentale[13]. La défense est ainsi assurée par la prise de l'initiative, qui permet de porter la guerre *dans* le camp capitaliste, de détruire ses forces et de préserver la société socialiste. Tactiquement, la défensive n'est qu'un moyen visant à permettre le passage ultérieur à l'offensive.

L'expérience de la Seconde Guerre mondiale a, semble-t-il, validé cette loi aux yeux des responsables politiques et militaires. L'offensive répond désormais à trois motifs : en saisissant l'initiative, tant politique que militaire, on paralyse l'adversaire, même sans posséder une supériorité globale. La société soviétique est préservée, les combats se déroulent à l'extérieur. Enfin, en raison de la puissance destructive des armes modernes, ces dernières doivent être détruites avant d'avoir pu

11. A. A. Gretchko, *Voorvjennie...*, *op. cit.*

12. L. I. Brejnev, *Intervention à la conférence internationale des partis communistes et ouvriers,* Moscou, 1969 (Éd. du Progrès pour la traduction française).

13. M. V. Frunze, *Izbrannyye Prozvedeniya,* vol. I et II, Moscou, Voenizdat, 1957.

être utilisées. La tâche principale du commandant est, ainsi, définie comme le repérage et la destruction préalable des moyens adverses, en particulier des vecteurs nucléaires[14].

L'offensive est enfin justifiée politiquement par l'analyse précédente. Puisque, comme on l'a vu, la victoire du socialisme est inévitable, la guerre n'a pas à être redoutée, puisqu'elle ne saurait que se conclure sur la défaite du capitalisme. Si ce dernier ne peut être contraint à la paix, l'offensive politique du camp socialiste doit alors se poursuivre « par d'autres moyens ».

Le primat de l'offensive découle donc d'une certaine perception de la menace. Servant de cadre général à la doctrine stratégique soviétique, il nécessite des « principes d'application ». Or, ces derniers ont souvent profondément varié.

Les mutations de la doctrine d'emploi
des forces armées

Ces mutations tournent, en fait, autour de deux problèmes : la nature de l'armée et la place du « fait nucléaire » dans les « lois de la guerre ».

Rien n'illustre mieux le premier que les transformations qui eurent lieu dans les années trente. Sous l'impulsion d'un groupe particulièrement dynamique regroupé autour de Tukhachevsky, Blucher, Yakir, l'état-major soviétique avait, de 1930 à 1937, mis en place un instrument et une doctrine d'emploi correspondant au primat de l'offensive. L'Armée rouge apparaît comme conduisant le mouvement quant à la théorie de la guerre blindée, de la guerre de mouvement et des opérations combinées. Elle est la première à se doter d'unités entièrement mobiles (les groupes

---

14. V. E. SAVKIN, *Ocnovnye Printsipy Operativnogo ickusstva i taktiki,* Moscou, Voenizdat, 1972.

DDP) et à concevoir la bataille comme « aéroterrestre » (développement des « chturmoviki » et des corps de parachutistes). Cette doctrine, dont l'achèvement est atteint dans le « règlement de 1936 »[15] a, bien entendu, ses contraintes. Elle exige non seulement un matériel moderne, mais surtout des officiers et sous-officiers extrêmement qualifiés. La tendance à la professionnalisation de l'armée (envisagée par De Gaulle dans *De l'armée de métier,* traduit en russe en 1935) découle de ce choix.

Les purges qui frappent l'armée de 1937 à 1939 apparaissent comme une réaction face à cette tendance. Sous des prétextes aussi divers que fallacieux, le parti réagit contre l'autonomisation des cadres militaires. Ces derniers ne doivent trouver leur légitimité que dans le parti, et non dans leurs compétences. Les limites de cette politique furent évidentes dès la guerre russo-finlandaise de 1939-40. Elles expliquent aussi largement les défaites initiales de l'armée soviétique en 1941 et 1942. Il faut cependant noter que « l'armée de Sibérie » fut relativement épargnée par cette purge. Son noyau de cadres compétents, hérités de la période précédente, et qui jouera un rôle important dans la victoire de Khalkhin-Gôl (1939), sera l'un des éléments de la reconstruction ultérieure.

La doctrine d'emploi va donc nécessairemeent osciller entre deux pôles : une armée de métier refusée politiquement et une armée de masse, inadaptée aux besoins militaires de l'URSS et au primat de l'offensive. Il est en tout cas frappant qu'en 1972, dans un ouvrage majeur, un auteur soviétique présente la question des cadres intermédiaires (officiers et sous-officiers) comme l'un des maillons faibles du système[16].

Le deuxième problème réside dans l'interprétation

_____

15. Cf. Article de Tukhachevsky, *Bolshevik* n° 9, 1er mai 1937 ; « L'emploi tactique des chars à la lumière du nouveau règlement soviétique », *Revue d'infanterie,* Paris, n° 9, sept. 1937 ; « Vremennyi Polevoï Ustav. RKKA, 1936, PU-36 » Voenizdat, 1937.
16. V. E. Savkin, *Ocnovnye…, op. cit.,* p. 284.

du fait nucléaire. Si, dès 1949, l'URSS a disposé de l'arme atomique, il lui a fallu attendre la fin des années cinquante pour en tirer toutes les conclusions. Dans les premières années, l'arme nucléaire est plus conçue comme un « super-explosif », ne changeant pas fondamentalement la nature des combats[17]. Il faut attendre la période 1958/1963, avec l'ouvrage du maréchal Sokolovsky, pour que le concept de dissuasion fasse son chemin. L'arme nucléaire, plus exactement le missile thermonucléaire, change alors les règles du jeu. La guerre n'est plus un « autre moyen » de la politique, mais une catastrophe à éviter. Si cela s'avère impossible, alors, il faut la gagner par tous les moyens, d'où le concept de victoire dans une guerre nucléaire[18].

Il faudra attendre les années soixante-dix pour voir s'opérer un « retour » vers la guerre classique. Significativement, cette altération des principes officiels résulte d'une discussion autour d'un *exemple historique*, menée par les officiers supérieurs issus de l'armée de Sibérie. Ce que l'on a appelé le « modèle mandchourien » est constitué par une étude précise et systématique des opérations de l'armée soviétique contre les forces japonaises stationnées dans le nord de la Chine[19]. D'après les nombreux auteurs, ces opérations, qualifiées des plus fructueuses et des mieux réussies de toute la Seconde Guerre mondiale, sont un exemple de la conduite des opérations combinées. Le « modèle-mandchourien » dépasse donc largement le cadre d'une leçon intéressante. Il devient une référence globale. Sur le plan politique, ces opérations sont considérées comme ayant entraîné la capitulation du Japon, elles montrent qu'un objectif décisif peut être atteint par des

17. Cf. le débat traité par A. A. Sidorenko dans *Nastvplenie*, Moscou, Voenizdat, 1970, pp. 109 et s.
18. M. Sokolovski, *Military Strategy*, Praeger, New York, 1963.
19. R. Ia. Malinovsky (éditeur), *Final : Istoriko memvarnyi ocherk o razyrome Imperialisticheskoï Iaponii v 1945 godu*, Moscou « Nauka », 1966. Il existe une deuxième édition, compilée par M. V. Zakharov en 1969, sous le même titre.

opérations militaires limitées[20]. Sur le plan stratégique, on doit retenir l'effet de surprise réalisé sur un double plan : quant à la date du déclenchement de l'offensive, et quant aux axes de pénétration. Cette surprise joue un rôle majeur : « La surprise est l'hirondelle de la victoire[21]. » Tactiquement, la combinaison des forces, à terre et dans les airs, le fait que les succès furent obtenus moins par un effet de masse que par la vitesse et la puissance des groupes mobiles, sont considérés comme des enseignements décisifs pour la conduite des opérations militaires modernes.

Les dix dernières années semblent donc marquées par un retour à la fois au concept de guerre non nucléaire et à celui d'une armée de mouvement et de qualité. Cette revanche posthume de Tukhachevsky et des fusillés de 1938 s'inscrit cependant dans un cadre précis. La dissuasion n'est pas niée, et les Soviétiques ne faiblissent pas dans leur effort pour rattraper l'arsenal stratégique américain. Mais la guerre redevient un « autre moyen » concret de la politique. Si la qualité des cadres revient au premier plan, il ne semble pas que la « qualité » l'emporte sur la « masse ». Dès lors, la doctrine actuelle, tout en présentant d'incontestables parentés avec celle de 1936, n'est pas sans limites, voire sans contradictions.

La doctrine actuelle et ses limites

A partir des textes publiés dans les années soixante-dix, il apparaît que l'état-major soviétique entend remplir ses tâches, en cas de conflit, par une version modernisée de la « Blitzkrieg ». Ses trois fondements sont la combinaison des forces, l'importance des blindés et la nécessité d'arriver aux résultats dans le minimum de temps.

---

20. S. IVANOV, « Pobeda na Dal'nem Vostoke », *Voennyi Vestnik*, n° 8, août 1975.

21. M. V. ZAKHAROV, *Final...*, *op. cit.*, p. 13.

La *combinaison des forces et des armes* est un principe largement développé dans la littérature militaire soviétique[22]. La combinaison des armes signifie une intégration des différents moyens à la disposition du commandant : blindés, infanterie, artillerie, protection antiaérienne et génie. Les Soviétiques mesurent pleinement les dangers et les risques d'une séparation des moyens. Privés du soutien de l'artillerie et de l'infanterie, les blindés sont très vulnérables. Sans appui blindé, l'infanterie ne peut atteindre les taux de progressions visés. Enfin, des unités qui ne pourraient surmonter les obstacles artificiels (mines, fossés antichars) ou naturels (rivières, lacs), ni se défendre contre l'aviation adverse, seraient rapidement paralysées. La combinaison des moyens est cependant un objectif ambitieux. Elle nécessite une profonde adaptation des hommes, des matériels, des moyens de transmission, pour pouvoir donner les résultats escomptés. La combinaison des forces signifie l'intégration des différentes branches des forces armées (armée de terre, aviation, marine) autour d'objectifs communs. Il s'agit d'obtenir, tant sur le plan tactique que stratégique, une coordination qui permette de pratiquer la « bataille globale ». Les différents éléments terre/air/mer devant être mis à profit pour déborder l'adversaire. Les opérations combinées peuvent ainsi comprendre des parachutages de groupes de saboteurs, l'aérotransport d'unités entières pour prendre l'ennemi à revers (pratique utilisée contre les forces somaliennes dans la guerre de l'Ogaden entre l'Éthiopie et la Somalie en 1978[23]), des débarquements par l'infanterie de marine, associés à l'offensive des forces terrestres.

Cette double intégration s'inscrit dans le cadre de deux principes : la *manœuvre* et la *puissance*. Les

---

22. V. E. Savkin, *Ocnovnye..., op. cit.*; A. A. Sidorenko, *Nastvplenie, op. cit.*; P. A. Kvrochkin (éditeur), *Obshchevoyokovaya Armya v nastvplenii*, Moscou, Voenizdat, 1966.
23. D. C. Isby, *Weapons and Tactics of the Soviet Army*, Jane's, Londres, 1982, p. 216.

Soviétiques estiment que les forces adverses peuvent et doivent être détruites par des opérations où se combinent ces deux principes. La manœuvre vise à déséquilibrer l'adversaire, à encercler ou menacer d'encercler ses forces, à le contraindre à quitter ses positions défensives préparées pour affronter les troupes soviétiques dans une guerre de mouvement. Dans celle-ci, les Soviétiques entendent l'emporter en concentrant toujours une puissance de feu supérieure. Il est à noter que le calcul statistique joue un rôle très important dans la pensée tactique soviétique. L'anéantissement de forces adverses données, suivant les conditions (qu'elles soient protégées ou à découvert) est ramené à une certaine densité d'explosif à délivrer dans un laps de temps fixé.

Le second fondement réside dans *le primat des forces blindées*. Il ne s'agit pas seulement des chars, mais des divers engins blindés qui les accompagnent et les soutiennent (véhicules de combat d'infanterie, artillerie automotrice). Les blindés sont décrits comme le « moyen » à la fois le plus résistant, y compris à une frappe nucléaire, et le plus puissant du point de vue offensif[24]. Ce primat du blindé apparaît comme la conséquence de l'importance accordée à la manœuvre et à la puissance. Aussi les Soviétiques dépensent-ils leur énergie pour s'assurer la permanence d'une force blindée toujours adéquate. Les unités blindées sont conçues comme « l'élite » de l'armée de terre (un nombre important d'entre elles ont reçu l'appellation « de la Garde », titre honorifique repris des traditions tsaristes). Pourtant, la confiance des Soviétiques dans l'arme blindée n'est pas aveugle. Le sachant vulnérable, ils mettent l'accent sur deux principes d'utilisation : la surprise et la vitesse. La surprise, pour éviter de devoir affronter des concentrations d'armes antichars ; la vitesse, pour que ces concentrations ne puissent se former.

---

24. P. A. ROTMISTROV, *Tanki na Voyne,* Moscou, Izd. Vo. Dosaaf, 1969.

Troisième fondement : *la guerre doit être de courte durée*. C'est un impératif politique (éviter une escalade incontrôlable), stratégique (ne pas laisser le temps à l'adversaire de surmonter sa surprise et de réorganiser son dispositif), et tactique (ne pas entrer dans une guerre d'usure que la logistique soviétique supporterait mal). Cette nécessité d'aboutir rapidement à la « décision » (la victoire) a plusieurs conséquences. Tout d'abord, le pourcentage des pertes n'est pas un critère significatif. Ce qui importe ce sont les résultats et le rythme des opérations. L'organisation des forces s'en ressent. La notion d'une réserve stratégique a peu de signification. De même, il n'est pas sûr que les armées soviétiques adoptent une structure en deux échelons[25]. Au contraire, il est probable que les forces se divisent en unités d'assaut (chargées de briser la ligne de défense initiale) et en groupes mobiles d'exploitation (chargés de détruire les forces ennemies au-delà de la ligne de défense, par la manœuvre et la puissance). Enfin, l'enlisement des combats apparaît comme le danger principal. Une tactique de contournement des poches de résistance est jugée préférable à leur destruction systématique. Les forces soviétiques sont donc portées à accepter tout à la fois des pertes et des risques de contre-attaque bien plus élevés que ce qui serait admis dans une armée occidentale, pour ne pas ralentir le rythme de progression.

Devant cette rapide esquisse de la doctrine actuelle, on peut se demander si elle n'implique pas un instrument militaire au-dessus des moyens humains et économiques de l'URSS. On peut, en effet, discerner des limites et des contradictions qui tiennent autant à des facteurs internes qu'externes.

Du point de vue de la société soviétique, trois problèmes se posent. En premier lieu, celui des

---

25. M. V. Zakharov (éditeur), *Final, op. cit.*, p. 21.

hommes : la logique des opérations combinées impose de constituer des forces combinées à des niveaux de plus en plus bas de la hierarchie. Or, si l'armée soviétique procède à une intégration au niveau de la *division,* elle ne descend guère en dessous. C'est que le combat combiné impose au commandant une polyvalence et une qualification importante. Nous retrouvons ici le problème des cadres. Une armée combinée a moins besoin de brillants généraux que de sous-lieutenants particulièrement entreprenants. La structure particulièrement rigide de la hiérarchie dans la société comme dans l'armée conduit, au contraire, à placer ces cadres inférieurs strictement en position d'exécutants. Second problème, celui du matériel : c'est le choix entre quantité et qualité. Accepter un taux important de pertes conduit à vouloir disposer d'un matériel « consommable ». Mais, par ailleurs, l'intégration et la rapidité des opérations exigent un matériel de plus en plus sophistiqué, donc de plus en plus cher, difficile à manipuler et d'autant moins consommable. Enfin, la nature même des opérations que les Soviétiques prétendent mener impose une souplesse considérable du système logistique et des modes d'organisation. Les options qualité masse/, autonomie/soumission au politique, se révèlent inconciliables. La doctrine d'emploi, dans ses conséquences, devient contradictoire avec les formes mêmes d'organisation de la société soviétique. Et une armée ne peut être que le reflet de la société qui l'a engendrée.

Du point de vue des facteurs extérieur, trois élements peuvent considérablement limiter l'efficacité de l'armée soviétique. La nature du terrain, surtout s'il est exploité par l'adversaire, peut imposer des routes obligées ou des combats d'attrition contraires à la doctrine soviétique. C'est le cas des massifs montagneux et des zones urbanisées. D'autre part, l'adversaire lui-même peut refuser de jouer le rôle qui lui est dévolu. L'application de principes identiques à ceux des Soviétiques (manœuvre, primat des chars) permettrait à ces derniers de triompher des forces de l'OTAN, même au prix de lourdes pertes. Des manœuvres menées aux États-Unis avec des unités équipées et entraînées comme les Soviétiques, tendent à le montrer[26]. Par contre, une doctrine prenant le contre-pied de ces principes, refusant la manœuvre et la bataille, recherchant une guerre d'attrition décentralisée, proche de la guérilla (mais avec des moyens ultra-modernes), paralyserait le schéma complexe mais rigide qui régit les mouvements des forces soviétiques. Enfin, le *temps,* la durée peut jouer un rôle décisif. La doctrine soviétique fait, sur la question des rythmes de progression, un véritable pari. Tout ce qui pourrait les ralentir, conduire à une guerre lente et longue, serait une défaite pour les Soviétiques. L'incapacité d'obtenir des résultats rapidement signifierait que les armes *ne sont pas* l'autre moyen de la politique.

Jacques Sapir

---

26. D. C. Isby, *Weapons and Tactics..., op. cit.,* p. 50.

5. Quel rôle jouent les États-Unis dans la défense de l'Europe ?

Antoine Sanguinetti

I. Fondements et fonctionnement de l'Alliance

La fin de la Seconde Guerre mondiale, et l'écrasement de l'Allemagne nazie avaient montré le nouveau poids de l'Armée rouge. Peu après, la normalisation politique des pays européens que Roosevelt avait cédés en partage à Staline à Yalta, et particulièrement le premier coup de Prague où Beneš devait trouver la mort, prouvaient l'impérialisme du communisme soviétique. Les pays européens, ravagés par la guerre, confrontés à la tâche immense de la reconstruction, et incapables dans ces conditions d'assumer — au moins provisoirement — une défense valable, firent donc appel à l'Amérique.

L'alliance qui s'ensuivit, dite Alliance atlantique, ne couvrait initialement qu'un domaine très limité, sans commune mesure avec ce qu'elle est aujourd'hui. Le traité de Washington signé le 4 avril 1949 et ratifié par les parlements, est en effet très succinct : deux ou trois pages pour énoncer et expliciter des obligations très restreintes : « Se consulter chaque fois que, de l'avis de l'une des parties, son territoire, son indépendance politique, ou sa sécurité, est menacée » (art. 4) ; « Prendre en cas d'attaque, individuellement ou d'accord avec les autres, telle action qu'on jugera nécessaire y compris l'emploi de la force armée » (art. 5). Son domaine est aussi limité : « Attaque contre le territoire d'une des parties, en Europe ou en Amérique du Nord, ou dans l'Atlantique Nord au nord du tropique du Cancer » (art. 6), ce qui n'inclut qu'implicitement la Méditerranée. Seule en Afrique, l'Algérie y était spécifiée au titre de département français. Elle en a été retirée le 3 juillet 1962, à la suite de son indépendance.

Les pays signataires devaient constituer un Conseil de l'Atlantique Nord qui réunit deux fois par an les ministres des Affaires étrangères, et siège en permanence au niveau des ambassadeurs. Ce Conseil devait à son tour établir en son sein un Comité de planification de la défense — auquel la France ne participe plus depuis 1966 — qui réunit les ambassadeurs régulièrement et les ministres deux fois par an, pour recommander « les mesures à prendre pour organiser la résistance à une attaque armée » (art. 9). Aucune allusion à une organisation militaire permanente. Répétons que c'est très succinct.

En somme, ce qu'avaient voulu, négocié et approuvé les peuples européens, c'était surtout la certitude de la présence des États-Unis à leurs côtés — avec les garanties qui en résultaient — dans une alliance militaire classique, sans engagements subsidiaires idéologiques, économiques et culturels, en toute indépendance. Et c'était bien suffisant si l'on réfléchit qu'il n'y avait à l'époque, depuis Hiroshima, plus aucun danger possible d'attaque soviétique, puisque les États-Unis avaient affiché leur monopole de l'atome. Et que leur protection revêtait de ce fait un pouvoir de dissuasion absolu, sans aucun risque, vis-à-vis de tout agresseur potentiel.

Première dérive : l'OTAN
et l'intégration militaire

Et pourtant l'Alliance va très vite dériver, sans grand mal ni perte de temps, il faut le dire. Une brochure de l'OTAN de septembre 1975 explique ingénument que le Traité est un modèle du genre parce qu'il est extrêmement court : deux petites pages et demie de texte, comportant un préambule et quatorze articles, dont deux seulement sont essentiels. Si le but en effet, une fois la signature et la ratification formellement acquises, était de laisser les mains libres aux politiciens pour agir sans le contrôle des peuples, il était parfaitement atteint. Car cette imprécision va permettre, et très vite, de faire n'importe quoi.

Presque immédiatement, le Comité de planification de la défense franchit un premier pas en créant une organisation militaire permanente (l'OTAN) et une intégration des armées classiques qui étaient peut-être dans les esprits des initiateurs du Traité mais n'avaient pas transparu dans son texte : la première intégration de l'Histoire, de surcroît en temps de paix, sans urgence et presque sans partage. Car les Américains ont pris la part du lion dans l'organisation de Commandement aux échelons principaux. Qu'on en juge !

Les Hauts Commandements, ou Commandements suprêmes de l'OTAN, sont au nombre de trois. Le Commandant en chef suprême allié en Europe (SACEUR) est un général américain en fonction à Bruxelles. Le Commandant suprême allié dans l'Atlantique (SACLANT) est un amiral américain, le seul à résider en territoire américain, à Norfolk en Virginie. Le Commandant en chef dans la Manche et la Mer du Nord, le Channel (d'où CINCChan) est un amiral britannique, mais il ne s'agit que de la couverture maritime de l'Angleterre. Il cumule du reste cette fonction avec celle de Commandant de la Flotte britannique.

C'est au Commandant suprême américain en Europe, SACEUR, qu'incombe la défense du territoire européen de l'OTAN, de la Norvège à la Turquie, à l'exception de la France mais aussi du Portugal et de l'Angleterre. SACEUR chapeaute lui-même les trois Commandants en chef du Nord, du Centre et du Sud-Europe. Mis à part celui du Nord-Europe (CINC-North), Britannique qui est en charge de la Scandinavie, hors continent, le Commandement en chef du Centre-Europe (CINCCent) a été dévolu successivement, sous les ordres de SACEUR, à un Français jusqu'à la sortie de la France de l'OTAN en 1966, puis à un Allemand. Il aurait été difficile de faire autrement vis-à-vis des deux vieilles nations guerrières de l'Europe.

Quant au Commandant en chef d'Europe du Sud (CINCSouth), il couvre en fait la Méditerranée et ses approches terrestres, Italie, Grèce et Turquie. C'est un amiral américain à Naples, qui dispose de généraux américains en sous-ordres à la tête des différentes forces terrestres et aériennes. Le commandement maritime en Méditerranée, sous les ordres de CINCSouth a été confié pour sa part à un amiral britannique, ce qui est pour le moins paradoxal. Mais restons sérieux : il ne coiffe pas la fameuse 6e flotte américaine de Méditerranée qui demeure nationale et directement rattachée à CINCSouth.

Cet ensemble très américanisé est flanqué d'un « Comité militaire international » qui réunit les Chefs d'État-Major de tous les pays membres, à l'exception de la France qui n'assure qu'une liaison. Mais ce comité n'a de pouvoir que délibératif. Toute décision incombe à Washington.

En fait, sous le couvert inattaquable d'une aide défensive contre l'Armée rouge, cette intégration militaire — qui remettait à des commandants américains les attributs de souveraineté des nations européennes que sont leurs armées — a été la première brèche ouverte dans les défenses européennes, progressivement investies : elle a permis de mettre en place les premiers jalons de la pénétration, et d'assurer l'avenir en l'étendant progressivement à d'autres branches essentielles de responsabilité des nations concernées, politique, monétaire, économique, commerciale ou culturelle.

En liaison étroite avec le plan Marshall — qui résulte curieusement, lui aussi, de la pensée d'un militaire —, la livraison gratuite ou à très bas prix de matériels militaires de surplus, puis les choix répétés d'armements américains sous l'effet de pressions politiques ou économiques non déguisées, ralentirent ou empêchèrent la reconstruction de certaines branches des industries d'armement européennes, qui constituaient souvent le secteur principal de la recherche de pointe dans leur pays. En même temps, la récupération organisée des savants allemands, et la fuite — à prix d'or — d'autres cerveaux européens vers les riches laboratoires d'outre-Atlantique produisaient l'effet inverse aux États-Unis. Tandis que la vente aux alliés de matériels récusés pour l'usage national — comme le célèbre avion F-104 qui tua tant de pilotes — soutenait des industries américaines dans des passes difficiles.

Par la combinaison ou succession de ces procédés simples, et de bien d'autres plus élaborés, dans un premier temps que l'on pourrait appeler la « période militaire » de l'Alliance et qui a duré sept ans, les partenaires européens « protégés » de l'Amérique ont ainsi perdu l'autonomie, pourtant essentielle à leur souveraineté, de leur production d'armements, et pris dans la foulée un retard technologique considérable. Ils vont perdre dans un second temps le contrôle d'une part croissante de leur appareil industriel, et de leurs capacités de décision politique : après que fut intervenue en 1956 la seconde dérive fondamentale de l'Alliance atlantique, de sa nature initiale de simple pacte militaire à celle de « communauté » politique, économique et culturelle. Et cela sans que les peuples intéressés soient clairement avertis de cette nouvelle orientation de leur destin, ni consultés.

Seconde dérive : le passage discret
de l'Alliance à la Communauté

Tout s'est fait très simplement. Le 5 mai 1956 le Conseil de l'Atlantique Nord, siégeant au niveau des ministres des Affaires étrangères, a donné mandat à trois d'entre eux, Gaetano Martino d'Italie, Halvard Lange de Norvège, et Lester Pearson du Canada, de « présenter au Conseil des recommandations quant aux mesures à prendre pour améliorer et développer la coopération entre pays de l'OTAN dans les domaines *non militaires*, et pour accroître *l'unité* au sein de la Communauté atlantique ». La formule était prudente, pour ne pas choquer, mais assez générale pour ouvrir des voies nouvelles.

C'est le « Comité des trois », qui a siégé à partir du 20 juin 1956. Il a procédé à la consultation individuelle des ministres des Affaires étrangères de chaque nation membre, une demi-journée chacun, du 12 au 18 septembre. Il a présenté au Conseil de l'Atlantique Nord le 14 novembre son rapport, devenu résolution de l'OTAN le 13 décembre de la même année 1956. Cette résolution, exécutoire, invitait le Conseil permanent de l'Alliance, au niveau des ambassadeurs, « à mettre en œuvre désormais, compte tenu des observations des gouvernements, les principes et recommandations contenus dans ce rapport ».

Cela peut paraître anodin, et est passé du reste inaperçu, mais le tour était joué. Trois délégués retombés dans l'oubli, et dont aucun n'appartenait aux peuples férus d'indépendance qui ont fait l'Histoire de l'Europe, ont posé les bases d'un alignement politico-économico-culturel visant à rendre irréversible l'appartenance de l'Europe à la zone d'influence des États-Unis, dans un but avoué d'intégration ultérieure à leur Empire. Ils l'ont fait dans le mois qui a suivi le camouflet franco-britannique de Suez et l'occupation militaire simultanée de Budapest : c'est-à-dire dans le mois où les Européens indociles au nouvel ordre de Yalta avaient dû s'incliner et rentrer dans le rang.

La résolution née du Rapport des trois, pour sa part, est bien moins succincte que le traité de Washington. Elle consiste en six chapitres comprenant 103 articles, et suivis de deux annexes : « Introduction générale », 38 articles ; « Coopération politique », 21 articles ; « Coopération économique », 13 ; « Coopération culturelle », 8 ; « Coopération dans le domaine de l'information », 7 ; « Organisation des fonctions », 16.

Donc, après avoir rappelé son mandat, le Comité estime que pour pouvoir s'en acquitter, « il doit étudier et définir à nouveau les objectifs et les besoins de l'alliance (art. 2)... Si la crainte a surtout été à l'origine de l'OTAN, le moment est venu de grouper en une association plus étroite les nations sœurs, à des fins autres que strictement défensives..., avec mise en commun d'une partie des souverainetés nationales » (art. 12).

Les articles 2 et 4 du traité de Washington, quoique limités « portaient en eux la promesse de ce grand projet de communauté et la conviction que l'OTAN doit devenir davantage qu'une alliance militaire... (art. 14). Une coopération dans le domaine de la défense ne suffisait pas, car la sécurité est, à notre époque, bien plus qu'un problème militaire ». Elle nécessite « consultations politiques et coopération économique, mise en valeur des ressources, et progrès de l'éducation des peuples » (art. 15), qui entreront désormais dans les attributions de l'OTAN.

Et l'on revient à nouveau, plus loin, sur cette notion : « Les craintes d'une agression militaire contre l'Europe occidentale ont diminué... (art. 21). Ceci nous ramène à l'objectif à long terme de l'OTAN, à savoir le développement d'une communauté reposant sur des fondations plus profondes qu'une défense commune » (art. 28). La raison, ou le prétexte (art. 36), c'est « le fait qu'aucun État ne peut plus progresser, ni même survivre à l'âge nucléaire... ni assurer la sécurité et le bien-être de sa population par une action strictement nationale ».

En fait les initiateurs de cette évolution étaient conscients des difficultés qu'elle risquait de susciter dans les pays concernés. Les rédacteurs ont donc admis que l'obstacle ne pourrait pas être abordé de front : « La coopération des pays atlantiques dans les domaines politique et économique — et encore moins leur unité — ne pourra se réaliser en un seul jour, par une seule déclaration. Il y faudra un long processus à l'échelon national, par la formation d'habitudes, de traditions et de précédents, qui ne pourra être, au mieux, que lent et progressif » (art. 17).

En clair, on agira avec discrétion, à l'insu des

peuples, en évitant tout débat de ratification. Il suffisait pour cela de prétendre que l'on ne signait pas un nouveau traité : on adoptait de simples recommandations dans le cadre du traité de base. Et c'est bien ce que l'on a fait, même s'il s'agissait en fait d'une nouvelle rédaction et d'une extension qui auraient exigé une nouvelle lecture publique.

II. Le poids de la présence américaine en Europe

Les forces armées

Donc ce véritable nouveau traité de l'Atlantique Nord qu'est la résolution née du rapport des trois, après approbation, est en vigueur depuis décembre 1956. Au plan militaire, il n'a pas donné lieu à grand changement. Tout au plus, la redistribution des charges de défense, intervenue en 1970, a marqué pour Kissinger « le passage pratique de l'Alliance à la Communauté ». Quant aux forces américaines en Europe, elles ont plutôt décru, d'autant qu'une bonne partie est désormais hypothéquée par la force d'intervention rapide américaine dans le monde, et pourraient s'éloigner en cas d'hostilités.

Les forces américaines sur le continent européen ne se montent, hormis Berlin, qu'à 250 000 hommes d'armée de terre et d'aviation auxquelles s'ajoutent en Angleterre, un peu hors du circuit, 22 000 aviateurs servant 315 avions d'attaque. Leur nombre est donc dérisoire vis-à-vis des 3 145 000 hommes des armées alliées européennes, de même que leurs quatre divisions et deux brigades par rapport aux quatre-vingts autres divisions locales du temps de paix. Notons enfin qu'elles sont subordonnées à un commandement purement national, disposant de centres de transmissions et de codes proprement nationaux.

La réalité militaire américaine en Europe, c'est donc surtout la mainmise sur l'ensemble des armées européennes, coupées de leurs gouvernements, par une chaine de commandement qui reçoit ses ordres directs du Pentagone, par SACEUR. Ce sont aussi des forces nucléaires tactiques réparties sur des centaines de sites et susceptibles d'embraser le continent dans sa totalité, toujours sur ordres exclusifs de Washington (cf. chapitre 12).

Ce n'est pas au plan militaire que la présence américaine pose aujourd'hui le problème principal. Sans qu'un débat soit jamais venu éclairer l'opinion, le domaine et la portée du renoncement politique et économique ont crû de mois en mois, depuis 1956, en dépit de sursauts sporadiques rapidement étouffés. Quand le président français déclare en décembre 1982, à la suite de l'affaire de l'embargo américain sur les équipements du gazoduc sibérien, que la France « ne se laissera pas imposer une OTAN économique », c'est bien de cela qu'il s'agit. Mais la France, comme les autres, a justement signé pour cette OTAN-là depuis plus de vingt-six ans, et il sera bien difficile de revenir sur certaines pratiques à moins d'une rupture douloureuse.

Multinationales et répartition
mondiale du travail

Car nous en sommes, en fait, aujourd'hui, à un stade déjà bien avancé. Dans le cadre international actuel, les nations européennes conservent une indépendance apparente qui, conjuguée à la dépersonnalisation de leurs citoyens, endort et minimise les résistances. Pendant ce temps elles poursuivent une mutation économique profonde qui engage, en fait, de façon de plus en plus difficilement réversible, leur indépendance économique et, par là, leur liberté de décision politique. L'instrument principal de cette mutation a été les multinationales qui, presque inconnues au début des années soixante, sont devenues dans les années soixante-dix un élément quotidien et essentiel de l'environnement économique international.

Les multinationales soulèvent des inquiétudes légitimes du fait que leurs objectifs sont souvent incompatibles avec ceux des pays qui les hébergent ; et que les petites et moyennes entreprises, qui sont le tissu conjonctif des économies nationales, sont mises en danger par leur concurrence impitoyable. En fait, elles reposent sur le principe impérialiste d'exploitation des plus faibles par de plus riches qu'eux, qu'il s'agisse de pays ou d'entreprises. Elles acculent des pays, même puissants, à se laisser dominer en perdant des volets de leur indépendance. Tandis que s'ils tentent de pratiquer une politique de contrôle des investissements étrangers, en légitime défense, ils se heurtent au concert bien orchestré des protestations intéressées, au nom de libertés qui ont bon dos.

En 1973, près des deux tiers des sociétés multinationales étaient américaines. Cela tenait évidemment pour partie à la puissance de l'économie américaine et à leur avance technologique ; mais aussi, ou surtout, aux accords de Bretton-Woods qui ont fait du dollar — seul lié à l'étalon-or — la monnaie de réserve mondiale ; aux retombées du plan Marshall ; et à la diplomatie des États-Unis, qui a toujours favorisé — par tous les moyens — l'agressivité de leurs ressortissants sur les marchés extérieurs. C'est cet ensemble qui a permis aux Américains, pendant 24 ans, de racheter à bon compte les industries du vieux continent.

Ensuite la décision de Nixon, en 1971, de délier le dollar de l'or, n'a fait que renforcer sa puissance. Et le mouvement a continué, simplement plus sélectif. Des pans entiers des industries de pointe — mais des autres aussi — ont donc été rachetés, parfois avec la complicité de pouvoirs locaux qui trahissaient leur mandat. Ainsi, en France, l'informatique, que de Gaulle avait rêvée nationale et que Michel d'Ornano, ministre de l'Industrie du président Giscard et du Premier ministre Chirac, a livrée le 3 mai 1975 au géant américain Honeywell sans hésiter à casser la solution européenne

Unidata. De même dans l'électronique, la mécanique, l'agro-alimentaire, etc.

C'est une des raisons qui nécessitaient les nationalisations intervenues en France en 1982 dans douze groupes de tête, dont certains étaient déjà l'objet de participations étrangères et d'autres connaissaient des difficultés qui laissaient prévoir de nouveaux rachats. L'opération a mis à l'abri une bonne partie du potentiel industriel français, pour le plus grand bien des investissements et de l'emploi. Mais cette œuvre de salubrité et de défense nationale française a produit une levée de boucliers chez les partisans intéressés de l'inféodation à l'étranger.

Ceux-ci objectent au demeurant que les achats ne se font plus seulement dans le sens États-Unis-Europe. On constatait par exemple en 1976 une accélération du mouvement des capitaux français vers les États-Unis, au détriment du reste de nos investissements. Il n'en demeure pas moins que la stratégie globale des multinationales s'élabore aux États-Unis, quelle que soit leur nationalité. Et puis, la « nationalité » d'une multinationale est-elle jamais autre chose qu'un leurre ? C'est James Schlesinger, secrétaire à la Défense de Nixon et de Ford, qui rappelait en 1975 que les multinationales constituent la meilleure technique de contrôle et d'intégration des autres nations parce que « le fait que l'on puisse brandir plusieurs drapeaux permet, en particulier, d'éviter les questions politiques délicates ».

La répartition mondiale du travail, qui traduit sur le terrain la stratégie des multinationales, a inscrit dans ses buts, outre la recherche du profit maximum, le laminage des masses laborieuses occidentales qui ont le plus lutté contre l'exploitation du bétail humain. Le monde de la production, ouvriers, paysans ou mineurs, s'est montré en particulier trop anarchique, accumulant sans retenue depuis des siècles, face aux exploiteurs, révolutions, jacqueries, émeutes et grèves. Les usines et l'extraction des matières premières se déplacent donc vers des nations dont le sous-développement assure aux brasseurs d'affaires une main-d'œuvre abondante, bon marché — sans la coûteuse protection sociale des peuples occidentaux — et habituée à la misère passive.

Outre un chômage croissant, le glissement se fait au profit des employés des services, ou secteur tertiaire, plus embourgeoisés ou moins combatifs. Il est aujourd'hui très avancé. Tandis qu'aux États-Unis mêmes, la proportion des services dans la population active atteint 70 %, record mondial absolu, en Europe les chiffres vont de 60 % au Benelux à 48 % en Italie, en passant par les 53 % de l'Angleterre et les 50 % de la RFA. Seuls l'Espagne, la Grèce et le Portugal ont un peu de retard, mais rattrapent rapidement. Quant à la France, le monde ouvrier, paysan et mineur qui représentait encore 65 % de la population active en 1960, n'en groupe plus que 47 % ; et le mouvement va en s'accélérant.

Les États-Unis contre l'Europe unie

Cela dit, l'Europe, même vigoureusement prise en main par les multinationales et affaiblie par la répartition mondiale du travail, présente encore pour les États-Unis des dangers potentiels. Sur une planète conditionnée par l'affrontement des deux Grands pour l'hégémonie mondiale, il faut bien voir que l'Europe, dans son ensemble, compte 477 millions d'hommes et de femmes — soit autant qu'Américains et Soviétiques réunis — cimentés par une histoire et une philosophie communes depuis la Grèce et Rome. Ils ont inventé la civilisation, la démocratie, l'humanisme, les communications, le commerce et l'industrie. La grande Europe de 24 pays, un peu avant 1980, représente un produit national brut supérieur de plus de 20 % à celui des États-Unis, et triple de celui de l'Union soviétique.

Même la petite Europe des douze pays de l'Alliance atlantique, disposait alors d'un PNB un peu supérieur à celui des États-Unis et plus que double de celui de l'URSS. A ce niveau plus limité, c'est encore la première puissance économique et commerciale de la planète, à défaut d'une puissance politique qui ne pourrait naître que d'un effort d'union.

On conçoit bien, dès lors, que les États-Unis nourrissent des inquiétudes. En fait, si l'Alliance en était restée à son seul but avoué de défense contre la menace armée soviétique, rien n'aurait dû les empêcher de pousser à l'union, politique et économique, de l'Europe occidentale. L'efficacité de la défense n'en aurait été que renforcée. Mais il est plus que probable que les États-Unis se seraient heurtés rapidement à cet ensemble aussi puissant qu'eux en potentialités économiques, plus développé sur le plan démographique, plus divers et affirmé sur le plan culturel, plus expérimenté en stratégie mondiale et disposant d'assises, ou de connivences, supérieures dans le monde ; ensemble dont ils ne pourraient plus contrôler le développement ni l'action, et qui aurait tout au moins entendu assumer sa juste part des décisions.

Les États-Unis se sont donc attachés au contraire, sans vergogne, à user de leur primauté dans l'Alliance pour entretenir la division de leurs partenaires, sans s'en cacher. Le président Gerald Ford, en mai 1975, précise clairement la tactique américaine : « Je considère bien l'Europe comme une entité : mais nous avons déjà des relations directes avec les principales nations d'Europe à travers l'OTAN », et cela semble suffisant. Et James Schlesinger, déjà cité, rappelle en complément, que l'OTAN, en tant qu'appareil déjà en place et sur lequel les États-Unis ont totalement barre, constitue le support privilégié de leur action : « L'organisme présente en effet l'avantage politique inappréciable de permettre aux États-Unis, en cas de besoin, de fractionner le dialogue avec les Européens concernés et de jouer de leurs divisions, sans jamais se heurter au front commun de la Communauté économique européenne. »

La CEE, en effet, c'est le « Marché commun » instauré le 23 mars 1957 comme un premier pas vers une Europe unie, et qui devait se comporter à ce titre en véritable nation, avec une préférence communautaire pour les achats, et une protection parallèle contre les produits extérieurs menaçants y compris ceux de l'Amérique. Les États-Unis — avec l'aide constante de l'Angleterre — se sont donc très logiquement employés d'entrée à démanteler cette forteresse, au nom de libertés économiques d'échange et de commerce qu'ils violent eux-mêmes volontiers, mais qu'ils prônent pour les autres.

Dès le début des années soixante, les âpres négociations du « Kennedy round » ont entamé le grand cycle du GATT (General Agreement on Tariffs and Trade), ensemble des accords commerciaux qui ont cassé certains principes du Traité de Rome et ouvert progressivement l'Europe aux produits américains, industriels et agricoles. Mais Washington tolère difficilement la concurrence et encore moins la parité. Le 23 avril 1973, Henri Kissinger, en prévision d'un prochain « Nixon round » dénonçait de façon fracassante « les succès économiques de l'Europe et sa transformation, de bénéficiaire de l'aide américaine, en concurrent fort ». Tandis que le Conseil économique et social français constatait à la même époque, dans un rapport du 9 mai 1973, que « les États-Unis tendent à briser partout sous toutes les formes, une concurrence jugée préjudiciable aux intérêts américains ».

Dans ces conditions c'est tout naturellement que dans un second temps, progressivement, l'Europe est passée de l'état de concurrent à celui d'adversaire. John C. Culver, président de la sous-commission aux affaires économiques de la Chambre des représentants américains déclarait crûment en 1974 — relayé dans les mêmes termes par James Schlesinger en janvier 1975 devant le Congrès — que « la CEE constitue une menace potentielle fondamentale pour les États-Unis et les intérêts du libre commerce ». Dès cette époque, les attaques américaines n'hésitaient plus à user du chantage, en jouant des charges militaires assumées en Europe contre des avantages commerciaux et monétaires.

En fait, pour les États-Unis, sûrs de leur supériorité

militaire sur l'Union soviétique, c'est l'Europe — même non unie — qui était devenue le danger principal. Forts de leur position dominante dans l'Alliance et des atouts acquis depuis longtemps, ils avaient du reste déjà engagé contre elle dans de multiples directions, mais surtout par le biais du pétrole et du dollar, une véritable guerre économique et monétaire, toujours d'actualité, suivant le principe que tout ce qui gêne ou ralentit les économies européennes sert désormais la puissance américaine.

La guerre économique, par le pétrole et la monnaie

Pour le pétrole, l'habitude est bien ancrée depuis des années de reprocher aux Arabes les hausses qui ont mis en danger à plusieurs reprises l'économie des pays occidentaux. Or la vérité oblige à dire que ce sont les États-Unis qui sont à la base du changement de situation intervenu au début des années soixante-dix. Et qu'ils en ont tiré des avantages considérables.

Dans les deux décennies précédentes, tout d'abord, les prix de revient très bas de l'extraction, au Moyen-Orient, par les grands pétroliers américains, ont permis de refouler progressivement les énergies concurrentes. Ainsi la part du charbon, produit local, dans la consommation européenne d'énergie est tombée de 77 % à 22 % entre 1950 et 1972. Le pétrole suivait évidemment la courbe inverse.

Une fois l'Europe aux mains des pétroliers, au contraire, la tendance a viré à la hausse : tentative infructueuse de Nixon pour introduire la notion de prix-plancher du baril ; premier relèvement des prix par des accords de 1971 ; cession des compagnies productives aux pays producteurs, en 1972, à New York ; enfin au dernier trimestre de 1973, quadruplement des prix qui marqua le premier choc pétrolier. Quant à la suite, l'Arabie Saoudite comme le Koweït et les Émirats n'ont jamais cessé d'être des bastions américains. Ils sont restés dans l'orbite des Étas-Unis par le truchement des grandes compagnies pétrolières, mais aussi de conseillers divers, soigneusement implantés auprès de leurs gouvernements.

Si l'Europe a souffert dans les années suivantes, pour les Anglo-Saxons au contraire les résultats ont été globalement bénéfiques. Les Anglais ont pu rentabiliser les gisements de la mer du Nord, qui ont couvert la totalité de leurs besoins pour des années. Quant aux États-Unis, Nixon a pu lancer en novembre 1973, en conjonction avec la hausse, le pipe-line de l'Alaska, des recherches pour l'exploitation des schistes bitumineux, et un programme de centrales nucléaires qui n'auraient sans doute pas vu le jour sans cela, ou en tout cas plus difficilement.

Enfin, si les États-Unis, premiers producteurs mondiaux de pétrole jusqu'en 1974, sont alors passés au second rang derrière l'URSS et devenus importateurs, c'est délibérément : pour épargner leurs réserves d'énergie qui se valorisent de jour en jour, en tirant au contraire sur celles des autres. Cela leur est d'autant plus facile qu'ils payent en dollars qu'ils peuvent imprimer à volonté depuis 1971, et qui reviennent ensuite fructifier dans leurs propres banques. Et avec lesquels, plus encore qu'auparavant, ils peuvent s'offrir de nouvelles usines et bureaux un peu partout, et singulièrement en Europe. On comprend qu'ils ne tiennent pas à changer le système monétaire international en vigueur aujourd'hui.

Car il faut aussi noter le véritable coup de génie qu'a été, pour cette guerre économique imposée à leurs alliés, la décision de Nixon de détruire le système de parités fixes des monnaies instauré à Bretton-Woods en 1945, en supprimant le 15 août 1971 les liens du dollar avec l'or. Alors que tout le monde a espéré, sur le moment, que le dollar, désormais flottant, perdrait ainsi sa couronne de reine des monnaies — ce qui semblait confirmé par les deux dévaluations successives de décembre 1971 et février 1973 — c'est le contraire qui s'est produit. En fait, loin de s'affaiblir, la position de la monnaie américaine dans les échanges internationaux n'a fait que se renforcer, au point de pouvoir prendre la relève du pétrole dans le travail de sape des économies européennes.

Dans un premier temps, les États-Unis ont rétabli leur balance commerciale en 1973 en reportant, par la même occasion, les exportations japonaises sur l'Europe. Dans un second temps, le marché pétrolier s'est remis en ordre à partir de 1980, après les deux chocs pétroliers de 1973 et 1978, par suite de la diminution de la demande consécutive à la politique de diversification énergétique des pays consommateurs. C'est alors que le dollar, coté en moyenne à 5,33 F dans les années soixante-dix, et tombé à 4 F au début de 1980, a entamé la hausse continue où il a franchi pour la première fois la barre des 6 F le 4 août 1981 et celle des 7 F au début de septembre 1982. Tandis que le mouvement continue en 1983, sans butée prévisible, à raison d'un franc par an, au grand dam des économies européennes, et particulièrement du franc français.

Le président Mitterrand s'en est plaint à plusieurs occasions : au sommet des Sept, à Ottawa, du 19 au 21 juillet 1981, rappel à Ronald Reagan que l'on ne peut demander à ses alliés une loyale coopération militaire tout en menant contre eux une guerre économique sans merci ; le 22 juin 1982, sévère mise en garde à la suite de la décision américaine d'embargo sur les équipements destinés au gazoduc sibérien ; le 8 octobre 1982, réquisitoire contre la politique monétaire des États-Unis à l'ouverture du sommet franco-africain de Kinshasa ; le 9 mai 1983 enfin, à l'occasion de la session annuelle de l'OCDE et à trois semaines du sommet économique de Williamsburg, demande pressante d'une conférence monétaire internationale pour jeter les bases d'un nouveau Bretton-Woods.

Ce qui permet d'apprécier l'attitude des États-Unis envers leurs alliés, c'est qu'après chaque objurgation le dollar a fait une nouvelle avancée et battu son record historique, comme par défi. Après celle de mai 1983, le secrétaire américain au Trésor, Donald Regan, a répondu brutalement que « le temps n'est pas encore venu de discuter des problèmes posés par les fluctuations monétaires ». Faut-il donc comprendre qu'il faut d'abord que certains résultats soient acquis ? Et que le dollar continuera à monter jusqu'à la liquidation — en prélude au reste de l'Europe — de l'actuel schisme socialiste de la France, et son retour soumis à l'idéologie capitaliste officielle de l'Alliance ?

III. Défense et idéologie

J'ai dit l' « idéologie officielle de l'Alliance ». Car au-delà de l'ancien aspect militaire, et des nouvelles options économique et culturelle que nous avons analysées, la résolution de la fin 1956 — toujours elle — a introduit dans l'Alliance, à titre de ciment définitif, une notion d'ordre idéologique établi, qui est censée conditionner désormais la sécurité de l'Europe. « L'OTAN », dit-elle, « se trouve en présence d'une menace politique aussi bien que militaire, qui résulte des doctrines révolutionnaires du communisme » (art. 30). L'Alliance reçoit donc un contenu anti-marxiste, très vite interprété comme pro-capitaliste, qui affectera désormais la liberté de choix politique de ses membres. Et c'est sa partie militaire, l'OTAN, qui est chargée d'y veiller, ce qui annonce une croisade.

« L'influence et les intérêts des membres de l'OTAN », continue le texte, « ne se limitent pas à la zone initiale d'application du Traité, car des événements extérieurs à cette zone peuvent gravement affecter ces intérêts collectifs (art. 32).(...) Ainsi l'OTAN doit démontrer qu'elle n'est pas seulement une organisation défensive, mais que sa préoccupation est avant tout de prendre l'initiative politique et morale » (art. 33). L'Alliance ne connaît donc plus de limitation de sa zone d'application dans le monde, tandis qu'elle peut et doit y agir préventivement à l'occasion. Et ceci explique bien des propos entendus parfois sur « la politique africaine de l'OTAN » ou, le 10 avril 1980, l'appel pressant de J. Carter à la solidarité de ses alliés contre l'Iran, qui n'auraient pas de signification autrement. Ceci explique aussi que le 30 mai 1983, au sommet économique de Williamsburg, le Japon ait été partie prenante d'un communiqué de défense commune auquel la France a été dans l'incapacité de s'opposer.

« Un sens de la Communauté atlantique », enfin, « doit exister dans (...) les nations de l'alliance. Il doit comporter une claire conscience (...) du prix des libertés matérielles et de la liberté de pensée qui sont les leurs » (art. 73). Seulement, le simple fait de dénoncer une idéologie comme ennemie nationale porte atteinte à la liberté de pensée. Prendre des mesures de coercition contre les tenants de cette idéologie, dès lors qu'ils agissent dans la légalité, porte atteinte aux libertés matérielles. Charger un organisme militaire de coordonner et mener cette lutte porte atteinte à la démocratie. Et tout cela a posé des problèmes chez certains États membres.

Des atteintes graves à la démocratie

Passons sur les bavures du mac-carthysme aux États-Unis même, sur les « interdits professionnels » allemands, ou sur la collusion entre les États-Unis et l'Espagne de Franco, puisqu'elle n'était pas dans l'OTAN. Mais le « régime des Colonels » qui a écrasé la Grèce d'avril 1967 à juillet 1974, a toujours bénéficié du soutien actif de l'OTAN et des États-Unis, ce qui paraît pour le moins paradoxal dans le « camp de la liberté ». Il est vrai qu'il y avait déjà le précédent du Portugal où la dictature salazariste, appuyée sur sa police politique et bien antérieure à l'OTAN, a bénéficié de toutes les prévenances alliées jusqu'à la « révolution des Capitaines » qui l'a renversée le 25 avril 1974, après 48 ans sans élections, même municipales. Pour la Turquie enfin, le coup d'État militaire du 12 septembre 1980, sous prétexte de lutter contre le terrorisme, est venu à point nommé normaliser une situation où les gouvernements alternés d'Ecevit et Demirel, depuis près de cinq ans, oscillaient de difficultés avec l'OTAN en timides contacts avec Moscou. Ce putsch militaire, le troisième depuis l'entrée de la Turquie dans l'OTAN, a eu, comme celui des Grecs treize ans plus tôt, l'agrément ou l'appui des Américains : puisque, effectué en pleines manœuvres de l'OTAN, c'est l'ambassadeur des États-Unis à Ankara qui l'a annoncé à la presse le premier.

Doit-on s'en étonner ? Le secrétaire à la Défense de Nixon, James Schlesinger, déjà nommé, a exposé au Congrès le 5 février 1975, dans son rapport annuel sur la défense, que l'intervention de forces armées *bien préparées idéologiquement* à cette tâche assurera « la stabilité politique intérieure des nations de l'Alliance... confrontées à de graves conflits intérieurs ». C'est bien ce qu'elles ont fait, en Grèce et en Turquie.

Donc, dans l'Alliance atlantique, les dictatures militaires les plus dures ont toujours été au moins bien accueillies, si ce n'est suscitées, sous la seule condition d'afficher leur allégeance au Protecteur, et un anti-communisme primaire qui témoigne de l'orthodoxie de leurs convictions capitalistes. L'idéologie économique passe avant le respect des Droits de l'Homme en dépit des beaux principes affichés. On peut au contraire préjuger que les gouvernements de gauche, même démocratiquement élus, seront combattus sans merci : puisque nous sommes embarqués, en fait, dans une croisade anticommuniste à travers le monde, et que le socialisme, même sous ses formes les plus bénignes, n'est toujours comme chacun sait qu'un fourrier du communisme et doit être abattu.

Il n'est cependant que rarement nécessaire de recourir à la solution extrême de la force armée, en lançant les militaires bien préparés idéologiquement, comme dit Schlesinger, contre les autorités légales de leur pays. En fait l'interdépendance économique et le système monétaire, s'appuyant sur de multiples complicités internes, fournissent bien assez de moyens de mettre les gouvernements de gauche en faillite économique, sans en avoir l'air. Avec d'autant plus de naturel que ces gouvernements arrivent aux affaires avec tous les indicateurs économiques au rouge, chômage, inflation ou balance commerciale, du fait de la crise du système économique et monétaire mondial capitaliste ; tandis que les slogans serinés à longueur d'année persuadent les foules d'une « incompétence notoire de la gauche » que toutes les puissances d'argent, nationales ou étrangères, s'acharnent à prouver en sabotant allégrement.

C'est la méthode employée pour éliminer hier, au Portugal, le premier gouvernement de Mario Soares, et demain le second. C'est la méthode opposée en Grèce, aujourd'hui, au gouvernement Papandreou. De même qu'en France, après deux ans de gauche les faillis du pouvoir de droite précédent dénoncent sans vergogne des chiffres de chômage ou d'inflation qui étaient bien pires de leur temps, ou un déficit commercial qu'ils ont eux-mêmes préparé en dix ans de carence des investissements.

L'offensive peut varier souplement, en fontion des cas particuliers. Ainsi de l'Italie, où la démocratie-chrétienne d'Aldo Moro envisageait le « compromis historique », c'est-à-dire l'entrée de ministres communistes au gouvernement ; et où il fallait donc liquider les auteurs de cette trahison idéologique sans ruiner cependant l'avenir politique global d'un parti qui avait fait ses preuves de soumission. Le 16 juillet 1976, donc, Helmut Schmidt révélait qu'au sommet atlantique restreint de Porto-Rico, les 27 et 28 juin précédents, on avait envisagé de couper toute aide économique à l'Italie si elle persistait.

Mais c'eut été une ingérence trop apparente, et l'affaire était déjà engagée autrement, par la dénonciation au début de 1976 devant le Congrès américain des activités de la CIA en Italie (Rapport Pike) et des pots de vin de la Lockheed (rapport Church). Cela fit tomber plusieurs têtes de ministres de la démocratie-chrétienne, et même celle du président Leone. Mais ce ne fut cependant qu'avec la mort d'Aldo Moro, bizarrement enlevé le 16 mars 1978, le jour d'entrée du PCI dans la majorité de soutien du premier ministre

Andreotti, que le schisme idéologique italien fut définitivement vaincu.

Il y a là de quoi faire réfléchir les socialistes français arrivés par surprise au gouvernement, et qui ont osé braver l'interdit en l'ouvrant à quatre communistes. On a changé depuis tout le système de sécurité de l'Élysée, et même les personnes qui l'avaient en charge. Mais la guerre économique acharnée dénoncée par le président français, la hausse continue du dollar qui a justement commencé au printemps 1981, et les compromissions extérieures suffiront peut-être à régler la question.

L'Europe sous pression

En fait, la seule chance de pouvoir réagir, et de rendre à l'Europe la liberté de choix politique et idéologique qui définit l'indépendance, et constitue la raison d'être de la défense, serait de sortir du système politico-économico-hégémonique mis en place par les Américains, et donc de l'Alliance atlantique. Quitter la seule organisation militaire comme l'a fait la France, n'a plus aucun sens si le geste ne s'accompagne pas d'une politique de défense globale tous azimuts.

Des commentateurs, ou des politiques, s'interrogent périodiquement sur un éventuel retour de la France dans l'OTAN. Mais que signifierait le fait de remettre des généraux français sous les ordres directs de collègues américains, alors que nous en sommes à une organisation impériale, où la stratégie élaborée à Washington, redescend finalement jusqu'aux niveaux d'exécution par le truchement des chefs d'État ou des ministres eux-mêmes, régulièrement convoqués dans des sommets, naguère atlantiques mais aujourd'hui « industrialisés » — en fait capitalistes — où ils reçoivent, en dépit de mouvements d'humeur passagers, la notification des diktats d'un pouvoir central de fait, sinon de droit.

Les États-Unis peuvent ainsi veiller, à l'intérieur même des gouvernements de leurs « alliés » de plus en plus satellisés, à ce qu'aucun d'entre eux ne s'écarte de l'idéologie, seule orthodoxe, de « liberté d'entreprise et d'échanges » sur laquelle repose la puissance américaine ; et que personne ne tente de remettre en cause, autrement que verbalement, le partage de Yalta matérialisé par les deux pactes militaires. La dissolution de ces pactes, qui doit forcément passer par la sortie de l'OTAN en prélude à la sortie de l'Alliance elle-même, est au programme de nombreux partis socialistes européens, en Grèce, en Espagne ou en France. Il n'est que de les voir suivre un chemin inverse, dès leur arrivée au gouvernement, pour mesurer les pressions auxquelles ils doivent être soumis pour qu'ils ne puissent pas même faire le premier pas hors de l'OTAN. Premier pas que seul de Gaulle a pu réaliser, mais qui lui a coûté le pouvoir, et n'a pas eu de suite.

C'est que l'OTAN est la clef de voûte du système, sans laquelle tout s'écroulerait, grâce aux obligations qu'elle a créées, aux contrôles qu'elle permet, et aux complicités qu'elle entretient en routine : complicités dans le monde politique ou chez des militaires toujours prêts à agir en groupe de pression si ce n'est, à l'extrême, à prendre eux-mêmes la relève du pouvoir ; complicités acquises par les moyens millénaires de la subversion la plus classique.

Il y a l'ambition, d'abord, que des services secrets, ou des puissances financières occultes peuvent toujours aider à s'accomplir. Il y a l'argent ensuite qui, dans notre société, peut lier les plus réalistes de diverses façons : simples occasions spéculatives offertes par le système aux mieux placés ou renseignés ; émoluments discrets de « conseiller technique » à l'étranger, comme dans le cas du général Stehlin, découvert en France en 1978 ; ou carrément « pots de vin » du type Lockheed, à des politiciens italiens déjà cités, ou à un prince-consort des Pays-Bas.

Il y a la peur enfin, qui permet les manipulations : « Une association d'États souverains » en effet, ou encore souverains, « a-t-elle la moindre chance de subsister sans le ciment de la crainte ? » (art. 22). D'où

131

l'ignorance soigneusement entretenue, ou la tromperie minutieusement élaborée sur les niveaux et capacités réels des forces en présence ; d'où des campagnes de presse opportunes, chaque fois qu'apparaissent des problèmes, pour resserrer l'Alliance et ses liens de sujétion, sous le prétexte du danger résultant de la puissance militaire soviétique. Puissance très inférieure en fait, globalement, à celle de l'Occident, mais délibérément surestimée ou fractionnée pour les besoins de la cause (cf. chapitres 1 et 2).

C'est encore ce qu'a fait ouvertement Reagan, avec l'habituelle complicité anglaise, fin mai 1983 au sommet de Williamsburg, quand un communiqué hors de propos sur les problèmes de sécurité, imposé par surprise, a permis de masquer et d'éluder les graves désaccords résultant de la politique économique et monétaire des États-Unis et de confirmer, à la face du monde, l'emprise de Reagan sur ses vassaux. La méthode sert le jeu américain mais elle est dangereuse, dans la mesure où elle sert aussi, doublement, les intérêts des Soviétiques.

D'abord en présentant l'URSS comme ayant surpassé le monde occidental en force et en technologie, en dépit de son handicap économique, on favorise indûment son prestige et sa pénétration dans le tiers monde, éminemment vulnérable à la fascination de la puissance. Il est symptomatique à ce sujet que l'URSS, dans son plaidoyer international pour l'arrêt de la course aux armements, n'invoque jamais son retard réel, mais préfère s'en tenir à une notion d' « équilibre » qui la flatte.

Ensuite, à répéter aux peuples d'Europe et à leurs armées qu'ils sont incapables de faire face aux forces antagonistes, on détruit l'esprit de défense des uns comme la combativité des autres. Et on aide les Soviétiques à risquer des coups hasardeux, en leur donnant l'impression que le monde occidental, apeuré, n'osera pas réagir. C'est cela, en fait, le « processus de Munich », beaucoup plus que les mouvements qualifiés en bloc et à tort, de pacifistes et qui, singulièrement chez les Allemands, marquent surtout le refus, désormais, de s'en remettre aveuglément à d'autres pour leur défense, sans droit de décision ni même de regard sur des moyens et des stratégies qui conditionnent leur survie (cf. chapitre 12).

La tentation de la « guerre limitée » en Europe ?

Si les Américains prennent ces risques, c'est qu'ils se savent largement les plus forts, sans même l'appoint européen, face à un monde soviétique trop pauvre, et trop en retard technologiquement pour faire réellement le poids. C'est aussi, sans aucun doute, que l'Europe n'est plus pour eux qu'un théâtre d'opérations secondaires dont le ravage, ou la destruction, ne les atteindrait pas gravement et pourrait même, dans la crise économique actuelle, servir leurs intérêts.

Dans ces conditions, si l'Europe s'en tient à l'idéologie capitaliste orthodoxe, au sein de l'Alliance, et reste donc politiquement soumise et économiquement contrôlable, on peut présumer que les États-Unis continueront, comme ils le font depuis plus de trente ans, à dissuader toute agression contre cet élément majeur, si ce n'est essentiel, de leur Empire. Ils en ont largement les moyens. Mais l'Europe peut aussi se tourner vers une autre idéologie — pas le communisme, totalement dépassé pour des pays aussi développés que les nôtres, mais une troisième voie — qui ferait d'elle un concurrent non aligné sur les dogmes de la puissance américaine, aussi puissant qu'incontrôlable. Son ravage par une guerre consentie ou suscitée à cet effet — le fameux conflit nucléaire limité évoqué par Reagan le 16 octobre 1981 — pourrait alors la ramener à une plus juste perception des dures réalités, ou la mettre tout bonnement hors de course.

En un temps où les Européens du Nord « se tiennent bien », mais où ceux du Sud et les Français ont manifestement des tentations socialistes, on peut se demander si l'affaire, contestable et contestée, des euromissiles, ne tend pas à mettre en place les moyens de ce conflit sans trop de craintes d'escalade jusqu'au sanctuaire américain. Ce serait en somme la version moderne du bûcher réservé de tous temps par les inquisiteurs aux hérétiques.

Antoine Sanguinetti

6. La force de frappe française assure-t-elle efficacement la défense de la France?

Christian Mellon

Bien que les Français soient relativement peu informés sur les questions militaires et stratégiques, peu d'entre eux ignorent que la politique de défense de leur pays a pour pilier la « force de dissuasion nucléaire », encore communément appelée « force de frappe » malgré l'abandon de cette formulation dans les textes officiels. On leur a expliqué depuis vingt ans que cet arsenal nucléaire représente, pour une puissance comme la France, le seul moyen de garantir à la fois sa *sécurité* contre les agressions potentielles et son *indépendance* politique. De ce discours officiel, l'opinion française a surtout retenu les notions rassurantes de « dissuasion », de « non-guerre », d' « indépendance », voire même de « grandeur ». Des réalités — matérielles, politiques, stratégiques — recouvertes par ce discours, de leurs évolutions, des doutes qui s'expriment à leur égard, l'opinion ne sait rien. Avant de s'interroger sur l'efficacité et sur l'indépendance de la politique de défense nucléaire de la France, il est donc nécessaire de fournir quelques explications sommaires sur le contenu même de cette politique et sur les débats en cours.

I. La composition de la force de dissuasion

Et tout d'abord, de quoi est faite cette « force de dissuasion » ? Essentiellement des forces nucléaires *stratégiques,* c'est-à-dire des systèmes d'armes capables d'atteindre le territoire de l' « ennemi potentiel », l'Union soviétique. Ces systèmes se classent traditionnellement en trois catégories : bombardiers, missiles sol-sol, missiles embarqués à bord de sous-marins.

Les bombardiers Mirage IV A, dont les premiers furent opérationnels en 1964, sont en 1983 au nombre de 37. Grâce au ravitaillement en vol, leur rayon d'action peut atteindre 4 000 km. Ils sont porteurs de la bombe AN 22, d'une puissance de 60 kilotonnes. Leurs bases sont à Mont-de-Marsan, Cazaux, Orange, Avord, Saint-Dizier et Luxeuil.

Les missiles sol-sol sont enfouis, depuis 1971, dans les 18 « silos » du plateau d'Albion, en Haute-Provence. Récemment modernisés, ces missiles S3 peuvent délivrer à 3 500 km des charges d'une mégatonne.

De l'avis unanime, ce sont les sous-marins nucléaires lanceurs d'engins (SNLE) qui constituent la partie essentielle de la force de dissuasion stratégique. Le premier est entré en service en 1971 ; le sixième (et dernier de cette première génération) sera opérationnel en 1985. Ils portent chacun 16 missiles qui sont, en 1983, des M 20 : portée, 3 000 km ; charge unique : 1 mégatonne. Le sixième sous-marin sera équipé d'un tout nouveau missile, le M 4, lequel remplacera aussi, progressivement, le M 20 sur ses prédécesseurs. Le M 4 est beaucoup plus performant, grâce à sa portée de 4 000 km et son ogive « mirvée » comportant 6 têtes nucléaires de 150 kilotonnes chacune (cf. chapitre 1).

Ces systèmes stratégiques sont régulièrement modernisés. Ainsi les missiles du plateau d'Albion ont été remplacés, les vieux S 2 laissant place à des S 3 ; quant à l'actuel programme de modernisation des missiles embarqués (remplacement des M 20 par des M 4) il aura pour résultat une multiplication par *six* du nombre des têtes nucléaires disponibles sur nos sous-marins d'ici 1990 : 576 (ou seulement 496, dans l'hypothèse où « Le Redoutable », le plus vieux des SNLE, ne serait pas inclus dans la modernisation) contre 80 en 1983, pour un mégatonnage sensiblement équivalent.

Il s'agit là d'un programme décidé depuis longtemps, bien avant l'arrivée au pouvoir de la gauche. La loi de programmation militaire, votée en mai 1983, en confirme la poursuite et en annonce d'autres :

— un septième sous-marin, de « nouvelle génération », sera mis en chantier en 1988 et entrera en service vers 1995 ;

— la composante aérienne sera réduite à 18 Mirages IV, qui seront dès 1987 entièrement rénovés et dotés, non plus d'une bombe à chute libre, mais d'un missile air-sol nouveau, l'ASMP (Air-Sol Moyenne Portée) ;

— des recherches sont poursuivies en vue de la mise au point d'un missile mobile, parfois appelé SX, missile terrestre qui échapperait par sa mobilité à la vulnérabilité des missiles en silos.

La même loi de programmation envisage également, mais sans précision, un remplaçant au missile M 4 et un satellite d'observation spatiale.

A côté des forces nucléaires stratégiques sur lesquelles repose la « dissuasion », l'armée française dispose de forces nucléaires *tactiques* dont le « mode d'emploi », nous le verrons, n'est pas sans poser de nombreux problèmes politiques et stratégiques. Il s'agit d'armes nucléaires dont la caractéristique essentielle est la *portée* relativement faible : elles sont incapables d'atteindre le territoire même de l'Union soviétique. En 1983, elles se composent des systèmes suivants :

— un système de missiles sol-sol, le Pluton, équipe l'armée de terre depuis 1974. Le Pluton est un missile mobile, tiré à partir d'un véhicule dérivé du char AMX 30, pouvant expédier jusqu'à 120 km des charges de 10 à 30 kilotonnes. Cinq batteries de six Pluton chacune équipent les cinq régiments d'artillerie nucléaire (RAN) implantés à Mailly, Laon, Suippes, Oberhoffen et Belfort ;

— la « Force aérienne tactique » (FATAC) dispose, depuis 1972, de bombes AN 52 (15 kilotonnes environ) sur ses deux escadrons de Mirages III-E et ses trois escadrons de Jaguar A stationnés les uns à Luxeuil et les autres à Saint-Dizier ;

— les porte-avions « Foch » et « Clémenceau » servent de base à trois flottilles de Super-Étendards depuis 1979. Ces avions de combat sont équipés de la bombe nucléaire AN 52, en attendant éventuellement le missile ASMP évoqué ci-dessus à propos du Mirage IV.

La loi de programmation militaire a confirmé la décision, prise en 1981, de moderniser l'arsenal tactique terrestre en remplaçant, vers 1992, les missiles Pluton par des missiles Hadès, dont la portée sera bien plus grande : 300 km au moins. En revanche, la décision finale concernant l'arme à rayonnement renforcé (ou « bombe à neutrons ») n'était toujours pas prise officiellement à la mi-1983. Les études se poursuivaient, de sorte que, si la décision de développement de cette arme était prise, elle puisse équiper le missile Hadès.

II. A quoi servent les armes nucléaires ?

L'accumulation de *matériels* militaires n'est que le support d'une *politique* de défense. La considération des doctrines stratégiques, c'est-à-dire en somme des « modes d'emploi » de ces matériels, est tout aussi importante pour évaluer la politique française que la liste des armes et l'évaluation de leurs capacités.

La doctrine de dissuasion française a été élaborée au cours des années 1960-1970 et formalisée dans le *Livre blanc* de 1972. Elle se présente comme une « dissuasion du faible au fort », fondée sur le postulat du « pouvoir égalisateur de l'atome ». Selon ce postulat, un pays qui détient des armes nucléaires, même en petit nombre, pourrait dissuader un pays beaucoup plus puissant de l'attaquer : en matière d'armes de destruction massive, l'équilibre quantitatif ne joue plus. Le « faible » ne peut pas *vaincre* le « fort » dans une guerre, mais il peut le *dissuader* de prendre l'initiative d'une guerre. Comment ? En menaçant de lui infliger, notamment contre ses populations civiles, des « dommages inacceptables », c'est-à-dire hors de proportion avec l'enjeu que le contrôle de la France pourrait représenter à ses yeux.

Le problème essentiel de cette stratégie de « non-guerre » est celui de la *crédibilité* de la menace que le « faible » fait peser sur le « fort ». Cette crédibilité repose notamment sur trois types de conditions :

— conditions *politiques* : elle suppose que le chef de l'État français soit totalement libre, tant vis-à-vis de son opinion interne que vis-à-vis d'un quelconque protecteur extérieur, de prendre la décision de brandir la menace de représailles en cas d'agression. On voit combien cette théorie est historiquement liée à l'ère gaulliste : pouvoir fort à l'intérieur ; politique d'indépendance vis-à-vis des alliés, et notamment des États-Unis. Cette indépendance nécessaire poussera le général de Gaulle à retirer la France des instances militaires de l'OTAN en 1966 ;

— conditions stratégiques : elle suppose que les autres aspects de la politique de défense ne contredisent pas le discours de la dissuasion du faible au fort. En particulier, il faut éviter de donner à l'adversaire l'impression que l'on se prépare à une *bataille* pour contrer son éventuelle agression. Il doit être convaincu que, s'il touche aux « intérêts vitaux » ou au « sanctuaire » (cf. chapitre 1) national de la France, il s'expose à sa frappe *stratégique*. L'articulation des forces nucléaires stratégiques et des autres forces (armes nucléaires tactiques, armée classique) pose donc un problème, objet de controverses, et toujours mal résolu, comme on le verra plus loin ;

— conditions technologiques : elle suppose que la France ait en permanence une capacité de seconde frappe invulnérable. Concrètement, cela signifie que, même après une éventuelle attaque surprise de l'ennemi contre notre territoire et contre nos systèmes d'armes, la France doit garder la capacité d'infliger à l'agresseur les « dommages inacceptables » prévus par la doctrine. Il faut donc que les missiles soient invulnérables : d'où l'intérêt des *sous-marins,* pour le moment non repérables une fois qu'ils sont en patrouille. Cela signifie *aussi* que nos missiles gardent la capacité d'anéantir quelques grandes villes du pays agresseur malgré ses éventuelles mesures défensives. Ainsi, le traité SALT I, signé en 1972 (cf. chapitre 10) par les États-Unis et l'URSS et auquel la France n'a été mêlée en rien, a beaucoup contribué à prolonger la crédibilité de la force de dissuasion française ! En effet, si les deux Grands ne s'étaient pas interdit mutuellement, par ce traité, de déployer des systèmes de « missiles anti-missiles », la France aurait pu se trouver vers 1980 dans l'impossibilité de frapper *efficacement* le territoire de l'Union soviétique, puisque ses missiles seraient détruits en vol par les antimissiles russes. N'ayant plus de représailles à craindre, celle-ci pouvait alors ignorer tout simplement l'arsenal stratégique français. Notons d'ailleurs que cette éventualité n'est pas définitivement écartée : elle pouvait se produire si les sous-marins devenaient repérables ou encore si de nouveaux systèmes antimissiles, tels que ceux qu'évoquait au début de 1983 Ronald Reagan à propos des possibilités de « guerre dans l'espace », étaient développés par l'URSS.

Cette manière de concevoir l'utilisation — ou, plus exactement, la non-utilisation — des armes stratégiques fait l'objet d'un consensus assez large parmi les stratèges et dans la classe politique, notamment depuis que les partis de gauche s'y sont ralliés : le parti communiste en 1977 par l'adoption du « rapport Kanapa », le parti socialiste entre 1976 et 1978 par un débat interne aboutissant à la décision de « maintien en l'état » de la force de dissuasion française. En revanche, les débats n'ont pas cessé en ce qui concerne le « mode d'emploi » des armes nucléaires *tactiques*. C'est en effet toute la question de la plus ou moins grande intégration de la défense française dans la défense de l'Europe qui est posée par ce biais.

À quoi peuvent servir les armes tactiques, qui par définition ne peuvent atteindre les villes soviétiques, et ne peuvent donc frapper l'ennemi que s'il a *déjà* fait mouvement vers nous ? Faut-il envisager une « bataille » nucléaire destinée à arrêter l'agresseur ? Cela ne serait possible qu'en rendant à la notion d'*équilibre* des forces en présence toute son importance ; seul l'ensemble des forces de l'OTAN en Europe peut, en effet, « équilibrer » les forces soviétiques. La France seule sûrement pas. Toute perspective d'usage des armes nucléaires tactiques (et, à plus forte raison, de ses armes non nucléaires) sur le « champ de bataille » infléchit la stratégie française dans le sens de l'intégration aux systèmes de l'OTAN en Europe. C'est pourquoi les textes officiels mettent l'accent sur le rôle *politique* de l'arme nucléaire tactique. Restant sous contrôle du chef de l'État, elle n'est pas vraiment destinée à *vaincre* l'agresseur, mais à lui donner une « salve d'avertissement », un « coup de semonce » pour tester d'une part ses intentions véritables, et d'autre part lui signifier le sérieux de la menace de représailles stratégiques s'il poursuivait son agression. Coup de semonce donc, qui est en même temps un coup d'arrêt donnant au chef de l'État quelques heures de délai pour envisager diverses solutions, et échapper ainsi au « tout ou rien » dramatique qu'impose la dissuasion stratégique. Le discours officiel, sur ce point, a peu varié. La loi de programmation militaire de 1983 redit à peu près la même chose que le *Livre blanc* de 1972 : « La signification des armes nucléaires tactiques est essentiellement politique : la menace de leur emploi suppose que les intérêts vitaux de la France sont engagés. Il ne saurait être question de les employer comme une sorte de superartillerie de campagne, quel que soit le type de charge utilisé. »

Mais si le discours officiel s'acharne à réaffirmer la « pure doctrine », c'est bien précisément parce que des voix de plus en plus nombreuses, et parfois haut placées, mettent en doute la logique « isolationniste » du concept français de dissuasion et proposent que les armes tactiques se voient reconnaître plus officiellement un véritable rôle *militaire* dans la défense de l'espace européen. Et, de fait, si vraiment ces armes n'avaient d'autres fonctions que de donner le cas échéant un « coup de semonce » à l'agresseur, on ne voit pas pourquoi il importe de les *multiplier* et de les

moderniser. Les programmes d'équipement trahissent
le discours stratégique. C'est ainsi toute la question de
l'indépendance de la défense de la France qui se trouve
posée.

III. Un vieux débat : indépendance
ou intégration ?

Lorsque le général de Gaulle prit, en 1966, la
décision de retirer la France des structures militaires de
l'OTAN, il prit bien soin de préciser qu'il ne s'agissait
en rien d'une option neutraliste : la France restait
membre de l'Alliance atlantique et entendait respecter
les engagements qu'elle avait pris en signant le traité de
Washington (4 avril 1949), notamment l'engagement de
porter assistance à ses alliés en cas d'agression (cf.
chapitre 5). Ce qui motive le retrait de la France de
l'organisation militaire de l'OTAN, c'est sa volonté de
rester maîtresse de ses options de défense, notamment
en ce qui concerne la dissuasion nucléaire. À la
différence, en effet, de l'armement nucléaire britannique, qui a été élaboré avec l'accord et le soutien des
États-Unis et qui occupe un « créneau » propre dans les
plans de défense de l'OTAN, l'arsenal nucléaire de la
France s'est élaboré *contre* la volonté des mêmes États-
Unis et sans aucune assistance de leur part. La doctrine
française exige, on l'a vu, que le chef de l'État soit
entièrement maître de ses décisions en ce domaine. La
politique de défense française est donc perpétuellement
tiraillée entre deux pôles : la « sanctuarisation »
nucléaire de son territoire (et de lui seul) qui pousse à
l'indépendance, voire à l'isolationnisme, et l'appartenance à l'Alliance atlantique qui lui interdit de penser
sa sécurité indépendamment de celle de ses alliés,
notamment européens.

On entend parfois dire que la France, restant membre de l'Alliance atlantique, a « quitté l'OTAN » : ce
n'est pas tout à fait exact. Elle a quitté les *structures
militaires intégrées* de l'OTAN, mais elle continue à

participer aux structures civiles, et elle siège toujours au Conseil de l'Atlantique Nord. Comme les autres nations de l'Alliance, elle participe à l'élection du secrétaire général de l'OTAN et contribue au budget de ses activités civiles. Elle garde d'ailleurs des contacts réguliers avec le comité militaire de l'OTAN. Ce que signifie concrètement le retrait de 1966, c'est donc ceci, et seulement ceci :

— les troupes françaises en Allemagne ne sont plus soumises aux deux commandements de l'OTAN dont elles dépendaient jusque-là :

— le SHAPE (Commandement suprême des forces alliées en Europe) et l'AFCENT (Commandement Centre-Europe) ;

— la France n'occupe plus un « créneau » particulier dans le dispositif de défense des alliés en Allemagne. Ses troupes sont stationnées en arrière et pourraient donc ne pas être engagées immédiatement dans l'éventuel conflit ;

— tout en restant liée par le devoir de porter assistance à ses alliés, la France reste libre de choisir les *formes* de cette assistance. Son implication dans le conflit ne serait donc pas « automatique », notamment si elle estimait que le conflit en question n'était pas couvert par le traité de Washington : par exemple, s'il s'agissait d'un conflit qui serait la retombée d'un conflit né ailleurs que dans la zone couverte par le traité. Il y a là une marge d'appréciation proprement *politique,* qui n'existait pas avant 1966.

Cela dit, il reste clair que, dans la plupart des hypothèses imaginables, la France serait impliquée dans un conflit européen aux côtés de ses alliés. Elle le sait et s'y prépare. Des manœuvres communes sont organisées régulièrement avec les forces de l'OTAN. Les accords Lemnitzer-Ailleret, signés après la rupture de 1966 et destinés à en atténuer les conséquences militaires et politiques, organisent concrètement la collaboration entre les états-majors de la France et de l'OTAN.

Par ailleurs, la France reste membre actif d'une autre

alliance politico-militaire, l'Union de l'Europe occidentale : créée en 1954 par le traité de Bruxelles, cette alliance regroupe la France, la Belgique, la RFA, l'Italie, les Pays-Bas, le Luxembourg et la Grande-Bretagne. Tombée en léthargie pendant de nombreuses années, l'UEO a été assez vigoureusement ranimée ces derniers temps, précisément parce qu'elle constitue la seule instance européenne où puissent se discuter les questions de défense commune avec la participation pleine et entière de la France.

Ces quelques précisions permettent de situer les deux bornes extrêmes des débats politico-stratégiques français depuis 1966 : sont exclus aussi bien la sortie de l'Alliance atlantique (position neutraliste) que la réintégration dans les structures militaires intégrées de l'OTAN. Mais, entre ces deux bornes, l'espace est large : les débats ne portent pas seulement sur des nuances.

On peut dire que, de De Gaulle à Mitterrand, cet espace a été parcouru par les présidents successifs dans un seul sens : du pôle « indépendance » au pôle « atlantisme », par des étapes successives. En 1967, c'est le discours sur l'*indépendance* qui domine ; c'est l'époque où le général Ailleret lance la formule « tous azimuts », laissant entendre que la France n'avait pas d'ennemi privilégié. Curieusement, alors que cette formule disparaît très vite du discours officiel et qu'elle n'a jamais eu la moindre traduction dans les dispositifs militaires, elle reste encore dans l'esprit de beaucoup comme une des caractéristiques de la doctrine française.

Dès la présidence de Georges Pompidou, sous lequel est rédigé le *Livre blanc* de 1972, le discours indépendantiste est relativisé. Le général Fourquet, successeur d'Ailleret au poste de chef d'état-major, accepte une partie de la doctrine OTAN de « riposte graduée » (cf. chapitre 4) : une guerre ne signifierait pas nécessairement le recours au niveau nucléaire stratégique. Les forces de manœuvre (c'est-à-dire les forces nucléaires tactiques et les forces conventionnelles) pourraient donc jouer un autre rôle que celui du « coup de semonce » pré-stratégique. Cette doctrine facilite la collaboration avec l'OTAN, laquelle était pratiquement exclue par celle du général Ailleret. Le *Livre blanc,* qui traduit les conceptions de Michel Debré, distingue soigneusement la défense de la France (assurée par la dissuasion stratégique, indépendante et « sanctuarisante ») de la défense de l'Europe sur laquelle il reste flou. L'armée française doit être capable de mener en Europe « des opérations de combat classique », mais toujours dans le cadre de sa propre doctrine de « test ».

Le tournant le plus important sera pris sous la présidence de Valéry Giscard d'Estaing. En septembre 1975, le général Méry, chef d'état-major, déclare que, face à la diversité des menaces possibles, la France doit relativiser sa confiance dans la seule dissuasion nucléaire stratégique. En 1976, il rejette explicitement le concept de « sanctuarisation totale » du territoire français : si l'Europe était dominée par les Soviétiques, il n'y aurait plus en France une « volonté nationale » de recourir à la menace de destruction massive. Le « tout ou rien » stratégique perdrait toute crédibilité. Il faut donc parler de « sanctuarisation élargie » et de « bataille de l'avant », c'est-à-dire considérer que la défense de la France ne commence pas au Rhin.

Dans son fameux discours du 1er juin 1976 à l'IHEDN (Institut des hautes études de la Défense nationale), le président Giscard d'Estaing donne à cette nouvelle approche la consécration de son autorité, en parlant clairement de « bataille » à livrer : « une organisation de défense doit être conçue pour livrer bataille ». En cas de conflit en Europe, il n'y aurait pas deux espaces (l'espace de la bataille en Allemagne et l'espace « sanctuarisé » en France) mais « un seul espace » : « L'espace français sera dès le départ dans l'espace de la bataille qui sera générale. » Il faut donc qu'il n'y ait sur cet espace « qu'*un seul ensemble militaire.* »

Dans une telle hypothèse, les armes tactiques françaises se voient confier un nouveau rôle, difficilement compatible avec la doctrine du *Livre blanc* de 1972 : participer à la « bataille de l'avant », en Allemagne, aux côtés des alliés. On envisage même de stationner les missiles Pluton en République fédérale, projet qui devra être abandonné en raison de la résistance des gaullistes.

Il ne faut pas oublier que c'est dans le contexte du vif débat provoqué par cet infléchissement giscardien que se situe le ralliement des partis de gauche à la doctrine de dissuasion nucléaire. Lorsque le parti communiste adopte en mai 1977 le « rapport Kanapa », par lequel il marque son adhésion totale à une doctrine qu'il avait longtemps combattue, il ne se contente pas de reconnaître le « fait accompli » de l'arsenal nucléaire de la France ; il critique vigoureusement les « dérives atlantistes » du président de la République telles qu'elles se sont exprimées en 1976 et adopte une position finalement très proche de la doctrine gaullienne des années 1966-67, reprenant notamment l'expression « tous azimuts », depuis longtemps abandonnée. Dans le ralliement du parti socialiste, qui s'étale sur un an et demi (de septembre 1976 à janvier 1978), on peut relever des raisons analogues, notamment au CERES, même si la position de François Mitterrand et de ses proches relève plus du pragmatisme que d'une véritable *conversion* à la doctrine de dissuasion[1].

IV. Incohérences de la gauche au pouvoir

La gauche arrive au pouvoir, au printemps 1981, sans avoir vraiment tranché le débat entre les partisans d'une politique gaullienne qui veulent restaurer le

1. Un dossier sur l'histoire du ralliement des partis de gauche à la dissuasion nucléaire a été réalisé par la revue trimestrielle *Alternatives non-violentes,* n° 46, « La gauche nucléaire » (18 F) (A.N.V. : Craintilleux, 42210 Montrond).

discours du « tout ou rien » stratégique et les partisans d'une poursuite de la dérive amorcée en 1976. Il en résulte une impression de grande incohérence : d'une part, en ce qui concerne la défense de la France, on réactive effectivement certains aspects indépendantistes et l'on décide l'important programme de modernisation des forces stratégiques, avec notamment le septième sous-marin nucléaire. D'autre part, en ce qui concerne la défense de l'Europe, on multiplie les prises de position en faveur de la politique décidée à Washington. Dès mai 1981, à peine élu, le président apporte son soutien au chancelier Schmidt dans l'affaire des euromissiles, soutien réaffirmé plus nettement encore dans son discours au Bundestag en 1983. Les dénonciations des mouvements d'opposition aux missiles en Europe, baptisés complaisamment « neutralistes et pacifistes », deviennent un thème rituel dans les discours de Claude Cheysson. Charles Hernu, lors d'une visite aux États-Unis, soutient le programme militaire de Reagan, et reproche publiquement aux évêques catholiques américains de démoraliser l'Ouest.

Événement à signification hautement symbolique, le Conseil atlantique est invité à siéger à Paris les 9 et 10 juin 1983 : c'est la première fois, depuis 1966, que cela se produit, et ce n'est pas un hasard. L'Élysée en profite pour rappeler que « la France prend toutes ses responsabilités » au sein de l'Alliance, et le secrétaire général de l'OTAN, M. Luns, souligne que « la France est membre *à part entière* de l'OTAN ».

La loi de programmation militaire pour 1984-1988 prévoit l'organisation d'une « force d'action rapide » destinée à intervenir non seulement dans des actions de type « Kolwezi » mais aussi, et c'est nouveau, *en Europe*. Il s'agit là d'un pas significatif vers l'acceptation de la bataille en Europe aux côtés de nos alliés. Cette orientation n'attend plus, pour confirmation définitive, que le feu vert à la production en série de la bombe à neutrons : l'adoption de cette arme, qui n'a de sens qu'en grandes quantités et dans une logique de bataille tactique, signerait l'abandon de ce qui reste encore de l'ancienne doctrine du « tout ou rien » stratégique.

L'incohérence de la position française se manifeste clairement vis-à-vis de ce qu'on a appelé la « proposition Andropov » : réduire le nombre de fusées SS-20 au nombre approximatif des armes nucléaires stratégiques de la France et de la Grande-Bretagne. Les gouvernements français et britanniques ne cessent de répéter qu'une telle proposition est absolument inacceptable de leur point de vue. Pourtant, la France ne peut récuser la logique d'Andropov qu'en soulignant le caractère indépendant, non intégré, de ses forces stratégiques. A partir du moment où elle multiplie les gages de solidarité avec la stratégie de l'OTAN en Europe (notamment dans la question des euromissiles) il lui devient de plus en plus difficile d'affirmer que, en cas d'affrontement général, ses missiles ne constitueraient pas une menace additionnelle pour les Soviétiques. La déclaration de Williamsburg ne fait, à cet égard, que parachever celle d'Ottawa en 1974, lorsque l'OTAN avait officiellement reconnu que les forces nucléaires « indépendantes » des Français et des Britanniques « jouent un rôle dissuasif propre contribuant au renforcement global de la dissuasion de l'Alliance ».

La position de la France socialiste sur les euromissiles constitue donc une épreuve de vérité pour la politique de dissuasion stratégique « indépendante » : en invoquant sans cesse la nécessité d'un « équilibre » des forces pour maintenir la paix en Europe, les dirigeants actuels ne se soucient guère d'expliquer pourquoi ce fameux « équilibre », si nécessaire à l'Europe, ne l'est pas pour la France ! La dissuasion « du faible au fort » postule en effet que l'équilibre n'est pas nécessaire à la dissuasion, dès lors que l'on peut infliger à l'agresseur des « dommages inacceptables ». En fait, le soutien au programme de l'OTAN manifeste clairement que les dirigeants politiques et militaires de la France ne croient pas eux-mêmes à la crédibilité de la posture dissuasive d'une France isolée : ce n'est qu'adossée au rapport de forces général Est-Ouest que la posture

« indépendante » de la France garde quelque valeur à leurs yeux.

Ce scepticisme, difficile à avouer, à l'égard des doctrines qui assurent que la France pourrait dissuader l'Union soviétique indépendamment de ses alliés, se traduit par diverses propositions, plus ou moins nouvelles, de « défense européenne ». Les doutes qui planent en même temps sur la solidité ou la permanence du « parapluie américain » — sans parler du prix politique dont il faut le payer — suscitent chez certains l'idée que les armes nucléaires de la France (avec ou sans celles du Royaume-Uni) pourraient « sanctuariser » une partie de l'Europe de l'Ouest. L'hypothèse reparaît périodiquement, pour être d'ailleurs immédiatement rejetée comme peu crédible, ou peu souhaitée par les Européens eux-mêmes. Mais enfin la question est posée au plus haut niveau : « La France est-elle en mesure de se substituer aux États-Unis au nom de son appartenance géographique au continent européen et au nom de la continuité territoriale ? Le veut-elle ? Les Français sont-ils prêts à affronter les pires menaces pour assurer la protection de Hambourg, Rome ou Bruxelles ? » Ainsi s'interroge, en novembre 1982, devant le Parlement, le rapporteur du budget de la défense, le député socialiste M. Le Drian.

Si cette hypothèse, qu'on pourrait définir comme un gaullisme européen a toutes chances de rester longtemps hypothèse d'école (elle soulève d'ailleurs un problème politique fondamental : *qui* aurait la maîtrise du « bouton » ?), en revanche on ne compte plus, à droite comme à gauche, les propositions qui vont dans le sens d'une participation des armes non stratégiques de la France à la bataille en Europe. D'ores et déjà, « la première armée et la force aérienne tactique constituent, dans les faits, la réserve de l'Alliance en Europe » (déposition du général Méry devant la commission de l'Assemblée nationale, 6 janvier 1983). Ne serait-il pas temps, dit-on, qu'elle accepte « d'occuper un créneau » dans le dispositif allié ? Au moment où le RPR se convertit à l'idée de défense européenne et où François Mitterrand fait pression sur les Allemands pour qu'ils acceptent les Pershing II, gageons que les forces de résistance à cette évolution ne pèseront pas lourd.

V. Quelle efficacité ?

Pour expliquer cette évolution de l'autonomie gaullienne à l'atlantisme à peine déguisé d'aujourd'hui, on peut invoquer des facteurs politiques et géostratégiques. Mais il importe aussi de souligner que la doctrine de « dissuasion pure » ne pouvait pas de toute manière rester crédible indéfiniment. On a déjà vu que, sans le traité SALT I interdisant les missiles anti-missiles, elle aurait déjà perdu aujourd'hui l'une de ses conditions *techniques* de crédibilité, et que cette éventualité peut se présenter à nouveau, soit par la fin de l'invulnérabilité des sous-marins, soit par le développement des satellites « tueurs de missiles ». Même en supposant, avec un « optimisme » que rien ne justifie, que les savants français trouveront toujours à temps la parade aux développements technologiques de l'adversaire, on peut entretenir un scepticisme radical quant au *fondement même* de la doctrine : il n'y a pas de posture « purement dissuasive », car toute dissuasion repose sur la *crédibilité* du scénario envisagé au cas où elle échoue. Or toute la doctrine gaullienne est bâtie sur un véritable coup de force intellectuel : le refus d'envisager de façon réaliste ce qui se passerait si la dissuasion échouait. Refuser ce coup de force pour poser la question de l'échec possible, c'est s'apercevoir que tout repose sur un pari fantastique, selon lequel l'adversaire agirait toujours de manière « rationnelle ». Rien ne permet de nourrir un tel optimisme : l'histoire est riche de conflits que personne n'avait *intérêt* à commencer...

Ce scepticisme à l'égard des armes nucléaires comme moyen de *défense* reste vif dans le peuple français, pourtant acquis aux armes nucléaires comme signe d'autonomie et de grandeur : selon un sondage Louis

Harris de 1982, 52 % des Français sont d'accord pour que l'on modernise l'arsenal nucléaire, alors que 18 % seulement déclarent qu'en cas de menace directe contre la France, ils auraient confiance dans ces armes pour les protéger[2]. Les dirigeants politiques, tant qu'ils ne veulent pas renoncer à des armes qui comportent le danger de détruire ce qu'elles veulent défendre, se trouvent donc amenés à tenir un double langage : celui de la dissuasion stratégique pour des raisons politiques (grandeur et indépendance sont des thèmes « obligatoires ») et, en plus, en hommes « responsables » peu désireux d'être enfermés dans le dilemme vitrification/reddition, celui de l'équilibre des forces (et donc de la solidarité atlantiste).

Il importe donc de ne pas imputer les « glissements atlantistes » uniquement aux préférences politiques de ceux qui les promeuvent. Ils résultent *aussi* de la fin du refoulement volontariste des questions de fond sur la crédibilité de la position de « dissuasion pure ». S'il faut s'opposer à ces dérives et aux dangers, politiques et militaires, qu'elles comportent (notamment le danger de « guerre nucléaire limitée »), ce ne doit donc être en aucun cas au nom de la doctrine antérieure. On rencontre parfois, parmi ceux qui luttent contre les euromissiles et le développement des armes tactiques, des gens qui sont portés à valoriser rétrospectivement la stratégie de « dissuasion pure » et, du coup, à estimer tolérable le maintien de l'arsenal stratégique, voire même sa modernisation. Erreur profonde : le glissement atlantiste n'est pas la *trahison* mais la *conséquence logique* — seulement retardée artificiellement — de la doctrine antérieure. On n'aura rien résolu en « revenant », comme semblent le croire, par exemple, le parti communiste et le CERES, à la dissuasion « indépendante ». S'il y a une porte de sortie possible, ce ne peut être que dans l'adoption de politiques de défense résolument imaginatives et nouvelles qui n'incluent pas

2. Sondage publié par l'hebdomadaire *La vie* (18-24 novembre 1982).

dans leur scénario le contraire même de ce qu'elles sont censées réaliser : la sécurité et la survie d'une société libre. Seules des défenses non nucléaires et « purement défensives » répondent aujourd'hui à ce critère. Mais c'est là matière à un autre chapitre.

Christian Mellon

7. Quels sont les risques de déclenchement d'une guerre nucléaire ?

Antoine Sanguinetti

La crise internationale est un type de conflit limité caractéristique de l'ère nucléaire, parce que l'équilibre de la terreur dont se couvrent les deux Grands lui permet de se développer favorablement, sans conséquences majeures.

Pour le général Poirier, théoricien français de l'atome et des éventuels conflits modernes, ces perturbations qui ignorent les frontières géopolitiques peuvent avoir plusieurs origines. Elles naissent dans des secteurs économiques où les conditions du progrès, tel que l'entend le capitalisme, ont noué des liens d'interdépendance si serrés que l'ensemble du système interétatique peut se ressentir des troubles affectant gravement l'un ou l'autre de ses membres. D'autres perturbations procèdent de la volonté de puissance, ou de la frustration, d'États qui cherchent délibérément à modifier les données d'un équilibre régional, ou à tirer profit d'une situation instable. Enfin le messianisme idéologique de l'une ou l'autre des deux superpuissances se veut parfois conquérant, aux dépens même des aires de culture les mieux fortifiées autour de leur héritage historique, comme par exemple l'Europe.

La crise n'est heureusement pas la guerre. Reste cependant que certains de ces soubresauts du système international concernent les forces armées, qu'elles y agissent suivant les cas en catalyseur ou en modérateur. La guerre pourrait alors en surgir un jour — y compris à son niveau nucléaire le plus élevé — si la situation échappait par erreur au contrôle de ceux qui la manient, chefs de quelques États agissant en gendarmes du monde, et stratèges qui les entourent. C'est précisément le sujet, essentiel parce que chargé de tout l'avenir de vie ou de disparition de l'humanité, qu'a traité une étude récente sur les risques de déclenchement d'une guerre nucléaire non intentionnelle, publiée sous l'égide de l'UNIDIR, l'Institut des Nations unies pour la recherche sur le désarmement.

I. Défaillances techniques
ou erreurs d'interprétation ?

Cette étude de l'UNIDIR ne se rapporte pas aux accidents ou défaillances incontrôlées, peu vraisemblables étant donné les précautions prises partout : « Depuis l'histoire du *Docteur Folamour,* il est devenu courant d'imaginer avec inquiétude des colonels déments ordonnant de leur propre chef un lancement de missiles, des officiers maladroits ou distraits appuyant sur le mauvais bouton, l'auto-allumage d'un système d'alerte électronique, des écrans radar sur lesquels des signaux provoqués par un passage d'oies sauvages sont interprétés à tort comme se rapportant à une attaque par missiles, etc. Mais la popularité de ces scénarios, et d'autres encore concernant une guerre nucléaire par accident, ne signifie pas pour autant qu'ils soient nécessairement crédibles.

« Il ne faut certes pas sous-estimer les risques d'éventuels accidents ou incidents nucléaires, mais on est obligé de conclure qu'en s'hypnotisant sur le danger d'une guerre nucléaire résultant d'un accident, on risque de fausser le problème et de négliger des dangers plus sérieux. En pratique, du fait de leur dédoublement et de leur efficacité, les systèmes de sécurité excluent toute conséquence grave de défaillances humaines ou techniques. » Et de toute façon on peut penser que personne ne tirerait en riposte sur de simples détections, même recoupées, de peur qu'il s'agisse de leurres délibérément provocateurs.

Il existe en revanche un danger beaucoup plus grand,

inhérent à la nature des crises internationales qui peuvent très bien jouer un rôle catalyseur dans le déclenchement d'une guerre nucléaire pourtant non souhaitée par les gouvernements concernés. Il s'agit de risques d'un déclenchement parfaitement contrôlé et volontaire, à partir de fausses hypothèses, sur la seule base d'une erreur de jugement ou de calcul de ceux qui ont justement pour mission de décider de l'emploi des armes.

« Les nombreuses défaillances individuelles ou institutionnelles en tout genre observées au cours des vingt dernières années ont montré que les situations de crise sont particulièrement propres à susciter, chez les responsables, des réactions malheureuses : fausse perception, comportements erratiques, traitement inapproprié de l'information, escalade de la tension du fait que chacun des protagonistes prête ses intentions à l'autre, aléas de la pensée de groupe, complexité de la situation et manque de souplesse des plans préétablis, tous ces facteurs suscitent de multiples occasions de prendre des décisions catastrophiques [1]. »

Le principal risque, dans ce domaine, réside dans une mauvaise interprétation, par une nation nucléaire, des intentions d'une autre. Il ne se concrétise vraiment, en fait, que par la conjugaison d'une situation de crise initiale, avec une instabilité stratégique où la crise ne joue que comme catalyseur. C'est donc cette « instabilité stratégique » qu'il convient d'analyser et d'étudier ici.

II. Les facteurs d'instabilité stratégique

L'instabilité stratégique apparaît quand une nation nucléaire peut craindre, du fait de la vulnérabilité de

---

1. Daniel FREI, *Risks of Unintentional Nuclear War,* United Nations Institute for Diasarmament Research, Genève, 1982, p. IX-X.

son propre système de forces stratégiques, une attaque préventive. Elle concerne donc les nations qui, pour des raisons de coût ou de doctrine, se sont principalement dotées d'armes nucléaires basées à terre, en position fixe et détectable par les moyens d'observation de l'adversaire. Si une nation a mis l'accent, en revanche, sur des armes stratégiques sûres de deuxième frappe, c'est-à-dire des engins basés sur des sous-marins nucléaires lance-engins, indétectables et invulnérables à échéance indéterminée, la stabilité l'emportera puisque cette nation pourra temporiser sans risquer d'encourir la destruction préalable.

En fait, toutes les nations nucléaires, en tout cas les deux Grands, sont dotés des deux systèmes. Pour chacune d'entre elles, la tendance générale est donc donnée par la prépondérance accordée à l'un ou à l'autre, et les directions d'évolution de ces systèmes. Encore que rien ne soit absolu et qu'il faille faire entrer d'autres paramètres dans l'analyse.

75 % des armes soviétiques sont ainsi basées à terre à poste fixe, comme des armes de première frappe ; mais cela ne signifie pas forcément une doctrine d'emploi en attaque préventive et peut résulter, tout simplement, d'une technologie moins avancée ou de la recherche d'un moindre coût de revient. Au contraire, 75 % des armes nucléaires américaines sont basées en mer ; mais elles sont assez précises pour pouvoir servir à une attaque préventive anti-forces ; et c'est bien à une reconversion d'une partie d'entre elles dans cette mission précise que visait la fameuse « directive présidentielle 59 » de Jimmy Carter de juin 1980.

Il existe d'autres facteurs d'instabilité stratégique, par ailleurs, multiples et variés. Ainsi, dans un monde où les puissances nucléaires seraient de plus en plus nombreuses — et nous en prenons bien le chemin si l'on ne parvient pas à décider les superpuissances à rentrer dans un processus réel de limitation, puis réduction de leurs armes nucléaires —, la stabilité stratégique sera à l'évidence de plus en plus précaire.

Les doctrines, de leur côté, ne sont pas à l'abri des

faux raisonnements ou d'erreurs de jugement aux effets imprévisibles. La doctrine stratégique américaine, en particulier, est caractérisée par une quantité ahurissante de contradictions, comme la reconversion par la directive 59, dont je viens de parler, d'une partie des forces stabilisantes de deuxième frappe, à une mission anti-forces de première frappe. De son côté, la doctrine des Soviétiques est marquée par une tendance au secret qui ne peut que favoriser les interprétations erronées des Américains.

Reste enfin l'évolution technologique des matériels eux-mêmes. On a souvent justifié la course aux armements, d'un côté comme de l'autre, par une vulnérabilité nouvelle des systèmes qui serait née de perfectionnements chez l'adversaire (cf. chapitre 3). Ce fut le cas avec les MIRV (cf. chapitre 1). Ce fut le cas avec la capacité accrue d'un des protagonistes, du fait de l'apparition des satellites d'observation, de repérer et positionner de façon précise ses objectifs éventuels. Ce fut aussi le cas avec l'augmentation de la précision ou de la puissance des têtes, qui aboutissent au même gain de probabilité de destruction des objectifs visés.

Au-delà de ces points techniques, la mise en place, par exemple, de missiles ayant une très faible durée de vol parce que déployés très près de leurs objectifs éventuels, et qui laissent par conséquent très peu de temps à l'adversaire pour réagir, peut aussi créer chez celui-ci la tentation de tirer froidement le premier, ou de tirer sur alerte, sur une simple détection non vérifiée ni recoupée (ce qui infirmerait ce que nous disions au début des improbables risques d'accidents techniques) ; on peut l'exposer au risque de tomber dans le piège d'une provocation par des leurres.

En bref, c'est la crainte que l'adversaire puisse acquérir une possibilité de première frappe imparable qui engendre la peur, la méfiance, ou la nervosité d'où peut surgir le cataclysme. Voilà qui doit porter à réfléchir sur le problème des « euromissiles », inquiétant à plus d'un titre par les implications possibles de la solution choisie par les Occidentaux pour le résoudre.

Nous allons l'étudier à la lueur de l'analyse du colonel britannique D. M. O. Miller, auteur de nombreux articles et choisi par la maison Bordas pour traiter des forces stratégiques dans un ouvrage récent sur *L'équilibre militaire des superpuissances*.

III. L'affaire des « euromissiles »

Pour le colonel Miller, donc, page 20, « une puissance nucléaire agressive, cherchant à s'assurer soit la prédominance stratégique, soit la victoire dans un conflit réel », doit répondre d'abord à l'impératif de « posséder une capacité anti-forces de première frappe crédible et efficace ». Au contraire, « une puissance nucléaire défensive, visant uniquement à dissuader un agresseur, doit pour sa part posséder une capacité de deuxième frappe crédible et efficace ».

À la base de la controverse européenne sur les euromissiles, on trouve les nouveaux engins soviétiques SS-20, basés à terre en position fixe et seulement semi-mobiles comme des armes offensives, mais dont l'emploi en première frappe est très peu crédible parce qu'il serait inefficace. Ils sont en effet de portée intermédiaire, incapables par conséquent d'une frappe décisive sur l'adversaire principal américain, pas plus que les vieux SS-4 ou SS-5 qu'ils remplacent, mais seulement sur l'Europe.

Or il existe en Europe des forces nucléaires occidentales parfaitement stabilisatrices et dissuasives — c'est-à-dire de deuxième frappe sûre — indépendamment même des forces aériennes basées sur notre continent et parfois mises en cause sous le nom de « forces avancées américaines ». Ce sont les forces stratégiques anglaise et française, dont c'est justement le rôle de protection pour leurs pays respectifs. Mais c'est aussi, pour les pays qui ne sont couverts par aucune dissuasion nationale, une force américaine plus puissante encore : à savoir les missiles, aujourd'hui Poseidon ou Trident, aussi précis et nombreux que les SS-20, des sous-marins nucléaires lance-engins détachés par les États-Unis depuis 1965 en contrebatterie justement, aux ordres de SACEUR et donc, incontestablement, « eurostratégiques ». Une première frappe de SS-20 sur l'Europe laisserait intacts tous ces moyens de rétorsion, dont la riposte éventuelle ravagerait l'URSS, la laissant très affaiblie face à un rival américain disposant encore de toutes ses forces vives et nucléaires ; et qui n'aurait plus qu'à exploiter son avantage et tirer les marrons du feu.

L'hypothèse est donc peu crédible, à moins toutefois d'une assurance donnée par les Américains de ne pas riposter stratégiquement — c'est-à-dire sur le territoire et le peuple soviétiques — pour limiter dans tous les cas le conflit à l'Europe dans le cadre de ce que l'on appelle le désengagement américain par « découplage » entre leur continent et l'Europe. Désengagement expressément prévu par James Schlesinger, secrétaire à la Défense de Nixon, dans la dernière en date des doctrines exposées au Congrès américain, en janvier 1975, et qui porte son nom ; désengagement accrédité par la déclaration de Reagan, le 16 octobre 1981, qu'une intervention américaine n'est pas certaine en cas de conflit armé en Europe ; et qui semble être au demeurant la seule explication satisfaisante au choix, le 12 décembre 1979, des nouveaux euromissiles.

Car la chape de silence mise volontairement sur les armes de dissuasion efficaces à la disposition de l'OTAN en Europe, citées plus haut, et leur remplacement par des engins moins performants et plus vulnérables — moins stabilisants — marque un passage du défensif à l'offensif. C'est un changement de doctrine. Nul doute qu'il soit interprété par les Soviétiques comme la preuve du désengagement, en vue d'une guerre « limitée » au niveau régional que l'on pourrait leur imposer quand ils auraient tout à y perdre. Ce qui explique leur acharnement à contrer cette nouvelle étape dans l'escalade du surarmement à laquelle ils s'étaient plutôt prêtés sans drame jusqu'à présent.

Nul doute aussi du côté des Européens, les moins

aveugles en tout cas, que cette « modernisation » de l'OTAN à l'évidence ne répond pas au défi des SS-20. On ne peut neutraliser une menace que de deux façons : par une capacité d'action dissuasive exercée à un niveau supérieur sur le peuple concerné, ou par une possibilité de destruction de cette menace au moyen d'une première frappe préventive. Or la portée des Pershing II, limitée à 1 800 km, et celle à peine plus élevée des missiles de croisière, ne leur permet de toucher que les marges de l'URSS, et *aucun* des sites de SS-20, plus profondément enfoncés dans le pays grâce à leur portée triple. Ils ne répondent donc à aucune des conditions requises.

IV. Un conflit nucléaire
volontairement programmé ?

En fait les Pershing II, missiles balistiques les plus précis du monde grâce au guidage terminal de leur ogive, ayant la plus faible durée de trajet des deux camps, et devant tous être déployés en Allemagne, en position avancée, répondent parfaitement à la fois à la définition des engins offensifs vus par le colonel Miller, et déstabilisants vus par l'UNIDIR. Ce sont donc sans ambiguïté des armes de conflit. Mais même s'ils sont tirés les premiers contre le dispositif soviétique, l'Europe subira toujours, en rétorsion, l'intégralité de la frappe des SS-20, restés intacts hors de portée. Environ 90 mégatonnes pour 600 têtes, 4 350 Hiroshima, qui ne laissent à personne aucune chance de survie sur le continent le plus peuplé de la planète au kilomètre carré.

À ce stade de l'analyse, il faut s'étonner que l'OTAN ait choisi des armes qui ne peuvent servir que dans un conflit, et qui, si les deux parties en viennent aux mains et quel que soit celui qui aura commencé, ménagent dans tous les cas la destruction de l'Europe. À moins que le faible rayon d'action possible de ces armes et leur curieux déploiement soient une invite directe à l'adversaire pour qu'il joue le jeu d'une guerre nucléaire limitée au territoire européen, dans le cadre d'un découplage du sanctuaire des Soviétiques, parallèlement à celui des Américains. Sinon, pourquoi programmer les Cruise d'Italie en Sicile plutôt qu'en Vénétie? Pourquoi, à défaut de la Grèce, n'en avoir prévu aucun en Turquie?

À l'appui de cette thèse, si invraisemblable ou excessive qu'elle puisse paraître aux gens honnêtes et loyaux, on peut ranger l'aspect de dialogue de sourds des « conversations de Genève » qui n'ont en fait débuté en novembre 1981 que sous la pression des manifestations contre la guerre, en Europe et aux États-Unis, et traînent depuis, marquées à un moment par le limogeage de négociateurs américains qui manifestaient une vélléité de réussite. Au point qu'Helmut Schmidt, premier demandeur des euromissiles, a mis en doute le 22 mai dernier dans une interview au *Washington Post* la volonté américaine d'aboutir à un résultat; et que c'est le Sénat américain lui-même, dans un état d'esprit analogue, qui tentait de troquer le 25 mai 1983 le vote de crédits pour le MX contre une promesse de sincérité dans ces négociations. Comme si la présence américaine à Genève n'était qu'un faux-semblant pour gagner du temps jusqu'au fait accompli de la mise en place des moyens d'un nouveau conflit, qui entrerait désormais dans les plans américains. Pour se débarrasser de concurrents économiques gênants? Ou des tenants potentiels d'une troisième voie idéologique plus humaine?

Tout cela ne repose que sur des hypothèses, étayées et confortées, il est vrai, par des contradictions réelles et multiples. Mais les crises ne s'étudient dans leurs causes et implications, pour être à même de les manier le jour venu, qu'en termes d'hypothèses. Si celles-ci devaient s'avérer vraies, nous serions évidemment sortis du cadre des risques de guerre non intentionnelle envisagés par l'UNIDIR, pour aborder celui d'un conflit volontairement programmé et minutieusement préparé. L'enjeu vaut qu'on s'y arrête!

Antoine Sanguinetti

8. Quelles seraient les conséquences d'une guerre nucléaire ?

Monique Séné

L'accumulation des arsenaux nucléaires a atteint un tel niveau qu'une fraction croissante de l'opinion publique prend conscience des dangers de guerre. Les deux grandes puissances ne pourront pas indéfiniment poursuivre l'escalade de la terreur sans que l'une des deux, et nous pensons ici plus particulièrement à l'URSS, n'atteigne la limite des efforts économiques auxquels elle peut consentir en matière militaire, engendrant ainsi l'effondrement de son système économique et suscitant par là même de graves troubles politiques et sociaux. Dans ce contexte, la tentation de la première frappe peut s'accroître fortement, et bien que dans cette dynamique (cf. chapitre 1) les missiles français du plateau d'Albion constituent des cibles possibles au même titre que les forces de l'OTAN en général, le débat qui s'est instauré dans de nombreux pays occidentaux n'a suscité qu'un écho relativement faible en France. La tâche des scientifiques peut être au moins de sensibiliser les populations en expliquant les effets généraux d'une explosion nucléaire.

L'ampleur considérable des dommages causés par les bombardements d'Hiroshima et de Nagasaki, les 6 et 9 août 1945, fut assez démonstrative pour qu'on se retînt jusqu'à maintenant d'employer à nouveau l'arme nucléaire (cf. encadré). Aussi le discours officiel présente-t-il cet arsenal comme un moyen de dissuasion, c'est-à-dire comme un outil destiné à nous préserver de la guerre. Mais ces armes ne préservent malheureusement pas l'humanité de la crise économique ou des guerres conventionnelles, deux réalités bien tangibles du monde moderne.

En 1976, les maires d'Hiroshima et de Nagasaki ont fait parvenir aux Nations unies une pétition pour l'abolition des armes nucléaires et pour un désarmement total. À cette occasion fut dressé un bilan des conséquences du bombardement des deux villes japonaises :

Effets immédiats : en 1950, le nombre des morts a été estimé à 157 575 à Hiroshima, sur environ 320 000 civils et 40 000 militaires exposés ; et 124 901 à Nagasaki, sur environ 280 000 civils exposés.

Effets à long terme :
a) effets somatiques : on constate un affaiblissement général de l'organisme, des troubles définitifs de la formule sanguine, des lésions oculaires. Il a fallu attendre de nombreuses années après la fin de la guerre pour que soit normalisée la situation sanitaire des habitants. Certains souffrent de séquelles définitives : ulcérations et déformations liées à des brûlures profondes, fatigue généralisée, etc.
b) cancers : l'incidence de l'irradiation sur le taux de leucémie est clairement établi (taux de leucémie important chez les enfants irradiés). Une relation dose-effet de cancer est également certaine pour le cancer du sein, de la thyroïde, des glandes salivaires et du poumon.

Mutations : si les fœtus irradiés ont présenté des malformations, aucune mutation génétique n'a été mise en évidence. Les effets étant difficilement décelables et très longs à apparaître, il convient cependant de continuer les études.

Impact social : c'est un aspect peu étudié malgré son importance. Beaucoup de survivants se sont retrouvés sans parents, sans amis, sans aucune attache. Le réseau social étant par ailleurs entièrement détruit (usines, écoles, hôpitaux, administrations), la réintégration des survivants après leur guérison a été très difficile. Il a fallu plus de 10 ans pour que les populations d'Hiroshima et de Nagasaki retrouvent le niveau de vie de 1945.

Les effets physiques des armes nucléaires ont fait l'objet de multiples publications américaines[1], tout à fait accessibles, et de publications françaises, qui le sont beaucoup moins. Nous emprunterons une partie de l'argumentation à l'étude d'Yves Le Hénaff[2] qui s'est appuyé sur les travaux de Glasstone et Dolan.

Ce chapitre comportera trois parties :

— la description des effets principaux des armes nucléaires : effets thermiques, onde de choc et radiations ;

— les conséquences d'une explosion unique ;

— les conséquences d'une guerre totale.

Les informations proviennent des résultats des bombardements d'Hiroshima et de Nagasaki et des multiples essais aériens et souterrains pratiqués par les puissances détentrices de l'arme nucléaire.

Soulignons au préalable qu'il n'est pas très facile d'envisager plusieurs cas de figure (bombe volée, échange limité à des cibles stratégiques, guerre totale), car les bombes atomiques ont beaucoup évolué depuis 1945 et il existe de grandes incertitudes sur leurs effets. Mais une chose est claire : même en minimisant le problème ou en l'étudiant dans une optique strictement scientifique, les conséquences d'un bombardement nucléaire sont telles qu'il est impératif de tout mettre en œuvre pour bannir leur emploi.

---

1. Samuel GLASSTONE, Philip J. DOLAN, *The Effects of Nuclear Weapons, prepared and published by the United States Department of Defense and the United States Department of Energy,* US Government Printing Office, Washington, 1977 ; cf. également *Physics Today,* mars 1983, numéro consacré aux armes nucléaires.

2. Yves LE HÉNAFF, *Les armes de destruction massive et la politique de défense française,* disponible auprès de l'APRI (Association pour la protection contre les rayonnements ionisants), 80, rue des Noyers, Grisenoy, 77390 Verneuil-l'Étang.

I. Les effets des armes nucléaires

La bombe atomique repose sur deux principes physiques : *fission nucléaire* ou *fusion nucléaire*. La fission nucléaire concerne les noyaux lourds instables que sont l'uranium 235 et le plutonium 239 : la fission est le processus au cours duquel un noyau se casse en deux, en entraînant une libération d'énergie et une émission de neutrons. C'est à partir d'une certaine quantité (appelée masse critique) de ces éléments instables que s'amorce la réaction en chaîne qui conduit à une explosion (environ 15 kg pour l'uranium pur et 4,4 kg pour le plutonium pur).

Dans le cas de la fusion nucléaire, des noyaux très petits libèrent de l'énergie en fusionnant entre eux pour former des noyaux plus lourds.

Tableau 1

LIBÉRATION D'ÉNERGIE
LORS D'UNE EXPLOSION NUCLÉAIRE

Énergie de fission	Énergie de fusion	
50 % énergie mécanique	20 %	énergie mécanique énergie thermique
35 % énergie thermique		
5 % rayonnement instan- tané	80 %	rayonnement neu- tronique
10 % rayonnement résiduel		

Le tableau 1 donne une estimation de la dissipation de l'énergie dans le cas d'engins purement à fission ou à fusion. Selon le type de bombe considéré, on observe en pratique une combinaison de quatre effets (mécanique, thermique, radiations instantanées ou retardées). Ces effets dépendent par ailleurs des conditions météorologiques, de la configuration du terrain et de l'altitude de largage.

Le tableau 2 offre une comparaison des effets d'une bombe à fission de 20 kilotonnes (kt) et de bombes à fusion de 1 kt à 10 mégatonnes (Mt). Les grandeurs sont calculées pour une explosion aérienne à une altitude déterminant une efficacité optimale[3], sur un terrain découvert et moyennant des conditions atmosphériques idéales : ciel clair, bonne visibilité, vent faible. Il ressort de ce tableau que les bombes H sont essentiellement des bombes incendiaires dans la mesure où c'est cet effet qui, dans leur cas, a la portée maximale.

Radiations thermiques

Au cours de la première microseconde de l'explosion, la température au point zéro atteint dix millions de degrés. Si l'explosion a lieu à une altitude relativement faible, la moitié de l'énergie thermique se transforme en énergie mécanique. Mais à très haute altitude (au-dessus de 30 km), en raison de la raréfaction de l'air, l'énergie ne se dissipe pas en onde de choc mais uniquement sous forme de chaleur et de rayonnement nucléaire ; ce qui signifie que les effets incendiaires seront accrus (une explosion de 1 Mt crée une boule de feu de 1 km de diamètre au niveau de la mer et de 10 km à 50 km d'altitude).

La durée du rayonnement thermique est d'autant plus longue que la puissance de la bombe est importante : 1,5, 10 et 30 secondes respectivement pour des bombes de 20 kt, 1 Mt et 10 Mt. Les effets thermiques sont d'autant plus marqués que le temps d'exposition de la matière est bref. C'est ainsi qu'une exposition pendant 1 seconde à 12 calories/cm^2 provoquée par une bombe de 20 kt a les mêmes effets incendiaires que 18 cal/cm^2 dus à une bombe de 1 Mt et 24 cal/cm^2 engendrés par une bombe de 10 Mt.

---

3. L'efficacité optimale signifie que l'on choisit une altitude égale à deux fois le rayon de la boule de feu.

Tableau 2. Effets physiques des bombes A et H (d'après Glasstone et Dolan)

Puissance →	20 kt (Bombe A)			1 Mt (Bombe H)			10 Mt (Bombe H)		
Effets →	P (en atmosphères)	C (en calories par cm²)	D (en rem)	P (en atmosphères)	C (en calories par cm²)	D (en rem)	P (en atmosphères)	C (en calories par cm²)	D (en rem)
Portée en km									
1	1,0	75	6000	9,5	3000	250000	77	14000	700000
2	0,3	17	30	2,1	850	6000	11	6500	95000
3	0,2	7	0,8	1,3	350	100	4,4	3500	12000
4	0,1	3		0,9	200	2,5	2,4	2000	700
5		2		0,6	110		1,7	1200	25
10				0,2	22		0,7	300	
20				0,1	3		0,2	50	
30					1		0,1	15	
50								2	

P : pression (effet mécanique), mesurée en atmosphères. Une atmosphère (atm) correspond au poids d'une colonne cylindrique de mercure ayant pour hauteur 76 cm et pour base 1 cm². Nous sommes soumis en permanence, à l'altitude zéro ou au niveau de la mer, à une pression de 1 atm environ. Le souffle d'une explosion exerce une surpression par rapport à cette pression normale. 0,4 atm désigne ainsi la pression ajoutée.

C : chaleur (effet thermique), mesurée en calories par cm². Une calorie (cal) est la quantité de chaleur nécessaire pour élever de 1 degré centigrade la température de 1 gramme d'eau à 15°C sous une pression atmosphérique de 1 atm. Une calorie par cm² est la quantité de chaleur reçue pendant un temps donné sur une surface de 1 cm².

D : dose de radiation, mesurée en rem.

Les radiations thermiques entraînent des brûlures de la peau chez les êtres vivants directement exposés. 5 à 6 cal/cm^2 (pendant 1 seconde) provoquent des brûlures du deuxième degré, 8 à 10 cal/cm^2 (pendant 1 seconde) provoquent des brûlures du troisième degré. Des lésions oculaires surviennent à moins de 1 cal/cm^2. Le papier s'enflamme en 10 secondes avec 10 cal/cm^2 et les vêtements avec 20 à 25 cal/cm^2.

Selon la puissance de la bombe, les risques d'incendie sont très importants dans une zone comprise entre 3 et 50 km. Le vent violent qui accompagne le souffle de l'explosion et qui survient quelques minutes après l'onde thermique peut soit attiser, soit éteindre les incendies (en « écrasant » les flammes). À Hiroshima, il s'est développé une tempête de feu qui a tout dévasté sur environ 13 km^2 alors qu'à Nagasaki, qui est un site plus montagneux, la surface détruite a été de 6,7 km^2.

Les effets de la tempête de feu sont aussi désastreux pour les personnes réfugiées dans les abris car elles sont gravement menacées par les risques d'asphyxie.

Quant au traitement des grands brûlés, il constitue un des problèmes majeurs et les pronostics sont ici très réservés car les soins requièrent des installations spécialisées : si un brûlé à 25 % au troisième degré ou à 30 % au deuxième degré n'est pas soigné très rapidement, les risques d'issue fatale sont importants. Rappelons à titre d'illustration que lors de la catastrophe survenue en Espagne, en 1978, au camping de Los Alfaques (explosion d'un camion de propylène), il a fallu, pour 200 personnes, mobiliser des moyens dans toute l'Europe et que nombre de très grands blessés se sont révélés intransportables. Enfin, les brûlures sont à l'origine de déformations permanentes et d'invalidité.

Surpression de l'air

La puissance de destruction de l'onde de choc est proportionnelle à la surpression et à sa durée, qui varie avec la puissance de la bombe : de 0,5 à 1 seconde pour une bombe de 20 kt, de 2 à 4 secondes pour 1 Mt et de 4 à 8 secondes pour 10 Mt.

L'onde de choc se caractérise par un brutal accroissement de la pression de l'air, accompagné par des vents extrêmement violents de quelques centaines de km/h. Cette surpression écrase les objets et détruit les structures tandis que le vent déplace les débris avec une force telle qu'ils se transforment en projectiles mortels. Une surpression de 10 atmosphères est mortelle pour l'être humain : on observe alors des ruptures de la cage thoracique, l'écrasement du bassin et de multiples hémorragies. Il faut bien sûr ajouter les conséquences de l'écrasement des habitations et la projection des personnes contre les murs (le vent provoqué par une surpression de 0,1 atmosphère suffit à emporter un être humain).

De tous les effets d'une bombe nucléaire, la surpression est celui contre lequel il est le plus difficile de se protéger. Les abris doivent en effet être construits pour résister à des pressions telles que les coûts sont vite prohibitifs.

Voici, à titre de repère, quelques données rapides sur les conséquences de la surpression :
— entre 0,04 et 0,07 atm, les vitres cèdent ;
— autour de 0,25 atm, les murs des maisons s'abattent ;
— au-dessus de 15 atm, les voûtes enterrées s'effondrent.

Radiation nucléaire

Au cours d'une explosion nucléaire, l'irradiation des êtres vivants est due essentiellement aux neutrons et aux rayons gamma produits lors des réactions de fusion et de fission. Le rayonnement agit de deux façons sur les cellules du corps : on distingue l'irradiation externe par les rayonnements pénétrants et l'irradiation interne due aux produits radioactifs introduits dans l'organisme.

Les doses d'irradiation sont mesurées en rad (Radiation Absorbed Dose) qui désigne la quantité d'énergie absorbée par la matière. Les effets biologiques du rayonnement dépendant de la nature des particules, on les affecte d'un paramètre EBR (efficacité biologique relative) : en multipliant la dose en rad par ce coefficient EBR, on obtient l'effet biologique des radiations absorbées, exprimé en rem (Röntgen Equivalent Man : « équivalent-homme de Röntgen »).

L'effet du rayonnement ne dépend pas seulement de la dose reçue mais aussi de la localisation. On a rassemblé dans le tableau 3 les effets observés pour différentes doses de radiations réparties sur tout le corps et reçues en une fois. Il apparaît que l'atteinte est très sérieuse au-dessus de 200 rems et qu'en l'absence de soins appropriés, les risques de mort sont élevés. Au-dessus de 600 rems, l'issue est fatale dans la plupart des cas.

Ajoutons également qu'on opère en général une distinction entre le rayonnement instantané et le rayonnement résiduel dû à la contamination de la zone sinistrée. Ainsi, le tableau 4 montre qu'une bombe de 20 kt délivre une dose létale dans un rayon de 1 à 2 km, mais tous les effets décrits plus hauts étant combinés dans la même zone, la plupart des personnes exposées à ce rayonnement seront de toute façon immédiatement tuées par le feu ou par l'onde de choc. C'est donc la radio-activité résiduelle qui importe avant tout pour les rares survivants, et celle-ci dépend du nombre de produits radioactifs créés par l'explosion. Les effets, plus ou moins étalés dans le temps, ne correspondent pas strictement aux indications données dans le tableau 3 et sont en général moins graves. Cependant, il faut souligner que certains éléments radioactifs peuvent se concentrer dans divers organes ou parties du corps comme les os ou le foie et, à terme, induire des cancers.

La distribution au sol des particules radioactives dépend bien évidemment des conditions météorologiques mais aussi de l'altitude d'explosion de la bombe, les retombées étant plus importantes dans le cas des

Tableau 3. EFFETS GÉNÉRAUX DES RADIATIONS NUCLÉAIRES SUR L'ORGANISME

Dose (Rem)	Symptômes	Traitement	Pronostic
0-25	Pas d'effets chimiques	Aucun	Effets retardés possibles
25-150	Altération passagère de la formule sanguine	Aucun	Effets retardés possibles
150-200	Altération de la formule sanguine – vomissements – nausées – fatigue	Surveillance de la formule sanguine Pas d'hospitalisation	Rétablissement en quelques semaines
200-400	Perte des cheveux – diarrhée – sévère altération de la formule sanguine – hémorragie – infections	Transfusions sanguines Antibiotiques Hospitalisation nécessaire	Réservé La probabilité de décès va jusqu'à 50 %
400-600	Symptômes précédents plus sévères – vomissements entre 1 à 2 h après l'irradiation – graves infections	Transfusions sanguines Antibiotiques Hospitalisation nécessaire	Très réservé 50 % à 90 % de décès en 2 à 6 semaines
600-1 000	L'activité cesse en 2 à 3 h – atteinte du système nerveux – vomissements – nausées – hémorragie	Transplantation de moelle Hospitalisation	Très réservé 90 % à 100 % de décès Très longue convalescence pour les survivants
1 000-5 000	L'activité cesse très rapidement – atteinte grave du système nerveux		Aucune chance de survie Mort en 2 à 14 j.
Au-dessus de 5 000	Convulsions – tremblements	Sédatifs	Mort en 1 ou 2 j. ou plus rapidement

Tableau 4. Effets des bombes atomiques sur l'environnement

Puissance de la bombe	20 kt	1 Mt	10 Mt
I. Surpression			
a) Rayon de destruction des habitations (km)	2,1	7,1	16,5
b) Rayon de destruction des habitations (km)	1,6	5,5	12,4
Cratère { diamètre (m)	110	390	850
profondeur (m)	26	95	195
Masse en tonnes de matériaux emportée par le champignon	100	5 000	50 000
II. Rayonnement thermique, explosion en altitude			
Rayon de la tempête de feu (km)	1,2	6,7	21
Rayon d'incendie des forêts (km)	2	11	27
Personnes à découvert :			
• Rayon des brûlures du deuxième degré (km)	3	20	50
• Rayon des brûlures du premier degré (km)	4	30	75
III. Rayonnement nucléaire : dose létale à 50 %			
a) Première minute, rayon du cercle (km)	1,4	2,4	3
b) En 24 h, vent de 24 km/h, axes de l'ellipse en km	2,5 × 17,4	16 × 91	30 × 208

a. Explosion en altitude ; b. Explosion au sol.

explosions à basse altitude. Lorsque les retombées se sont déposées, l'activité décroît assez rapidement : 80 % de la dose totale est reçue dès le premier jour, et les personnes exposées en auront reçu 90 % au terme de la première semaine. Les 10 % restants rendent la zone dangereuse pendant des semaines, voire des mois. La zone touchée affecte la forme d'une ellipse allongée dans le sens du vent dominant ; pour une bombe de 1 Mt et moyennant un vent de 24 km/h, on observera une dose d'environ 400 rems en 24 heures sur une surface de 1 000 km^2.

Cas particulier de la bombe à neutrons

Pour bien comprendre la différence entre une bombe nucléaire « classique » (basée sur la réaction de fission) et la bombe à neutrons (basée sur la réaction de fusion), on se reportera au tableau 1 qui montre la répartition en pourcentage des effets mécaniques, thermiques et radioactifs provoqués par les deux types d'engins. Le tableau suivant permet d'apprécier de façon comparative les effets d'une bombe A et d'une bombe à neutrons de même puissance :

Rayon mortel	Effets mortels		
	méca-niques	ther-miques	radia-tions
Bombe à neutrons (1 kt)	500 m	600 m	900 m
Bombe A (1 kt)	750 m	800 m	300 m

On observe donc que dans le cas de la bombe A, le rayon d'action des effets thermiques et mécaniques est supérieur au rayon d'irradiation mortelle alors que c'est l'inverse qui se produit dans le cas de la bombe à neutrons. Signalons enfin que selon les travaux de l'OTAN, une exposition de 5 minutes à 8 000 rads exclut tout effort physique jusqu'à la mort, survenant 2 ou 3 jours après. Une exposition à 3 000 rads entraîne 30 minutes d'incapacité partielle puis la reprise des activités pendant six jours et la mort, une exposition de 5 minutes à 650 rads permet aux hommes atteints de vivre et d'agir encore pendant quinze jours. Ces données sont toutefois aléatoires et doivent être considérées plutôt comme des ordres de grandeur car les effets peuvent varier beaucoup selon l'état de santé des personnes exposées.

L'intérêt tactique de la bombe à neutrons s'explique, selon ses défenseurs, par sa capacité de tuer les hommes sans endommager le matériel, les neutrons perçant n'importe quel blindage connu.

Conclusion

On retiendra donc que les armes nucléaires ont trois effets principaux caractérisés par le rayon d'action à l'intérieur duquel la mortalité est de 100 % (cf. tableau n° 5) :

— *effets mécaniques* : rayon à l'intérieur duquel la surpression dépasse 0,35 atmosphère et où tout est détruit ;
— *effets thermiques* : rayon à l'intérieur duquel les radiations thermiques dépassent 4 cal/cm^2 et peuvent provoquer des brûlures du deuxième degré et des incendies ;
— *effets d'irradiation* : rayon à l'intérieur duquel les radiations nucléaires (supérieures à 10 000 rems) engendrent la mort dans les minutes qui suivent l'explosion.

À ces trois effets directs s'ajoutent, d'une part, les retombées radioactives, responsables des effets à long terme (cancers, leucémies, affaiblissement permanent, fragilité aux infections) et, d'autre part, l'impulsion électromagnétique (EMP : Electromagnetical Pulse), responsable d'une désorganisation supplémentaire. Lors d'une explosion nucléaire au-dessus de l'atmosphère, apparaissent en effet des rayons gamma qui viennent frapper les molécules dans l'air et donnent naissance à des électrons canalisés dans le champ magnétique terrestre. Il se forme alors une gigantesque onde de choc électromagnétique de très haute tension qui vient balayer la surface de la terre sur des milliers de kilomètres. Lorsque cette onde est captée par les objets métalliques, les réseaux de distribution électrique, de communications téléphoniques ou radios et les circuits des ordinateurs tombent en panne[4].

Tableau 5

RAYON MORTEL DES TROIS EFFETS
DES ARMES NUCLÉAIRES

Bombes	Rayon mortel		
	Mécanique	Thermique	Radiation
A – 1 kt	750 m	800 m	300 m
H – 1 Mt	5 000 m	10 000 m	1 500 m
H – 10 Mt	10 000 m	20 000 m	3 500 m

II. Cas d'une explosion unique

À partir des différentes données disponibles sur les effets mécaniques, thermiques et nucléaires d'une bombe, il est possible de tenter une estimation des dégâts causés par l'explosion d'un engin de 1 Mt au-dessus d'une ville, à environ 1 500 m d'altitude.

Dans un rayon de 4 km autour du point zéro, la

---

4. On estime qu'une explosion atomique à 400 km au-dessus du Nebraska suffirait pour entraîner l'effondrement de tous les systèmes électriques et électroniques sur l'ensemble du territoire des États-Unis, et de tous les réseaux de communication par câbles électriques ou hertziens.

surpression excède 1 atmosphère et tout est quasiment détruit. Il n'y a pratiquement pas de survivants, à l'exception de quelques rares « privilégiés » disposant d'abris spéciaux.

Entre 4 et 5 km, où la surpression oscille entre 1 et 0,6 atmosphère, les maisons s'écroulent, la moitié de la population est tuée et la plupart des survivants sont blessés. Entre 5 et 10 km, les dégâts sont plus limités ; les maisons sont plus ou moins endommagées, le nombre des morts est peu élevé mais le danger le plus important est alors le risque d'incendie : selon l'OTA[5], 5 % des maisons s'enflamment et la probabilité de propagation du feu est très élevée lorsqu'il s'agit d'une agglomération. Selon la même source, ces incendies pourraient durer 24 h, surtout en raison de l'ampleur de la désorganisation rendant pratiquement impossible toute lutte efficace. On enregistrerait alors 50 % de maisons détruites et au moins 50 % de blessés parmi la population. À une distance de 15 km environ, la surpression n'excède pas 1 atm : les dommages causés aux habitations sont limités mais 25 % de la population est blessée.

Dans le cas d'une explosion de nuit sur la ville américaine de Detroit (environ 1 500 000 habitants), l'OTA a estimé qu'il y aurait, immédiatement, environ 470 000 morts et 630 000 blessés. Les incendies et les retombées feraient, suivant les hypothèses (direction du vent par exemple), entre 1 000 et 190 000 morts.

Pour le cas d'une ogive tombant sur une centrale nucléaire, nous nous référons à l'étude présentée dans la revue *Pour la Science*[6], où les auteurs supposaient

5. OTA (Office of Technology Assessment), *The Effects of Nuclear War*, Washington, 1979. (L'OTA est un organisme consultant du Congrès américain sur les choix technologiques et leurs conséquences.)

6. Steven FETTER, Kosta TSIPIS, « Les différents périls nucléaires », *Pour la Science,* février 1982. Dans le cas d'une bombe seule, la quantité de matériaux radioactifs à durée de vie longue se compte en kg et la radioactivité présente au premier jour diminuerait d'un facteur 25 après un mois et de 600 après 8 mois. S'agissant de la

l'explosion d'une bombe de 1 Mt sur un réacteur de 1 000 MWe (Mégawatts). Si l'on postule que le cœur du réacteur est entièrement vaporisé, le radioactivité du réacteur s'ajoute à celle de l'ogive, en particulier dans les matières emportées par le champignon. Les auteurs font cependant remarquer que la radioactivité du réacteur étant faible par rapport à celle de la bombe, la contamination de la zone sinistrée, la première semaine, ne sera guère différente de celle qu'entraînerait la seule explosion de l'ogive. Mais le réacteur libérant principalement des éléments radioactifs à longue durée de vie, la zone sinistrée est soumise à une contamination nettement plus durable et plus large que par l'explosion de l'ogive proprement dite. L'addition des retombées provenant de la bombe elle-même et des débris du réacteur, ainsi que la dispersion de l'inventaire radioactif du réacteur, accroissent au moins d'un tiers la superficie de la « zone létale », c'est-à-dire de la région où l'on enregistre une dose mortelle de radioactivité (plus de 1 300 km^2).

Une attaque menée contre l'Europe, dans des conditions atmosphériques favorables, rendrait une zone de 250 000 km^2 inhabitable pendant un mois (c'est la superficie de la RFA ; la France a une superficie de 550 000 km^2). Plusieurs circonstances risquent par ailleurs d'aggraver très sérieusement les conséquences d'une telle attaque :

— la présence de plusieurs (2 à 6) réacteurs sur un même site (ce qui est courant) entraînerait une libération de radioactivité 2 à 6 fois plus élevée au moins ;

— la présence de piscines de stockage à proximité des réacteurs : ces piscines peuvent contenir jusqu'à deux cœurs de réacteurs et l'inventaire radioactif d'un site peut alors au moins doubler ;

— l'existence, comme en France à La Hague, d'un

---

destruction d'un réacteur, les matériaux radioactifs à vie longue se comptent en tonnes, la radioactivité du premier jour diminuerait d'un facteur 2 le premier mois, de 90 après 5 ans et de 260 au bout de 25 années seulement.

centre de retraitement, où la radioactivité stockée est largement supérieure à celle qu'on peut relever sur un site de réacteur : la présence des combustibles irradiés et des cuves d'effluents hautement radioactifs en font évidemment une cible de choix[7].

III. Les conséquences possibles
d'un échange limité ou d'une guerre totale

Le chapitre 1 a déjà souligné le glissement des doctrines stratégiques de la dissuasion (anti-cités) aux concepts opérationnels visant l'acquisition de matériels destinés, non plus à *prévenir* la guerre, mais à désarmer préventivement l'adversaire (anti-forces), c'est-à-dire destinés à l'emploi (cf. également chapitre 7).

Ce concept se fonde sur l'idée qu'il est possible de limiter les tirs et leurs effets aux cibles militaires. Mais il a été souligné plus haut (cf. chapitre 2 : les scénarios) que la distinction entre cibles militaires et cibles civiles est largement abstraite et qu'une attaque anti-forces n'épargnerait nullement les civils, en particulier dans un pays à forte densité de population comme la RFA. Tous les calculs montrent en effet que, suivant l'agresseur, on a environ 20 millions d'Américains ou de Russes tués et environ le même nombre de blessés.

On sait par ailleurs que l'alerte a été déclenchée à plusieurs reprises par les ordinateurs américains de surveillance, qui avaient indiqué par erreur l'arrivée de missiles soviétiques sur le territoire des États-Unis. Il a été possible jusqu'à maintenant de remédier à ces défaillances techniques en raison du temps que laisse pour les procédures de vérification la durée de vol d'un

---

7. Dans le cas de la France, étant donnée l'importante concentration des sites nucléaires dans certaines régions, il suffit de 10 bombes bien placées pour éliminer toutes les zones industrielles et urbaines importantes : Paris et sa banlieue avec Nogent-sur-Seine (centrale nucléaire actuellement en construction), le Nord avec Gravelines, la région lyonnaise avec Creys-Malville (surrégénérateur) et le Tricastin, la région de Bordeaux avec le Blayais.

engin intercontinental (environ 30 minutes). Est-il nécessaire de souligner, qu'avec le temps de vol prévu pour les engins devant être déployés en Europe (environ 6 minutes) toute possibilité de vérification disparaît au profit d'une sorte de déterminisme de la riposte (cf. chapitres 1 et 7)?

La doctrine de la dissuasion n'a pas empêché en tout cas l'élaboration de scénarios de guerre totale, par les Russes ou les Américains, et aboutissant à l'élimination de 2 à 3 milliards d'êtres humains. Il semble clair qu'une telle éventualité sonnerait le glas des pays industrialisés en raison du chaos indescriptible qu'elle engendrerait, en dehors des dommages immédiats. Les dizaines de millions de cadavres humains et animaux déclenchent des épidémies — choléra, peste, typhus — et des infections diverses (les rats survivront, ils sont généralement « abrités ») dans une population affolée, déracinée, sous-alimentée, affaiblie par les blessures ou les radiations, sans soins ni médicaments, dépourvue de sources d'énergie (charbon, électricité, pétrole), de moyens de transport (secours, nourriture et autres) et de communication vers un monde extérieur tout aussi bouleversé.

Il va sans dire qu'aucune défense civile ne peut prétendre résoudre ces problèmes ou les rendre supportables (cf. chapitre 9). La disparition des nations industrielles entraînerait évidemment, par voie de conséquence, des bouleversements considérables dans les pays non industrialisés : d'une part, les retombées radioactives finiraient à plus ou moins longue échéance par atteindre ces régions, augmentant encore la palette des souffrances physiques et morales qui sont le lot quotidien des peuples du tiers monde ; d'autre part, la destruction des potentiels industriels au Nord oblitéreraient définitivement les possibilités de « décollage économique » au Sud, en raison des liens de dépendance technologique et commerciale entre ces deux parties de la planète. La conclusion est claire : même si l'échange nucléaire est « *limité* », les conséquences en sont nécessairement *totales*.

180

En 1970, une étude du physicien allemand, C. F. von Weizsäcker, intitulée *Kriegsfolgen und Kriegsverhütung* (conséquences et prévention de la guerre) soulignait, à propos d'une attaque nucléaire sur la RFA, qu' « une société aussi sévèrement atteinte ne pourra plus concurrencer les sociétés demeurées intactes et ne pourra se reconstruire sans une aide active de leur part ». Weizsäcker ajoutait qu' « il sera tout aussi difficile de la transformer en une société agraire moderne et concurrentielle ; si elle retombe au stade d'une pure économie de subsistance, elle ne sera probablement même pas capable de nourrir tous les survivants[8] ».

Il est de toute façon impossible de s'appuyer sur les exemples d'Hiroshima et de Nagasaki pour tenter une extrapolation, car le Japon tout entier a pu prendre en charge les deux villes martyres. Il faut par ailleurs souligner deux autres aspects :

— la réaction des survivants : les conséquences psychologiques des nouvelles conditions d'existence seraient évidemment très graves et déboucheraient sur des comportements imprévisibles. On assisterait très probablement à des actes de violence et de pillage, dans le cadre du partage des ressources encore éventuellement disponibles. La tentation d'éliminer purement et simplement les blessés pourrait être grande, surtout en l'absence de médecins (dont beaucoup seraient tués ou feraient partie des blessés) et d'hôpitaux ;

— l'instauration d'un régime autocratique destiné à venir à bout des troubles semble très probable.

Aussi aberrant que puisse paraître le « passage à l'acte » en raison des conséquences décrites ci-dessus, il n'en reste pas moins que, selon certaines études anglaises[9], les superpuissances envisagent non seulement leur autodestruction mais également celle des puissances qui pourraient les supplanter pendant le temps nécessaire à leur redressement. Cette stratégie de l'absurde donne plus de poids encore à l'impossibi-

---

8. Cité par Dieter S. Lutz, *op. cit.* (cf. chapitre 1), p. 138-139.
9. Bertrand De Launay, *Le poker nucléaire*, Syros, Paris, 1983.

lité évoquée plus haut de limiter les conséquences d'un échange nucléaire.

Nous retiendrons en résumé que la radioactivité ayant pour caractéristique essentielle d'être incontrôlable dans le temps et dans l'espace, les effets d'une guerre nucléaire seraient par définition impossibles à maîtriser et se feraient sentir graduellement au fil des années consécutives au conflit. La destruction du milieu naturel et des grands équilibres écologiques, aujourd'hui déjà très « avancée », prendrait un caractère nettement irréversible et les mutations génétiques qui pourraient intervenir chez les êtres vivants sont imprévisibles. Les conséquences sociales, politiques, économiques, brièvement évoquées plus haut, impliquent l'effondrement de la civilisation contemporaine. L'ampleur de la catastrophe possible fait clairement apparaître comme une mystification les calculs de probabilité d'occurrence de la guerre, auxquels se livrent certains « responsables » politiques et militaires : lorsque les conséquences d'une seule erreur ou défaillance sont telles, l'urgence n'est pas de s'interroger sur l'importance du facteur risque, mais de reconnaître et faire connaître le caractère proprement inimaginable du désastre occasionné par le moindre dérapage.

Monique Séné

9. La défense civile peut-elle protéger des effets d'une guerre nucléaire ?

Yves Le Hénaff

> « L'État dont je parle aura des citoyens heureux, intéressés à la défense de cette prospérité. »

Comte de Guibert, stratège.
Discours préliminaire, éd. 1803, T. 1, p. 50.

L'expression « défense civile » n'ayant pas la même signification pour le public, les militaires et l'État, il convient de dissiper certains malentendus. Nous présenterons donc d'abord les trois différentes conceptions de la défense civile, pour examiner ensuite les possibilités éventuelles de protection civile dans un conflit nucléaire, chimique et biologique, et enfin la protection civile dans quelques pays étrangers.

I. Les conceptions de la défense civile

La conception civile

Pour le public, la défense civile est synonyme de *protection des civils,* rôle dévolu à la défense passive créée à la veille de la Seconde Guerre mondiale (loi du 11 juillet 1938) à la lumière de l'expérience de la Première Guerre mondiale. La défense passive comprenait l'ensemble des dispositions (protection, abris, secours, etc.) visant à éviter, autant que possible, les affres de la guerre aux populations non combattantes.

Ce souci de protéger les civils au cours des conflits, partagé par les membres de feu la Société des Nations, s'effondra au cours de la Seconde Guerre mondiale avec bien d'autres illusions et fut repris en vain par l'ONU.

Depuis lors, la guerre étant en effet devenue totale, la protection civile est maintenant extrêmement aléatoire, comme le montre l'évolution du nombre des morts militaires et civils. Les chiffres suivants sont tirés du rapport Marcellin-Bonnefous[1] qui omet pudiquement de citer la guerre d'Algérie où les pertes civiles ont été probablement cinq fois plus élevées que les pertes militaires.

NOMBRE DE MORTS (EN MILLIONS)

Guerres	Militaires	Civils
1914-1918	10	0,5
1939-1945	26	24
Corée (1950-1953)	0,1	0,5
Vietnam (1961-1973)	0,15	2

Ainsi, en dépit des mesures de défense passive généralisées au cours de la Seconde Guerre mondiale et par la Convention de Genève de 1949 sur la protection des civils en temps de guerre, c'est précisément après cette guerre que le nombre des civils tués dépasse celui des militaires. Les armes de destruction massive ne peuvent qu'augmenter la proportion des victimes civiles.

Néanmoins, selon nos sénateurs, « il faut ici persuader et convaincre, notamment en faisant prendre conscience de la valeur concrète de la liberté et de l'horreur de l'esclavage », afin de susciter un stoïcisme inébranlable, quelles que soient les folies du pouvoir.

---

1. Sénat, n° 236, deuxième session ordinaire, 1979-1980.

Les militaires ont une conception moins passive de la défense civile. Pour le général G. Vincent (dont le pseudonyme plus martial est G. Vaillant), il s'agit pour la France de montrer « sa volonté d'aller jusqu'au bout [afin de] revaloriser singulièrement la crédibilité de sa force nucléaire [2] ».

Plus concrètement, si l'on en croit une fiche distribuée aux auditeurs des cours 1976-1977 de l'Institut des hautes études de la Défense nationale (IHEDN), la défense civile est tout simplement « la défense non militaire » : « Le but auquel il serait souhaitable de parvenir est de mettre en place un véritable processus de mobilisation civile à l'image de la mobilisation militaire »

Une autre fiche reproduit intégralement un article du général Usureau, paru dans la revue *Défense nationale* d'août-septembre 1973 (« Défense civile et stratégie de dissuasion »), d'où il ressort que, « comme sur le modèle suédois, la défense "globale " du territoire doit comprendre quatre branches : militaire, civile, économique et psychologique ». La défense civile est aidée par la défense psychologique [3] car « si le propre de la guerre nucléaire est l'absurdité, celui de la menace nucléaire est la terreur ».

Pour le général Usureau, il faut avant tout éviter que la panique des civils n'entrave l'action des militaires. Comme en 1940 ? En effet, « vienne cette échéance, et l'impuissance, la dissolution du civisme, l'érosion de la crédibilité d'une volonté de défense à tout prix, risquent de mettre en échec le savant (le général Usureau a commandé l'École supérieure de guerre) processus de la dissuasion (...) bien avant que la montée des périls

---

2. *Défense nationale*, février 1977.
3. Selon les théories d'Einstein, la défense militaire n'en aurait effectivement pas besoin n'utilisant que la seule « épine dorsale ». Ph. Frank, *Einstein, sa vie et son temps*, Albin Michel, 1968, p. 241.

n'ait atteint le seuil à partir duquel la menace se serait logiquement dégonflée pour éviter le bond suprême dans l'absurde, c'est-à-dire le suicide réciproque »...

« Pour faire face à une telle tâche, c'est toute une organisation, bien hiérarchisée, dûment équipée et *instruite* qu'il faut mettre sur pied. » Quant à la « troupe » de la défense civile, il suffit d'utiliser les réservistes : « On y trouverait des éléments capables, en soutien de l'armée, d'animer la résistance à l'invasion puis à l'occupation — ces derniers volets de la dissuasion — pour peu qu'on dispose des simples fusils et lance-roquettes antichars qui sont nécessaires. »

Après le « suicide réciproque » promis par le général Usureau, il est permis de douter qu'on puisse trouver « des éléments capables » et surtout désireux de défendre le capitalisme ou le communisme à coups de fusil ou même de lance-roquettes.

La conception gouvernementale

En Norvège, la défense civile est du ressort du ministère de la Justice. En France, la défense civile relève du secrétariat de la Défense nationale (SGDN). Le SGDN est dirigé « par un général du plus haut rang assisté d'un diplomate » et occupe environ 450 militaires et 250 civils. Les missions de la défense civile ont été définies dans l'article 17 de l'ordonnance du 7 janvier 1959, le jour même de l'entrée en fonction du général de Gaulle comme premier président de la Ve République, dans des circonstances (guerre d'Algérie, sédition militaire, troubles intérieurs) qui ne sont pas étrangères à l'urgence faite à cette ordonnance.

L'organisation de la défense civile fut fixée par le décret du 13 janvier 1965 dont l'article 1er stipule : « Le ministre de l'Intérieur responsable (...) a pour mission de : pourvoir à la sécurité des pouvoirs publics et des administrations publiques ; assurer en matière d'ordre public la sécurité générale du territoire ; protéger les organismes, installations ou moyens civils qui conditionnent le maintien des activités indispensables à la défense et à la vie des populations ; prendre, en matière de protection civile, les mesures de prévention et de secours que requiert en toutes circonstances la sauvegarde des populations ; entretenir et affermir la volonté de résistance des populations aux effets des agressions. » Ainsi définie et constamment améliorée depuis, notamment dans ses premières priorités[4], la défense civile semble tout à fait au point, comme le montre le tableau suivant tiré d'un rapport de l'ENA :

Les buts de la défense civile dans une « société libérale avancée » ont été définis par des comités d'auditeurs de l'IHEDN et approuvés par nos députés[5]. En voici l'essentiel : « L'ordre public (...) recouvre des aspects aussi divers que la tranquillité, la sûreté, la sécurité, la salubrité et la moralité publiques, l'ordre économique, la sauvegarde de l'esthétique et de l'environnement. (...) La défense civile vise essentiellement à assurer la continuité de l'action gouvernementale prise au sens large, à maintenir l'ordre public et assurer la sécurité des personnes et des biens, et à protéger,

---

4. Après mai 1968, une directive du Premier ministre (du 24 décembre 1968) est venue renforcer le dispositif de protection de l'État par des plans de crise intérieure (PCI). Les PCI visent à assurer en toutes circonstances le fonctionnement de 15 services publics (radio-TV, eaux, télécommunications, électricité, gaz, carburants, transports terrestres, maritimes et fluviaux, circulation et transports aériens, PTT, journal officiel, météorologie, finances et voirie) soit par recours à des contraintes légales (affectations individuelles de défense, réquisition...), soit par substitution de militaires par les plans : « Stentor », « Fontaine », « Télémaque », « Étoile », et « Aspirateur ». Rapport ENA, *La sécurité intérieure et extérieure de la France et des Français,* rédigé par le groupe 2 défense civile, coordonateur : Pierre Dabezies, décembre 1977). Le 20 juillet 1970, une nouvelle instruction ministérielle a créé le *Plan général de protection* (PGP) en cas de crise ou de troubles intérieurs. L'application des mesures prévues est confiée aux services spécialisés dans la recherche du renseignement (RG), aux 200 000 hommes des forces spécialisées du maintien de l'ordre (police, CRS et gendarmeries) et aux forces armées.
5. *Assemblée nationale,* n° 1292, première session ordinaire 1979-1980, annexe 54, t. III, p. 66.

PERMANENCE ET PROGRESSIVITÉ DE LA DÉFENSE

Situation	Normale	Crise intérieure non insurrectionnelle ; grèves	Crise intérieure insurrectionnelle avec ou sans menace extérieure	Menace extérieure avec ou sans troubles intérieurs	Conflit
		DÉFENSE CIVILE		D.O.T.	
				Couverture générale situation 1	Situation 2 puis situation 3
RÔLE DE DÉFENSE	– maintenir l'ordre public – protéger les personnels – sauvegarder les installations et les ressources d'intérêt général	Sécurité générale du territoire – garantir la liberté d'action du gouvernement (protection des points clés) – satisfaire les besoins essentiels de la population	– protéger les points sensibles prioritaires (FNS et d'intérêt gouvernemental) – renforcer le potentiel des forces de maintien de l'ordre	– protéger les points sensibles principaux (FNS et d'intérêt gouvernemental) – détruire éléments adverses infiltrés – assurer sécurité de la mobilisation – participer à la mise en œuvre du PGP	S 2 : aggravation S 1 préparation S 3 S 3 : aide forces de manœuvre militaires
Mesures		Mise en garde (mobilisation partielle)		Mobilisation générale	
État juridique	Normal	État d'urgence	État d'exception		État de siège
PLANS	Normal	Plans de crise	Plan général de protection		Plans de défense
Moyens : – civils – militaires	– Forces d'active – *Rappel* – Gendarmerie – spécialistes	Moyens normaux de maintien de l'ordre public	Rappels sélectifs		Tous moyens mobilisés

non seulement matériellement, mais aussi moralement, la population.

« ... Matériellement, cela ne concerne pas le seul secteur de la protection civile, mais la défense civile en général, notamment lorsque des grèves (sic !) paralysent la vie du pays, et tout porte à penser que de telles menaces se multiplient. (...) Les missions de la protection civile sont de trois ordres : prévenir et informer, protéger et secourir. Actuellement les moyens et les crédits qui lui sont affectés sont extrêmement faibles, et les abris, par exemple, sont presque inexistants. (...) Cependant on peut se demander si une diminution de la vulnérabilité de notre population ne montrerait pas à l'adversaire notre volonté de défense et n'augmenterait pas la crédibilité de notre dissuasion.

« ... La protection civile se poursuit même en cas d'occupation du territoire. (...) Une information plus complète devrait être fournie à la population (action psychologique) sur les moyens de réduire les effets des bombardements, pour démystifier (sic !) les dangers nucléaires. (...) Toutefois, cette action psychologique devrait être menée prudemment et très progressivement afin de ne pas provoquer un sentiment de panique parmi la population.

« ... Il faudrait prévoir des abris pour :

— les responsables importants du pays, les grands organes de commandement, de transmission ;

— la population indispensable qui resterait sur place pour continuer la production ;

— la protection des œuvres d'art et des valeurs importantes.

« Dans le cas d'immeubles neufs, des parkings souterrains pourraient être rendus obligatoires. (...) Des plans d'évacuation seraient à prévoir en profitant de l'expérience acquise lors des grands départs en vacances. (...) La constitution d'abris individuels ou collectifs pourrait être encouragée sur le modèle suisse, à l'aide d'éléments-blocs préfabriqués suivant des normes et enfouis sous dix mètres de terre. »

Pour les sénateurs Marcellin et Bonnefous, la

défense civile est une « ardente obligation ». Cependant, « il n'est aucunement question (...) ni d'organiser l'évacuation des grands centres urbains, (...) ni d'engager la France dans un vaste programme de construction d'abris (...) à l'exception, bien entendu, des réalisations destinées à soustraire à tous les effets d'une agression atomique les centres de commandement civils et militaires ». Ce qui explique l'affectation des 77 millions de francs (MF) de crédits d'équipement attribués à la défense civile, entre 1976 et 1979, dans le respect des priorités gaulliennes : « 25 MF pour la modernisation des postes de commandement et des liaisons gouvernementales ; 22 MF pour le réseau des sirènes d'alerte (55 % de la population peut être avertie) ; 9 MF pour l'information du gouvernement et des populations en temps de crise ; 4,4 MF au ministère de la Santé pour des laboratoires et postes de secours mobiles ; le reste a été utilisé pour améliorer la détection radio et les transmissions, pour imprimer des tickets de rationnement (nourriture, carburants...) et pour diverses actions de sécurité civile dont le recensement des abris existants. »

Cependant, « des études précises adressées au gouvernement établissent qu'en cas de guerre nucléaire, la protection civile se révèlerait efficace. (...) Un préalable : la nécessaire évolution des mentalités. (...) La première idée à accréditer [dans le public] est que le conflit *n'équivaut pas nécessairement à l'apocalypse* ». Jusqu'à présent, « cette action psychologique (...) n'a cessé d'être lénifiante, et donc de minimiser les risques, parce qu'elle reposait sur le souci de ne pas infirmer indirectement la doctrine officielle, et aussi sur la crainte de déclencher prématurément des comportements irrationnels et incontrôlables. (...) Le ministre de l'Intérieur doit faire en sorte que la population soit préparée (...) à des mesures d'autoprotection ».

« En Suisse, (...) le coût unitaire d'une place d'abri a été chiffré à 2 350 FF. » Et nos sénateurs seraient éventuellement prêts à considérer un projet français : « Le coût de construction d'abris (pour les populations urbaines et rurales exposées uniquement) serait de l'ordre de 90 milliards de F [le budget militaire de l'année en question, 1980, était de 105,4 milliards de F]. En étalant sa réalisation sur 15 ans et en admettant que l'État finance le programme à 50 %... »

Bien qu'il s'agisse de se protéger contre une guerre absurde, on souhaiterait que la protection des civils ne le fût pas. Tout d'abord l'État ne finance rien, le contribuable tout. De plus, au tarif des abris suisses et compte tenu de l'inflation, 90 milliards sur 15 ans permettraient juste d'abriter 40 % de la population actuelle. Les autres ne seraient-ils pas exposés ? Ou seraient-ils définitivement à l'abri comme l'indique un rapport interne de février 1979 du Comité des plans d'urgence de l'OTAN : « Plus de la moitié de la population des pays industrialisés pourrait espérer survivre à l'échange initial, mais des mesures de protection civile devraient être prises d'urgence pour en prolonger la survie malgré les retombées [radioactives]. »

En ce qui concerne les mesures d'urgence, le budget du SGDN est passé de 50,9 MF en 1979 à 67,9 MF en 1983, soit un peu plus d'1 F par habitant et par an. A titre de comparaison, voici quelques budgets pour 1983 :

— ministère de la Défense : 158 900 MF
— SDECE (espionnage et contre-espionnage) : 303 MF (budget 1982)
— SIRPA (Informations et relations publiques des armées) : 57,8 MF.

Pour le général G. Vincent, « il est évident que la conscience que rien de sérieux ni d'efficace ne serait prêt pour leur protection immédiate et leur sauvegarde serait de nature à saper le moral des populations ». Qui plus est, selon Marcellin et Bonnefous, « sans cette politique de mise à l'abri de la population, (...) on peut douter que notre dispositif de défense, dans son ensemble, recueille la totale adhésion du pays et soit considéré comme pleinement opérationnel par les puissances étrangères ». Remise en cause à l'intérieur, ridiculisée à l'extérieur, que devient l'autorité de l'État ?

Après 23 ans de tranquillité due à l'action psychologique lénifiante de l'ancienne majorité, le sénateur RPR J. Delong[6] attaque enfin le gouvernement :

« *Question* : M. Jacques Delong appelle l'attention de M. le ministre d'État (…) sur l'inexistence dans notre pays d'une protection des populations contre le risque nucléaire, en particulier militaire. (…) Une telle situation entraîne d'énormes responsabilités de la part du gouvernement en cas d'attaque nucléaire et le cas n'est malheureusement plus utopique. La vie de millions de Français est mise en jeu et en outre notre propre défense nucléaire est rendue peu crédible puisqu'il n'y a pas de défense de la population à la merci soit d'une attaque, soit des représailles d'un ennemi.

« *Réponse* : les trois quarts des villes de plus de 4 000 habitants peuvent être alertées. (…) Un système téléphonique est étudié pour les campagnes. (…) En matière de protection des populations, le recensement des abris existants qui offriraient une sécurité suffisante contre les retombées [radioactives] est entrepris. (…) De même, s'achève l'étude des caractéristiques techniques à donner aux bâtiments en chantier. (…) Parallèlement les autorités civiles et militaires étudient le réseau routier. »

Comme les parlementaires de l'ancienne majorité, ceux de la nouvelle ne sont pas tous satisfaits du budget de la défense civile. Le député socialiste J. Huyges des Étages signale[7] que la Suisse dépense 200 fois plus que la France dans le domaine de la défense civile, avant de recommander néanmoins l'adoption du budget 1983 du SGDN.

Cédant finalement aux pressions des élus, le nouveau gouvernement a décidé un effort exceptionnel en matière de défense civile. Le député socialiste H. de

6. *Journal officiel des débats,* 3 avril 1982.
7. *Assemblée nationale,* n° 473, Défense, t. III, p. 15.

Gastines[8] révèle que dorénavant certains postes budgétaires seront comptabilisés au titre de la défense civile, laquelle disposera ainsi de 3 milliards de F en 1983 — 60 fois plus que sous le précédent gouvernement par la seule magie d'un jeu d'écriture —, dont :

- plus d'un milliard de F du budget (inchangé !) du ministère de l'Intérieur ;
- 811 MF du ministère des Relations extérieures et de la Coopération, dont 677 MF au titre de l'assistance militaire aux pays africains et 135 MF pour la protection de nos ambassades ;
- 261 MF des PTT utilisés, entre autres, pour le maillage prévu du réseau ;
- 72,5 MF de TDF (financés par la redevance) pour la protection des émetteurs, etc.

S'il s'agit de protéger la moralité des Français, selon J. Cressard, les forces de l'ordre devraient effectivement suffire. S'il s'agit de protéger le gouvernement contre les Français, c'est déjà moins sûr, comme le général de Gaulle l'apprit à ses dépens en 1968. Mais s'il s'agit de protéger la population française dans un conflit nucléaire, chimique et biologique — une guerre « totale » comme la prévoient les Russes —, la défense civile psychologique libérale ou socialiste ne suffira pas. L'idéal semble être un abri numéroté en Suisse. Avec sa franchise coutumière à l'égard des populations occidentales exclusivement, Khrouchtchev résumait ainsi la situation : « Les survivants envieront les morts. »

II. La protection civile dans une guerre nucléaire

La protection civile en France doit être maintenue dans le brouillard, par la force des choses. Aucun

---

8. *Assemblée nationale,* n° 1165, première session ordinaire 1982-1983, annexe 35.

scénario réaliste n'a été publié concernant la guerre nucléaire pour éviter « des comportements irrationnels ». Sans parler du coût, ni de sa possibilité, quelle efficacité pourrait-on attendre d'une protection de 100 % de la population ? 20 millions de morts au lieu de 30 millions ? Certes, 10 millions de moins ne seraient pas négligeables, mais il faudrait avouer publiquement la possibilité d'une vingtaine de millions de victimes et déchaîner immédiatement 50 millions d'individus incontrôlables. Politiquement impossible, à droite comme à gauche. D'où la « défense civile », plus chargée de l'encadrement — pour ne pas dire la militarisation — que de la protection des civils qui « se poursuivrait même en cas d'occupation du territoire ».

L'assemblée de l'Union de l'Europe occidentale[9] n'en a que plus de mérite de nous révéler le scénario suivant, aussi faible soit-il : « On a considéré que la base des sous-marins nucléaires de Bretagne, la base des missiles de Haute-Provence et Paris constitueraient trois objectifs probables en cas d'attaque nucléaire. On a estimé que 14 bombes d'une mégatonne explosant au sol contre ces trois objectifs provoqueraient 400 000 morts au cours de la première minute et 6,5 millions de victimes du fait des retombées radioactives au cours des mois suivants, les retombées des trois explosions se partageant suivant trois bandes à travers l'ensemble du territoire français. »

Une étude analogue au Royaume-Uni (Operation Square Leg, décembre 1980) envisageait une attaque de 130 armes nucléaires d'une puissance totale de 200 mégatonnes. Le nombre des survivants ne fut pas précisé officiellement mais un auteur l'évalua à 16 millions à court terme, sur 57 millions d'habitants[10].

Pour simplifier, limitons-nous aux armes de « théâtre » et plus encore aux seuls missiles SS-20 russes

---

9. *Document* 838 du 29 avril 1980.
10. ROGERS, DANDO et VAN DEN DUNGEN, *As Lambs to the Slaughter,* Arrow/Ecoropa, 1981 (cf. Bertrand DE LAUNAY, *Le poker nucléaire,* Syros, Paris, 1983).

porteurs de trois MIRV de 150 kt (cf. chapitre 1). La ville d'Hiroshima fut détruite par une bombe de 12,5 kt « seulement » : 66 000 tués, plus de 70 000 blessés dont la moitié mourront avant un an ; seuls 3 hôpitaux sur 45 sont utilisables ; sur 150 médecins, 65 sont tués et la plupart des survivants blessés ; sur 1 780 infirmières, 1 654 sont mortes ou trop grièvement blessées pour travailler (cf. chapitre 8).

Contre les villes, plusieurs petites bombes explosant en altitude sont plus efficaces qu'une grosse et la France ne compte que 20 villes de plus de 250 000 habitants. Supposons donc que le gouvernement soviétique utilise des SS-20 porteurs de trois ogives de 150 kt : deux missiles suffiraient pour Paris et sa banlieue, un seul pour chacune des quatre agglomérations : Lyon, Lille-Roubaix-Tourcoing, Marseille et Bordeaux, enfin une seule ogive pour chacune des grandes villes restantes, soit une douzaine de SS-20 en tout.

Les bases militaires protégées, comme l'Ile Longue ou le plateau d'Albion, sont plus facilement détruites par des bombes de 1 Mt, lesquelles, en explosant au sol, creusent un cratère de 400 m de diamètre jusqu'à 100 m de profondeur. Dans ce cas, près de 5 000 tonnes de matériaux divers radioactivés montent dans le champignon et retombent sous le vent, contaminant environ 1 500 km^2 rendus ainsi inhabitables pendant plusieurs mois (pour les sites de centrales nucléaires, cf. chapitre 8). Au total, avec deux (ou trois pour tenir compte des ratés) douzaines de missiles SS-20 et sans beaucoup se démunir, les Russes pourraient largement neutraliser la France.

Après la Seconde Guerre mondiale, des études anglaises concernant les effets des bombardements ont montré qu'une personne dans un abri courait dix fois moins de risques d'être blessé que debout au-dehors. Des marchands « d'abris atomiques » n'ont pas hésité à utiliser ces chiffres pour promouvoir leurs ventes sans toutefois pousser le ridicule jusqu'à proposer de les enfouir « sous 10 m de terre » selon le vœu de nos députés. « Les experts helvétiques estiment qu'à une distance de 2,6 km du point d'explosion d'une bombe d'une mégatonne, il est possible de protéger les populations de façon sûre contre tous les effets des armes nucléaires. » Ce qui signifie en bref que les abris sont efficaces uniquement contre les retombées, radioactives ou non.

Cependant, les problèmes posés par la guerre nucléaire sont beaucoup plus complexes et dépassent de très loin la question des abris. Rappelons tout d'abord que l'extrême rapidité des missiles rend toute alerte très aléatoire en raison du très bref délai laissé à la population pour gagner les abris. En ville, les explosions nucléaires créent des tempêtes de feu (cf. chapitre 8) alimentées bien au-delà du point d'explosion par les fuites de gaz, les courts-circuits électriques et l'essence des voitures, comme à Hambourg, Dresde et Tokyo pendant la dernière guerre ; les gens meurent asphyxiés dans les abris. Notons qu'au-delà de quelques kilomètres, le délai observable avant l'arrivée des retombées laisse le temps d'atteindre les abris. Mais la radioactivité résiduelle à l'extérieur pose évidemment d'énormes problèmes de survie (cf. chapitre 8).

Les Anglo-Saxons ont décrit et publié avec force détails les effets d'une guerre nucléaire massive. Dans un article intitulé *L'illusion de la « survie »* [11], H. J. Geiger, professeur de médecine sociale à New York écrit : « C'est s'attaquer à un paradoxe que de tenter d'évaluer et de décrire les conséquences d'une attaque thermonucléaire sur une grande ville. D'une part, la nature et l'importance des effets d'une attaque nucléaire hypothétique — mais éminemment possible — sont parfaitement prévisibles par des calculs directs et peu compliqués. D'autre part, en dépit de ces prévisions, les effets — nombres de morts et de blessés, destruction de nos habitats, détérioration de l'écosphère — sont inévaluables. » Les effets des grandes catastrophes naturelles ou celles d'Hiroshima et de Nagasaki ne sont pas comparables, dit-il, car « au cours

---

11. *Bulletin of the Atomic Scientist,* juin-juillet 1981.

d'une guerre nucléaire totale aujourd'hui, nous n'aurions aucune aide extérieure à attendre ». En conclusion : « Bien que le problème de la santé publique en cas de guerre nucléaire soit sans précédent, ce type de danger n'est pas inconnu du monde médical, souvent confronté à des maladies incurables. Dans de tels cas, la seule stratégie médicale (et sociale) disponible est la prévention. »

C'est également l'avis d'une commission d'enquête du Collège royal des généralistes anglais [12] : « Les instructions envoyées [par le gouvernement] au corps médical sur les mesures à prendre en cas de guerre nucléaire sont complètement irréalistes, inadéquates et illusoires ; (...) le corps médical sera complètement désarmé. » Un article du Dr M. Eastwood [13] conclut en ces termes : « Le corps médical doit donc consacrer beaucoup de temps et d'efforts pour prévenir cet événement redoutable. »

C'est sans doute l'avis de MM. Marcellin et Bonnefous, pour lesquels « le ministre de la Santé est chargé de la très lourde responsabilité (...) d'organiser et d'assurer les soins aux victimes civiles et éventuellement militaires ». Les autres ministères sont également mis à contribution : l'Agriculture et l'Industrie doivent constituer et gérer des stocks de guerre, mais ils n'en ont jamais reçu les moyens. Le ministre de l'Éducation aussi, depuis 1964, est chargé « d'une action éducative portant sur la nature des risques que courent les sociétés modernes ». Mais la guerre nucléaire est un sujet tabou et l'action offrant moins de risques de rejet, il a prévu d'organiser des « classes vertes » dans le Massif central « pour assurer, au moins, la protection d'un certain nombre d'enfants » (cf. note 4).

Le Service national de la protection civile, dépendant du ministère de l'Intérieur, est également chargé d'une mission éducative, et diffuse théoriquement un opus-

---

12. *Le quotidien du médecin,* 15 novembre 1982.
13. M. Eastwood, « Médecine de guerre nucléaire : une impasse clinique », *The Lancet,* vol. 1, 1981, p. 1252.

cule *Savoir pour vivre* sinon confidentiel du moins introuvable [14]. Pour banaliser le problème cet opuscule de 55 pages traite les accidents domestiques, de loisirs ou de la route sur un pied d'égalité avec l'explosion nucléaire — sous le titre « la radioactivité » —, et prétend donner « les moyens de se protéger de ses effets ». « Tout d'abord, il faut bien savoir que, si une telle catastrophe se produisait, le Service national de la protection civile serait capable d'apporter une aide certaine à la population. » Viennent ensuite la manière d'aménager son refuge et la coupe verticale d'un immeuble indiquant les coefficients de protection des pièces. Facétie du dessinateur ? les pièces centrales (mieux protégées) des étages 6 et 7 s'effondrent sous le poids des réfugiés. Des dessins précisent l'équipement de l'abri : les produits de beauté y figurent, mais pas la trousse à pharmacie. Le texte se veut instructif : « Souvenez-vous que les doses de radioactivité reçues, même à plusieurs jours d'intervalle, s'additionnent et qu'il y a un total à ne pas dépasser. C'est le " seuil " à partir duquel le danger devient réel. »

Le manuel de la Croix rouge (éd. 1975, p. 314) n'est guère rassurant au sujet des explosions atomiques : « A moins d'être au voisinage de l'explosion (auquel cas on n'a évidemment à se préoccuper de rien), on a une ou deux secondes pour : se jeter à plat ventre sur le sol, la tête dans les bras, en s'abritant derrière un mur ; (...) se cacher la tête et les mains sous les vêtements, et (...) attendre les retombées. »

Dans la revue scientifique *Radioprotection* [15], le président de la Société française de radioprotection, le général R. Marchand donne plus de détails : « La radioprotection du temps de guerre a pour principe d'éviter toute irradiation, et devant l'impossibilité de le faire, elle fixe des doses maximales. » Les mesures de protection indiquées sont les suivantes :

---

14. Bien que « périodiquement remis à jour », selon *Le Monde,* la dernière (et seule ?) édition remonte à 1974.

15. Vol. 12, n° 3, 1977, p. 296.

« — contre le rayonnement nucléaire initial : l'éloignement par rapport au point d'explosion ;
— contre les effets thermiques : l'éloignement par rapport au point d'explosion ;
— contre les effets de choc ou de souffle : l'éloignement par rapport au point d'explosion ;
— contre les retombées radioactives : l'utilisation de longue durée d'écrans protecteurs lourds. »

Si c'est là la seule « information plus complète devant être fournie à la population sur les moyens de réduire les effets des bombardements et démystifier les dangers nucléaires », on peut redouter dès maintenant que certains sceptiques — tels le sénateur J. Delong — exigent des auteurs une démonstration réellement convaincante de l'efficacité d'une telle « défense civile ».

Quoiqu'il en soit, on sait qu'au cours des hécatombes des guerres passées les victimes ont toujours été tacitement réparties en trois groupes : ceux qui, avec ou sans soins, s'en sortiraient et dont on ne s'occupait pas, ceux qui s'en sortiraient difficilement et dont on feignait de s'occuper, et les autres, plus ou moins nombreux, dont on s'occupait avec les moyens du bord.

L'objectif de la « défense civile » étant avant tout de maintenir les structures gouvernementales le plus longtemps possible en évitant la panique des populations, les zones sinistrées seront traitées de la manière évoquée ci-dessus et tout d'abord bouclées par les militaires. Dans le livre *Protest and Survive,* E. P. Thompson cite le maréchal de l'Air Sir L. Mavor, directeur du Home Defense College : « Les principales zones-cibles seraient si durement frappées qu'elles ne pourraient plus se rétablir d'elles-mêmes. Elles devraient être laissées pour compte jusqu'à ce que les régions voisines récupèrent suffisamment pour leur venir en aide. » Dans une brochure intitulée *Comment survivre à l'âge nucléaire,* le parti écologiste anglais publie deux documents confidentiels du ministère de l'Intérieur où l'on peut lire : « On doit s'attendre à ce que la radioactivité ambiante interdise les secours organisés pendant des jours ou des semaines après l'attaque. Il ne faudrait pas gaspiller le personnel médical, vital pour l'avenir, en l'autorisant à pénétrer dans les zones contaminées où les victimes auraient, de toute manière, peu de chance de s'en sortir à long terme. »

Le secret entretenu par tous les gouvernements français successifs autour des plans ORSEC-RAD et de la protection civile en temps de guerre ne parvient pas à masquer leur totale impuissance. Mais leur réponse est prête : « La protection de la population civile est opposée au principe même de la dissuasion. » L'électeur profane sera éventuellement convaincu par des discours sur l'avancement du dispositif d'alerte, le recensement des abris, etc., indispensables au « maintien du moral de la nation ». Toutefois, le « principe du maintien sur place » et la politique du « desserrement » sont suffisamment ambigus pour laisser place à n'importe quelle interprétation en temps de guerre.

III. Quelle défense civile ?

En France

Le gouvernement français a donc choisi seul la défense nucléaire, prétendant ainsi mieux remplir son contrat : protéger la population. Or une guerre nucléaire avec l'URSS « qui n'est malheureusement plus utopique » provoquerait en France des dizaines de millions de victimes. La population se trouve ainsi confrontée à ce dilemme absurde : périr rapidement (sans abris) ou lentement (avec abris).

C'est sans doute pour cette raison que H. York [16]

16. Participa à l'élaboration de la bombe A pendant la guerre 1941-1945, fut le premier directeur du laboratoire militaire de Livermore (États-Unis) puis à la tête des recherches militaires au département de la Défense sous Eisenhower et Kennedy, et conseiller scientifique de Johnson. Cf. son livre *Race to oblivion* (La course au néant), Simon & Schuster, New York, 1970.

abandonna ses fonctions voyant que « la sécurité militaire des États-Unis n'avait cessé de diminuer à mesure que sa puissance militaire augmentait ». Il en concluait que la sécurité d'un pays ne pouvait plus être fondée sur sa puissance militaire.

L'objectif devant être atteint au moindre coût sur le plan strictement militaire, notons qu'il existe pour le « suicide réciproque » cher au général Usureau, quantités de moyens chimiques et biologiques infiniment moins épuisants que la course aux armements nucléaires. L'efficacité de la dioxine n'est plus contestée, le bacille du charbon avec lequel fut contaminée l'île anglaise de Gruinard en 1942 la rendra inhabitable pendant plus d'un siècle, et la grippe traverse les continents. Et rien n'empêche nos savants de trouver « mieux ». D'autant plus que, selon l'avis autorisé du médecin principal de réserve M. Mailloux, chef de laboratoire à l'institut Pasteur, « l'arme biologique n'est pas une arme mystérieuse, terrifiante et difficile à manier. Au contraire, elle peut se révéler efficace, moins " inhumaine " que ne le sont les armes conventionnelles, et surtout l'arme nucléaire [17] ».

Au mépris des traités signés, nous avons déclenché la guerre des gaz en 1914-1918, mais nous n'avons pas signé la Convention internationale du 10 avril 1972 sur l'interdiction des armes biologiques, prétextant l'insuffisance des moyens de contrôle ; tous les « espoirs » sont donc permis [18]. D'autant plus que, comme pour le nucléaire, la population n'a pas été consultée.

---

17. *Le médecin de réserve*, 74-2, mars-avril 1978.
18. C'est l'avis du colonel Meyer, commandant de l'école NBC de Grenoble, interviewé dans *Latitude* de juillet-août 1982. D'après le Bottin administratif (éd. 1979, p. 33), cette école « est chargée de l'instruction scientifique et technique pour la mise en œuvre des armes nucléaires, biologiques et chimiques ». Aux journées « Science et défense » organisées à l'École polytechnique en avril 1983, les orateurs ont beaucoup insisté sur l'aspect « défense » des recherches sur les armes chimiques et biologiques en France. Citant une étude de J. P. Robinson, du SIPRI, ils dénoncent les stocks d'armes chimiques

201

En ce qui concerne les armes chimiques, les moyens de détection sont pour l'instant pratiquement nuls. Dès les premiers décès, il est en effet trop tard pour une protection quelconque. Selon le rapport de l'assemblée de l'UEO précité, « la France ne prévoit pas de protection contre les agents chimiques pour l'ensemble de la population, car elle considère qu'il est impossible, avec les moyens ordinaires, de se protéger contre les gaz neurotoxiques ». Certes, mais pour « les responsables importants du pays » on utilisera, s'il le faut, des moyens extraordinaires. Pour le soldat, la protection comporte tous les avantages et les inconvénients de la vie en scaphandre étanche, mais les derniers modèles opérationnels permettent tout de même de boire...

« Un terme doit être mis à ce manque de confiance des gouvernants dans la maturité des Français, à cette croyance qu'ils ne peuvent se comporter, à l'image des autres peuples, de manière raisonnable et disciplinée », écrivent MM. Marcellin et Bonnefous sans préciser de quels autres peuples il s'agit.

Toutefois : lorsque le budget de la défense civile sert avant tout à protéger le gouvernement ; lorsque les places d'abri sont en priorité pour « les responsables importants du pays et les œuvres d'art » ; lorsque la politique est au « maintien sur place » des populations mais qu'il faut profiter de notre « expérience des grands départs de vacances » — 300 à 400 morts sans ennemi — pour organiser le « desserrement des populations »[19] ; lorsque le budget militaire représente près de deux mois de labeur par travailleur et que ceux-ci sont conviés à « l'autoprotection » ; lorsque le gouvernement n'ose pas le lui dire de peur qu'il ne mette sa

---

américains et soviétiques, mais se gardent de signaler que, selon cette même étude, la France est le troisième détenteur d'armes chimiques au monde.

19. « On envisage l'évacuation de régions particulièrement menacées telles que l'ouest de la Bretagne et, éventuellement, la réduction partielle de la population des villes, afin de ne pas offrir à l'adversaire de cibles démographiques trop importantes ». Rapport cité de l'UEO.

politique de défense en doute et ne devienne « irrationnel et incontrôlable » ; lorsque l'armée elle-même doute de la dissuasion et, forte de l'expérience des civils pendant l'Occupation, les exhorte à résister aux lance-roquettes... Est-il raisonnable d'être raisonnable comme le voudraient nos parlementaires ?

Dans quelques pays étrangers

La défense civile à l'étranger doit être examinée séparément selon qu'il s'agit de pays neutres ou presque (Autriche, Finlande, Suède, Suisse) ou de pays directement menacés (pays de l'OTAN et du Pacte de Varsovie). Rappelons en effet que la défense civile n'a de chances d'avoir une efficacité quelconque qu'assez loin des zones d'impact des armes nucléaires et des retombées radioactives. Pour des raisons évidentes, les pays les plus urbanisés, à forte concentration de population, sont également les plus vulnérables aux attaques nucléaires [20] et les moins favorisés quant à une éventuelle protection civile. Enfin, la protection contre les armes nucléaires se révélant impossible pour la majorité de la population des pays engagés, il est partout politiquement maladroit d'annoncer la proportion des sacrifiés.

A l'Ouest, la protection civile dans les pays menacés est directement proportionnelle à leur niveau de démocratie, c'est-à-dire à l'influence de la population dans les affaires publiques. Aussi l'opposition aux armes nucléaires est-elle la plus importante là où les gouvernements — les plus démocratiques — ont dû informer honnêtement la population. La RFA doit être évidemment considérée à part, en raison de sa situation de « champ de bataille » obligé (cf. chapitre 12).

---

20. D'infatigables chercheurs scientifiques ont mis au point la bombe au cobalt — extrêmement contaminante — à l'intention particulière des civils des pays vastes ou à faible densité de population que sont l'URSS et la Chine.

Ceci explique, entre autres, pourquoi l'opinion publique danoise et norvégienne a réussi à empêcher l'implantation d'armes nucléaires sur son sol et lance des initiatives pour une zone nordique dénucléarisée ; pourquoi, d'après le rapport cité de l'OTAN (février 1979), la défense civile est plus avancée au Danemark, en Norvège et aux Pays-Bas que dans les autres pays de l'OTAN. Cette information du public explique également les manifestations plus importantes contre les armes nucléaires en Angleterre, aux Pays-Bas, en Belgique, en RFA et même aux États-Unis.

Pour des raisons évidentes, Marcellin et Bonnefous s'étendent longuement sur « l'effort gigantesque » de défense civile en URSS qui semble inspirer nettement nos dirigeants bien qu'ils s'en défendent : « Le programme est hiérarchisé ; (...) la protection des dirigeants est jugée plus importante que celles des travailleurs qualifiés d'essentiels, eux-mêmes privilégiés par rapport au reste des Soviétiques. » Les deux sénateurs estiment que « la défense civile en URSS traduit assez normalement les caractéristiques propres du système social (hiérarchie entre les citoyens, bureaucratisation...). Mais, par l'effet totalitaire, ces caractéristiques, qui sont justement perçues négativement en Occident, renforcent la défense civile. (...) Elle atteint par surcroît un but idéologique en donnant à la population le sentiment d'être menacée par l'Occident. » La même politique chez nous, « par l'effet libéral », devrait évidemment être perçue « positivement ».

Deux articles[21] de F. Kaplan, spécialiste au MIT (Massachussett Institut of Technology), ramènent les choses à leur juste mesure : « Le programme [de protection civile en URSS] existe essentiellement sur le papier. (...) Même si la population pouvait être protégée de manière adéquate, les abris existants sont rarement pourvus d'eau et plus rarement encore de stocks de nourriture. »

---

21. « Le mythe de la défense civile soviétique », dans le *Bulletin of the Atomic Scientists,* mars et avril 1978.

Pourquoi opposer des régimes qui cherchent à s'imiter ? Parce que la défense civile, comme prolongement de la défense militaire, est un excellent moyen de maintenir l'ordre intérieur, de créer une mentalité obsidionale rassemblant la population autour du chef, et d'affirmer l'autorité de l'État, quel qu'il soit. C'est vrai à l'Est comme à l'Ouest.

En Suède, la protection civile est assurée par la coordination sur un pied d'égalité des organes administratifs avec leurs équivalents militaires en toutes circonstances et à tous les échelons. Depuis 1945, toute construction nouvelle — habitation, industrie ou commerce — doit avoir un abri. Chaque année, 150 000 abris sont construits et plus de 70 % de la population est pourvue. En cas de besoin, des plans sont prévus pour évacuer 4 millions de civils. La défense psychologique est simple : la censure n'existe pas, fut-ce en temps de guerre.

En Suisse, la défense civile est du ressort du département de Justice et de Police, la population est déjà abritée à 90 % pour 50 FS par an et par habitant. Sur le plan médical, 70 000 lits d'hôpitaux souterrains ont été aménagés et 120 000 autres sont prévus. Un manuel de 320 pages distribué à chaque foyer explique : la paix, la guerre atomique, chimique et biologique et ses effets, la subversion, la résistance à l'occupant aussi bien que l'aménagement des abris. Si défense psychologique il y a, elle est dans « l'information franche et complète des populations » qu'admirent Marcellin et Bonnefous. Les Suisses nous disent fort justement : « Vous avez les bombes, nous avons les abris. » Mais « la France n'est pas la Suisse » disait de Gaulle, hautain.

Toutefois, avant de solliciter « l'adhésion des populations à sa politique de défense » avec quelque chance de succès et avant de donner en exemple la défense civile en Suède et en Suisse, le gouvernement français aurait intérêt à prendre des leçons de démocratie en s'efforçant d'assurer l'attachement des citoyens à leur société et leur « volonté de défense » (cf. chapitre 14).

Ces quelques exemples montrent que la défense civile en cas de guerre nucléaire peut tout au plus avoir un sens et une réalité dans les pays neutres, non directement exposés, et à structure politique relativement démocratique. Ceux-ci sont en effet « seulement » menacés des retombées radioactives lointaines, nullement négligeables cependant.

L'impuissance des structures politiques, administratives et médicales dans un pays directement touché par la guerre nucléaire est évidente. Dans ce contexte, tout programme de défense civile ne peut apparaître que comme une tentative dérisoire d'entretenir le mythe de l'efficacité des « responsables » politiques. La défense civile présente donc un caractère essentiellement psychologique et son aspect le plus pernicieux est sans doute, en banalisant la guerre nucléaire et ses conséquences, d'exclure un peu plus les citoyens des choix qui les engagent directement, en suscitant leur adhésion aux politiques les plus démentes et en garantissant de leur part cette acceptation de l'inacceptable dont les responsables ont tellement besoin pour « œuvrer en paix ».

Yves Le Hénaff

10. A quoi servent les négociations Est-Ouest ?

Jean Klein

Depuis la fin de la Seconde Guerre mondiale, le désarmement est inscrit en permanence à l'ordre du jour de l'Assemblée générale des Nations unies et fait l'objet de négociations quasiment ininterrompues. Bien que les résultats enregistrés jusqu'à présent soient modestes, tous les États affirment qu'ils sont attachés à cette cause et qu'ils ne ménageront pas leurs efforts pour la faire triompher. Les débats actuels sur les euromissiles et les prises de position des dirigeants américains et soviétiques en faveur de la réduction de leurs arsenaux témoignent éloquemment de cet état d'esprit et tout se passe comme si l'on avait pris conscience du fait qu'une concertation permanente entre les puissances nucléaires était nécessaire pour prévenir la guerre et qu'une réduction contrôlée des armements pouvait contribuer à renforcer la sécurité internationale.

Toutefois, cette unanimité de façade masque mal des divergences réelles quant au but poursuivi et aux méthodes à appliquer pour l'atteindre. En effet, le désarmement est un concept ambigu qui donne lieu à des interprétations multiples. Pour les uns, il s'agit de parvenir à une limitation générale des armements et des forces armées et de favoriser ainsi l'instauration d'une autorité publique à compétence universelle qui prendrait en charge la fonction de sécurité des États. Pour d'autres, le désarmement ne doit tendre qu'à l'ajustement des équilibres militaires. Certains envisagent une limitation régionale des armements alors que d'autres plaident pour des mesures applicables à tous les États. Enfin, on a suggéré et parfois mis en œuvre un désarmement limité à certains types d'armes comme les armes chimiques, biologiques et nucléaires.

I. Du désarmement à la maîtrise des armements

Par-delà la diversité des points de vue, le désarmement peut se définir comme une entreprise concertée entre États disposés à limiter leurs armements en temps de paix pour des raisons d'ordre politique, économique ou militaire. Ainsi, les pays membres du Pacte de Varsovie sont enclins à voir dans la réduction des forces en Europe un moyen de consolider la détente politique, voire de la rendre irréversible. Les pays du tiers monde sont surtout sensibles aux gaspillages provoqués par la course aux armements et émettent le vœu que les économies réalisées sur les dépenses militaires soient affectées au développement. Enfin, des préoccupations relatives à la prévention des conflits et à la stabilité de l'équilibre sur lequel repose la dissuasion réciproque ne sont pas étrangères aux tentatives de limitation des armements stratégiques des deux puissances.

Mais quelles que soient les motivations des parties intéressées, le désarmement n'a de chances d'aboutir que s'il fait droit aux exigences légitimes de sécurité des États et procède de leur libre accord. Il ne s'apparente pas au désarmement imposé par le vainqueur comme sanction d'une défaite militaire [1], ni à la renonciation unilatérale aux armes prônée par certains pacifistes. Il s'inscrit dans la perspective d'une organisation internationale de la sécurité et doit être jugé en fonction de sa contribution au maintien de la paix.

Si la finalité du désarmement est le maintien de la paix et de la sécurité dans une société internationale caractérisée par la juxtaposition d'États souverains, il n'est pas surprenant que les efforts déployés dans ce sens n'aient produit que des résultats modestes. En effet, les inégalités entre les États, les différences dans

---

1. Rappelons à ce propos la définition de Clausewitz : « Le désarmement est le but de l'acte de guerre » (*De la Guerre*, Minuit, Paris, p. 53).

la perception des menaces, la diversité des intérêts en cause et les antagonismes idéologiques se reflètent nécessairement au plan de la diplomatie du désarmement et compliquent la recherche d'un accord. En réalité, aucun État n'acceptera jamais de se défaire volontairement des attributs de sa souveraineté militaire s'il n'est pas assuré que le désarmement auquel il souscrit lui offre une sécurité au moins égale à celle qui découle de la paix armée. En outre, la vérification des accords de désarmement se heurte parfois à des problèmes techniques insurmontables et on sait que l'élimination totale des armes nucléaires ne peut être garantie avec les moyens de contrôle existants. Le désarmement est donc une tâche délicate et malaisée et on peut se demander à l'instar de Guibert si « les conventions entre souverains qui décideraient de n'entretenir que des armées proportionnées à l'étendue de leurs États et à leurs moyens ne sont que des chimères qui s'évanouissent au premier examen[2] ».

Le désarmement a été envisagé dès le XIXᵉ siècle[3], mais les conférences internationales qui se sont tenues à La Haye en 1899 et 1907 n'ont donné lieu qu'à la codification du Droit de la guerre. Après la Première Guerre mondiale, la Société des Nations (SDN) a abordé le problème en se réclamant d'une philosophie tout imprégnée de l'idéalisme juridique et moral cher au président Wilson. L'échec des conférences sur le désarmement entre les deux guerres a incité les rédacteurs de la charte des Nations unies à s'assigner des objectifs plus modestes. Désormais, il ne s'agissait plus de faire du désarmement la condition *sine qua non* de la sécurité collective mais de l'envisager comme un moyen parmi d'autres pour favoriser le maintien de la paix « en ne détournant vers les armements que le minimum

---

2. « Défense du système de guerre moderne », in *Stratégique,* par le Comte de Guibert, L'Herne, p. 544.
3. Nous faisons abstraction des plans de désarmement et de paix perpétuelle imaginés par les philosophes depuis l'Antiquité. Sauf exception, ils n'ont pas inspiré la pratique des États et n'ont guère influé sur le cours de l'histoire.

de ressources humaines et économiques du monde » (art. 26). Toutefois, ils n'avaient pu tenir compte dans leurs projets de l'événement capital que constitua l'invention de l'arme atomique, dont le premier essai réussi eut lieu dans le désert du Nouveau-Mexique (Alamogordo) en juillet 1945.

Dès l'origine, les États-Unis arguèrent de la menace mortelle que l'arme nouvelle faisait peser sur l'humanité pour dissocier son cas de celui des armes classiques. L'objectif poursuivi était l'élimination de toutes les armes atomiques et l'utilisation de l'atome à des fins exclusivement pacifiques. A cet effet, les Américains suggérèrent de confier à une Agence supranationale la gestion de toutes les activités liées à l'exploitation de l'atome et d'instaurer un système de contrôle fiable pour empêcher les détournements à des fins militaires (Plan Baruch). A l'époque où les États-Unis jouissaient du monopole atomique, il n'y avait aucune chance que l'Union soviétique souscrivît à cette formule qui aurait consacré son infériorité dans un domaine vital pour sa sécurité et son développement économique. Tout en plaidant pour l'interdiction préalable de l'arme atomique, elle ne négligea rien pour s'en doter à son tour et ce n'est qu'à partir du moment où les deux grandes puissances furent en mesure de s'infliger réciproquement des dommages intolérables que les négociations en vue d'une limitation des armes nucléaires s'engagèrent vraiment.

À l'origine, les négociations conduites sous l'égide des Nations unies se sont inscrites dans la perspective d'une réduction générale des armements tant nucléaires que classiques selon un schéma progressif et sous un contrôle international strict. Mais le climat de la guerre froide et les rivalités atomiques ne permirent pas de mener à bien une entreprise de cette envergure et bien que l'on continue à se référer au désarmement général et complet, celui-ci ne retient plus guère l'attention des négociateurs. Aussi s'est-on orienté à partir de la fin des années cinquante vers la conclusion d'accords sélectifs dans des domaines où les intérêts politiques et stratégiques des grandes puissances militaires convergeaient et où la vérification ne posait pas de problèmes techniques insurmontables. Cette démarche correspondait aux exigences de la stabilisation de l'équilibre stratégique entre les États-Unis et l'Union soviétique, qui tenteront par ce biais de préserver leur position dominante, d'éviter les méprises dans la manipulation des crises *(crisis management)* et de prévenir un affrontement direct qui serait suicidaire.

Dans un monde jugé trop profondément divisé pour qu'un désarmement véritable puisse être envisagé, il fallait faire en sorte que l'équilibre sur lequel reposait la paix forcée entre les deux protagonistes ne soit pas rompu. Mais la « maîtrise des armements » (*arms control*) n'impliquait pas la renonciation à la compétition techno-stratégique, ou à la politique des sphères d'influence. C'est de cette philosophie que se réclament les négociations bilatérales soviéto-américaines en vue de la limitation des armements nucléaires et les pourparlers de Vienne en vue de la réduction mutuelle des forces en Europe centrale, plus connus sous le sigle MBFR (Mutual and Balanced Forces Reductions).

II. De la limitation à la réduction
des armements stratégiques des deux Grands :
des SALT aux START

Alors que les différents accords d'*arms control* conclus après la crise des fusées à Cuba (octobre 1962) avaient surtout pour objet le désarmement des autres, les Soviétiques et les Américains tentèrent à partir de 1969 de limiter la croissance de leurs potentiels nucléaires en s'imposant des limitations quantitatives et qualitatives. Ce sont les perspectives du développement de missiles contre-missiles (ABM ou Anti-Ballistic Missiles) qui ont été à l'origine des conversations sur la limitation des armements stratégiques (SALT ou Strategic Arms Limitation Talks). Les États-Unis craignaient en effet que l'installation en URSS d'un réseau dense de défenses contre les engins balistiques ébranle les fondations sur lesquelles reposait la dissuasion par destruction mutuelle assurée (MAD ou *Mutual Assured Destruction*). Les Soviétiques, d'abord réticents, acceptèrent d'ouvrir des pourparlers à condition que l'on fît également un sort aux armements stratégiques offensifs dont la modernisation se poursuivait de part et d'autre. Toutefois, l'intervention des pays du Pacte de Varsovie en Tchécoslovaquie en août 1968 eut pour effet de retarder d'un an l'ouverture des négociations qui se déroulèrent en alternance à Helsinki et à Vienne de novembre 1969 à mai 1972, avant de se conclure par la signature des premiers accords SALT le 26 mai 1972.

Les résultats étaient modestes, puisque le traité sur les ABM se bornait à limiter le déploiement des défenses contre-missiles (deux sites comportant 100 lanceurs chacun) mais ne mettait pas un terme à la recherche et au développement et prévoyait expressément le maintien de polygones d'essais où un certain nombre de lanceurs étaient autorisés. S'agissant des armements stratégiques offensifs, l'accord conclu pour une durée de cinq ans portait sur le plafonnement des engins balistiques mer-sol et sol-sol de portée intercontinentale, mais ne visait ni les bombardiers stratégiques, ni les systèmes nucléaires américains stationnés sur le territoire européen ou déployés dans les mers adjacentes (*Forward Based Systems* ou FBS). En outre, aucune contrainte n'était imposée aux perfectionnements qualitatifs, tels que le fractionnement des charges nucléaires et leur guidage indépendant sur l'objectif (MIRV : cf. chapitre 1). Or, ce sont précisément les progrès accomplis dans la précision du tir des engins balistiques et la multiplication des ogives nucléaires qui risquaient de déstabiliser l'équilibre stratégique bien plus que l'accumulation des fusées à laquelle les États-Unis avaient renoncé depuis qu'ils avaient atteint le seuil de 1710.

La deuxième phase des pourparlers s'ouvrit en novembre 1972 et déboucha sur l'accord SALT II, signé à Vienne, le 18 juin 1979. Il consacrait le principe de l'équivalence numérique entre les vecteurs stratégiques d'un rayon d'action égal ou supérieur à 5 500 km et fixait un plafond de 2 400 qui devait être ramené ultérieurement à 2 250. Les engins dotés d'ogives multiples séparément guidées et les bombardiers porteurs de missiles de croisière ne pouvaient excéder 1 320 unités, des sous-plafonds de 820 et 1 200 étant prévus respectivement pour les fusées sol-sol et pour l'ensemble des missiles balistiques. Il stipulait également le gel du déploiement des fusées lourdes soviétiques (308), la limitation du nombre des ogives multiples sur les fusées intercontinentales sol-sol (10) et mer-sol (14) et des missiles de croisière lancés à partir des bombardiers (*Air Launched Cruise Missile,* cf. chapitre 1). Le traité proprement dit, conclu pour une durée de six ans, était assorti d'un protocole additionnel (valable jusqu'au 31 décembre 1981) qui interdisait le déploiement des missiles intercontinentaux mobiles et de missiles de croisière d'un rayon d'action supérieur à 600 km, lancés à partir de plates-formes terrestres ou navales. Enfin une déclaration commune définissait en termes généraux la visée des négociations futures.

Ce traité ne mettait pas un terme à la compétition entre les deux Grands dans le domaine des armements stratégiques et n'entravait guère la réalisation des programmes d'armements conçus par les états-majors. Mais l'arrangement était équitable car il ne compromettait la sécurité d'aucune des parties et contribuait dans une certaine mesure à stabiliser l'équilibre sur lequel reposait la dissuasion réciproque. Ce point de vue n'était pas partagé par les animateurs du « Comité sur le danger présent »[4] qui dénoncèrent les concessions

4. Le « Comité sur le danger présent » a été fondé en mars 1976. Il regroupe des « faucons » américains qui s'opposaient alors à la politique de détente menée par Carter. On y trouve des scientifiques et des hommes politiques comme Paul Nitze, qui fut membre de la délégation de SALT I, l'ancien secrétaire d'État Dean Rusk, l'ancien directeur de la CIA William Colby, les anciens commandants suprêmes de l'OTAN Andrew Goodpaster et Lyman Lemnitzer.

faites à l'Union soviétique et laissèrent entendre que la vulnérabilité des fusées américaines du type *minuteman* lui conférait des avantages indubitables dans une confrontation Est-Ouest. De leur côté, les Européens soupçonnaient les négociateurs américains de s'être préoccupés davantage de la stabilité au niveau des systèmes stratégiques centraux que de la correction des déséquilibres apparus en Europe du fait du déploiement des SS-20 soviétiques. La conjonction de ces oppositions et les maladresses de l'administration Carter, qui ne sut pas convaincre le Congrès qu'un accord imparfait était préférable à la poursuite d'une compétition sans frein, compromirent la ratification du traité. L'intervention soviétique en Afghanistan lui donna le coup de grâce et le président Carter décida en janvier 1980 d'en ajourner la ratification pour ne pas se voir infliger un démenti par une majorité de sénateurs hostiles.

Après l'élection du président Reagan, le ton s'est durci à Washington et la nouvelle administration est encore plus réservée à l'égard de l'accord SALT II que ne l'était sa devancière. Toutefois les deux parties ont déclaré qu'elles se conformeraient aux stipulations du traité, même non ratifié, aussi longtemps que l'autre respecterait ses obligations. Par ailleurs, l'*arms control* n'est plus créditée de vertus propres et les négociations n'ont de signification aux yeux des dirigeants américains que si elles débouchent sur des réductions significatives des arsenaux et ne se bornent plus comme dans le passé à une limitation de leur croissance. Le président Reagan a exposé ses vues en la matière dans un discours prononcé le 9 mai 1982 à l'université d'Eureka (Illinois) et, en juin 1982, se sont ouvertes à Genève les conversations sur la réduction des armements stratégiques (*Strategic Arms Reduction Talks* ou START).

Les États-Unis ont fait des propositions prévoyant une réduction drastique des engins balistiques et des ogives nucléaires qui seraient ramenés respectivement à 850 fusées et à 5 000 ogives nucléaires de part et d'autre ; la moitié des ogives (2 500) seulement seraient placées sur des fusées sol-sol qui sont jugées particulièrement déstabilisantes. L'URSS a suggéré de procéder d'une manière plus prudente et a proposé un plafond de 1 800 vecteurs, tout en contestant le bien-fondé des exigences américaines tendant à faire peser les principales contraintes sur les engins terrestres, qui constituent l'essentiel de sa capacité nucléaire.

Au stade actuel des pourparlers (juin 1983), il est difficile de se faire une opinion sur les chances d'un accord. En tout cas, certains observateurs ont fait observer que les problèmes que soulève la limitation des armes nucléaires de portée intermédiaire (*Intermediate range Nuclear Forces* ou *INF*) pourraient être plus aisément résolus dans le cadre de l'aménagement de l'équilibre global et qu'il serait opportun d'envisager une articulation étroite entre les START et la négociation sur les INF qui s'est engagée à Genève en novembre 1981.

III. La limitation des armes nucléaires
de portée intermédiaire en Europe (INF)

La question des armes nucléaires de portée intermédiaire s'est posée dès le début des pourparlers SALT. En effet, certains alliés — et notamment la RFA — souhaitaient que l'on pût obtenir par ce biais la réduction de la menace que les fusées soviétiques du type SS-4 et SS-5 faisaient peser sur l'Europe occidentale. L'URSS ne voyait pas d'objections à inclure ces systèmes d'armes dans la négociation, mais réclamait en échange que l'on soumette à des limitations analogues les systèmes nucléaires américains déployés en Europe, dits FBS. Or la valeur symbolique attachée à ces armes, qui passaient pour assurer le « couplage » entre les États-Unis et leurs alliés européens (cf. chapitres 4 et 7), interdisait qu'on en fît l'objet d'un marchandage bilatéral ; et en définitive les deux Grands convinrent de les mettre entre parenthèses pendant la négociation. L'accord SALT I ne les vise pas expressément, même si on a pu en tenir compte dans la définition de l'équilibre global.

Pendant la deuxième phase des SALT, le problème s'est posé en termes différents du fait des innovations technologiques et des risques de déconnexion de la sécurité des États-Unis par rapport à celle de l'Europe. En effet, les progrès accomplis par l'URSS dans le domaine des fusées intermédiaires du type SS-20 affectaient la crédibilité de la stratégie de la riposte graduée (flexible response) de l'OTAN et le chancelier Schmidt fut le premier homme d'État à attirer l'attention sur les inconvénients d'une consécration de la parité stratégique si les asymétries en matière d'armes nucléaires de théâtre (cf. chapitre 1) et d'armements classiques subsistaient sur le continent. Les armes de portée intermédiaire devaient donc, selon lui, faire l'objet d'une limitation dans le cadre des SALT[5].

La lenteur des négociations de l'accord SALT II et les vicissitudes de l'*arms control* incitèrent les 14 États membres de l'organisation militaire intégrée de l'OTAN à prendre les devants en décidant le déploiement des Pershing II et des missiles de croisière (cf. chapitre 1) si un accord satisfaisant de limitation des armements n'était pas conclu avant la fin de l'année 1983. La négociation proposée à l'URSS devait s'inscrire dans le cadre des SALT III, pour éviter que le sort des armes de théâtre ne soit dissocié de celui des systèmes centraux et que ne s'accrédite la thèse du désengagement américain. Mais du fait de l'interruption du processus SALT, la négociation emprunta d'autres voies.

Dans un premier temps, l'Union soviétique subordonna l'ouverture des négociations à l'annulation de la décision de modernisation. Mais après le voyage du chancelier Schmidt à Moscou (juin-juillet 1980), des

5. Voir son discours du 28 octobre devant l'International Institute for Strategic Studies de Londres (« The 1977 Alastair Buchan Memorial Lecture », *Survival,* janvier-février 1978).

conversations préliminaires s'ouvrirent entre les États-Unis et l'URSS à Genève, en octobre. Elles furent suspendues après la victoire des républicains en novembre, ceux-ci n'ayant pas dissimulé le peu de cas qu'ils faisaient de l'*arms control* et ayant mis l'accent sur la nécessité de réarmer afin de rétablir l'équilibre compromis par le laxisme des administrations antérieures. Toutefois sous la pression conjuguée des mouvements dits pacifistes et des gouvernements des pays alliés, les États Unis modifièrent leur optique, et le 30 novembre 1981, s'ouvrirent à Genève les négociations soviéto-américaines sur la limitation des INF.

Peu d'informations ont filtré sur les négociations de Genève, mais on connaît les grandes lignes des propositions qui ont été faites d'entrée de jeu. Les États-Unis ont exigé le démantèlement des engins balistiques terrestres du type SS-4, SS-5 et SS-20, en échange de la renonciation au déploiement des Pershing II et des missiles de croisière : cette requête correspondait à « l'option zéro » énoncée par le président Reagan dans son allocution devant le National Press Club, à Washington, le 18 novembre 1981. L'Union soviétique a rejeté cette formule au motif qu'elle contrevenait au principe de la « sécurité égale » et lui a opposé deux variantes d'options zéro : l'élimination de toutes les armes nucléaires tactiques *et* intermédiaires déployées en Europe ou le retrait de ces dernières seulement. Si ces solutions maximales étaient jugées prématurées ou hors de portée, on pouvait envisager une réduction proportionnelle des 2/3 des armes de portée intermédiaire, étant entendu qu'au terme du processus ne subsisteraient plus que 300 vecteurs de part et d'autre. On serait parvenu ainsi à une limitation du niveau des armements nucléaires en Europe tout en préservant l'équilibre existant.

Les États-Unis et leurs alliés ne souscrivaient pas à l'évaluation soviétique du rapport des forces et estimaient qu'ils se trouvaient en situation d'infériorité par rapport à l'Est dans la proportion de 1 à 6. En outre, ils considéraient qu'on ne pouvait pas mettre sur le même plan des engins balistiques et des vecteurs pilotés. Les bombardiers américains étaient vulnérables au sol et leur capacité de pénétration était problématique, du fait de la modernisation de la défense contre-avions du Pacte de Varsovie. Les fusées soviétiques SS-20, au contraire, étaient mobiles et pouvaient être soustraites à la destruction préventive (cf. chapitres 1 et 7) ; au demeurant elles se prêtaient fort bien à une agression par surprise. Enfin, on se refusait à assimiler les forces nucléaires françaises et britanniques aux armes de théâtre américaines, puisque leur fonction était incompatible avec la mise en œuvre d'une stratégie de « riposte adaptée » (cf. chapitres 1 et 6). Dans ces conditions, la supériorité acquise par l'Union soviétique dans le domaine des missiles balistiques terrestres constituait un défi qu'il fallait relever, à moins qu'on ne parvienne à s'entendre sur le retrait des armes soviétiques les plus déstabilisantes.

En décembre 1982, l'Union soviétique a fait des concessions en acceptant de ramener le niveau de ses engins balistiques terrestres au niveau des fusées mer-sol et sol-sol françaises et britanniques (162) et de n'envisager la limitation des bombardiers à moyen rayon d'action qu'à une phase ultérieure des pour-parlers. En outre, elle consentait à définir l'équilibre en fonction du nombre des charges nucléaires disponibles de part et d'autre, alors que dans le passé elle ne comptabilisait que les vecteurs sans se soucier outre mesure de leurs performances. Toutefois, l'URSS insiste toujours pour que les forces nucléaires des puissances tierces soient prises en compte. Du côté occidental, les États-Unis ont relevé les inflexions de la position soviétique et ont salué ses aspects positifs, tandis que la France et la Grande-Bretagne maintiennent leur refus de l'inclusion de leurs forces nucléaires dans la négociation.

A mesure que se rapproche l'échéance du déploiement des premières fusées Pershing II, les spéculations sur les chances d'un accord intérimaire se donnent libre cours et le président Mitterrand a évoqué dans son entretien télévisé du 8 juin 1983 la formule imaginée par les chefs des deux délégations aux négociations INF lors d'une conversation privée en été 1982, en regrettant qu'elle n'ait pas été retenue comme une base de compromis. En tout cas, les controverses actuelles ne laissent pas présager la conclusion imminente d'un accord et il est probable que l'on ne parviendra pas à régler le cas des forces nucléaires françaises et britanniques aussi longtemps que les deux négociations — START et INF — se dérouleront sur deux plans parallèles.

IV. La réduction des forces classiques
et les « mesures de confiance » militaires en Europe

Alors que la réglementation des armements nucléaires relève de la compétence exclusive des deux Grands, il n'en va pas de même de la limitation ou de la réduction des forces armées et des armements de type classique. Cette question intéresse non seulement les États membres des deux alliances — le traité de l'Atlantique Nord et le Pacte de Varsovie — mais également les pays neutres et non alignés qui ont pris part à la conférence sur la sécurité et la coopération en Europe (CSCE). Des propositions en vue du désarmement régional en Europe ont été faites dès les années cinquante par les pays socialistes et la plus connue d'entre elles fut le plan Rapacki (1957), qui tendait à créer une zone exempte d'armes nucléaires en Europe centrale. Ces propositions se heurtèrent à une fin de non-recevoir de l'OTAN, car on estimait que la création d'une zone à statut militaire spécial aurait affaibli la garantie américaine et aurait été le prélude au désengagement américain.

Dans les années soixante, l'affaiblissement de la confrontation Est-Ouest et l'adaptation de l'Alliance à ses tâches futures conduisirent à envisager avec plus de faveur une réduction équilibrée des forces en Europe.

Le rapport Harmel, adopté par le Conseil atlantique en décembre 1967, reflétait cet état d'esprit et le 25 juin 1968, les 14 États membres du système militaire intégré lancèrent à Reykjavik un appel en vue d'une réduction mutuelle et équilibrée des forces en Europe (MBFR). Les pays du Pacte de Varsovie firent d'abord la sourde oreille, et l'intervention d'août 1968 en Tchécoslovaquie n'était pas de nature à faciliter l'ouverture d'un dialogue sur ce sujet. La question fut de nouveau soulevée en 1969, en liaison avec la convocation d'une conférence sur la sécurité et la coopération en Europe, mais ce n'est qu'après la conférence au sommet entre MM. Brejnev et Nixon, à Moscou, en mai 1972 que l'on estima que les conditions d'une telle rencontre étaient réunies. Toutefois, il fut entendu que la réduction mutuelle des forces ferait l'objet d'une négociation séparée entre les États intéressés des deux alliances.

C'est ainsi que 19 pays membres de l'OTAN et du Pacte de Varsovie[6] tentent depuis octobre 1973 de négocier à Vienne une réduction mutuelle des forces armées et des armements en Europe centrale. Les propositions faites d'entrée de jeu étaient difficilement conciliables, et en dépit des concessions faites depuis lors par les deux parties peu de progrès ont été enregistrés sur la voie d'un compromis.

Certes on admet aujourd'hui que le processus de désarmement doit commencer par le retrait des forces terrestres des États-Unis et de l'URSS stationnées en Europe centrale, mais des incertitudes subsistent en ce qui concerne les modalités du passage à l'étape suivante, à savoir la réduction des forces nationales des États inclus dans la zone de référence (RFA, RDA, Pologne, Tchécoslovaquie et Benelux). Par ailleurs, on continue de buter sur la difficulté de déterminer d'une

_____

6. Il s'agit de 12 États membres de l'OTAN (États-Unis, Canada, Royaume-Uni, Belgique, Pays-Bas, Luxembourg, RFA, Italie, Norvège, Danemark, Grèce, Turquie) et de 7 États du Pacte de Varsovie (URSS, Pologne, RDA, Tchécoslovaquie, Hongrie, Roumanie, Bulgarie).

manière satisfaisante le rapport des forces entre l'Est et l'Ouest. En 1976, les pays du Pacte de Varsovie avaient fourni des éléments pour le calcul de leurs forces, mais les données produites ne coïncidaient pas avec les estimations de l'OTAN. La « querelle sur les chiffres » qui s'est ensuivie n'est toujours pas tranchée six ans plus tard et les tentatives de l'Est pour contourner cet obstacle se sont heurtées jusqu'à présent au veto occidental. Enfin, les pays de l'OTAN ont mis l'accent sur la nécessité de renforcer la sécurité des pays situés dans la zone de limitation des armements par des « mesures associées ». En décembre 1979, ils ont fait des propositions à cet effet, qui comportaient notamment la notification des mouvements militaires dans les zones adjacentes, l'échange d'observateurs et des inspections sur place. L'URSS les a jugées irrecevables car elles prévoyaient un contrôle qui outrepassait les exigences de la vérification du désarmement proprement dit.

Pendant l'année 1982, les deux parties ont pris des initiatives pour relancer la négociation, mais sans succès. En février, les pays du Pacte de Varsovie ont suggéré de mettre entre parenthèses les points litigieux et de conclure un accord sur la base des convergences existantes. Cette ouverture n'a pas été prise en considération par l'OTAN. En juillet, les pays de l'OTAN ont déposé un projet de traité qui prévoit, pour la première fois, un enchaînement de mesures affectant aussi bien les forces étrangères que les forces nationales et la réalisation du programme de désarmement en quatre étapes. Ce scénario répond à certaines des objections formulées par les pays de l'Est, mais laisse ouverte la question de l'évaluation préalable des forces déployées dans la zone et pose en matière de vérification des exigences qui ont peu de chances d'être agréées par l'URSS.

Dans la déclaration adoptée le 5 janvier 1983, à l'issue de la réunion de leur comité politique consultatif, les États membres du Pacte de Varsovie font état de la nécessité de conclure à bref délai (1 à 2 ans) un accord sur la réduction des forces armées et des armements en Europe centrale, mais la démarche suggérée s'écarte de celle proposée par l'OTAN en juillet 1982. En effet, les États-Unis et l'URSS procèderaient dans un premier temps à une réduction de leurs forces « sur la base de l'exemple réciproque ». Une fois cette mesure réalisée, on conviendrait d'un gel du niveau des forces armées et des armements des participants directs, c'est-à-dire des pays de la zone et de ceux qui y font stationner des troupes. Ultérieurement, les négociations se poursuivraient en vue d'aboutir rapidement à des réductions d'une plus grande ampleur.

Sans préjuger du tour que prendront les négociations, on imagine sans peine les arguments qui seront échangés par les uns et par les autres pour étayer leurs thèses. Du côté soviétique, on fera sans doute valoir qu'un équilibre approximatif existe dans le rapport des forces Est-Ouest et qu'il vaut mieux le consacrer par un moratoire plutôt que de s'exposer aux risques d'une course ininterrompue aux armements sur le continent européen. Les Occidentaux objecteront que les divergences relatives à l'équilibre des forces ne peuvent pas être mises sous le boisseau et qu'on ne saurait traiter sur la base définie par les pays du Pacte de Varsovie, à moins de se placer dans une situation d'infériorité permanente. En outre, ils rappelleront leurs exigences relatives à l'adoption de mesures associées, dont l'objet serait à la fois de garantir le respect des engagements pris par un contrôle approprié et de prévenir les agressions par surprise contre les pays qui auraient accepté de se soumettre à une limitation régionale des armements.

Ajoutons que la France ne participe pas à cette négociation et n'a pas l'intention de rompre avec la politique de la chaise vide qu'elle pratique depuis 1973. Au demeurant, elle n'est pas seule à dénoncer les inconvénients du « dialogue de bloc à bloc » qui s'est instauré sous le couvert de la conférence de Vienne et à se montrer sceptique sur l'avenir d'une négociation qui est entrée dans sa dixième année sans que l'on voie se dessiner l'ébauche d'un accord quelconque. Celui-ci ne répondrait pas nécessairement aux besoins de sécurité des Européens, puisque la zone où s'appliquerait le désarmement est trop étroite et qu'une solution satisfaisante n'est concevable que dans un espace élargi à la dimension du continent.

C'est pour faire sortir le débat de l'impasse que la France avait lancé en 1978 l'idée d'une conférence sur le désarmement en Europe (CDE) qui s'articulerait à la CSCE et se déroulerait en deux phases : dans un premier temps, des mesures de confiance militairement significatives et obligatoires s'appliqueraient dans l'espace géostratégique qui s'étend de l'Atlantique à l'Oural ; ultérieurement, on procèderait à la réduction des armements classiques les plus déstabilisants afin de prévenir les agressions par surprise. Quant aux armes nucléaires, elles devaient faire l'objet de négociations dans d'autres enceintes, car il était erroné aux yeux du gouvernement français d' « individualiser les armes nucléaires concernant le seul théâtre européen dans la mesure où les armes stratégiques à grande portée peuvent être utilisées en Europe au même titre que les armes tactiques. »

Cette proposition reçut d'abord un accueil mitigé. Mais en 1983, il existe un consensus entre tous les États signataires de l'acte final d'Helsinki en faveur d'une conférence à 35 sur le désarmement. La question est débattue à Madrid depuis 1980 et, grâce à la médiation des pays neutres et non alignés, des progrès ont été accomplis dans la définition d'un mandat. Toutefois, des ambiguïtés, voire des divergences, subsistent en ce qui concerne la délimitation de la zone géographique où s'appliqueraient les mesures convenues. En outre, comme les pays occidentaux ne souhaitent pas dissocier les questions militaires des autres aspects de la sécurité et de la coopération en Europe, les chances de la convocation de la CDE seront fonction de la continuité du processus amorcé à Helsinki en 1973.

Les considérations qui précèdent font ressortir les difficultés de l'entreprise du désarmement et la modestie des résultats obtenus. En réalité, on s'est surtout préoccupé de prévenir le conflit nucléaire par une concertation entre les deux protagonistes, et la maîtrise des armements ne s'est pas traduite jusqu'à présent par une limitation des arsenaux existants. Bien plus, les armements ne cessent de se perfectionner et le rythme de la compétition entre les deux Grands risque de déstabiliser l'équilibre sur lequel repose la dissuasion réciproque (cf. chapitres 1 et 7). En Europe, où l'on s'inquiète de la modernisation des armes nucléaires, il appartient aux deux Grands de négocier la réduction de ces armes au niveau le plus bas. Mais les Européens, qui ont intérêt à ce qu'un tel accord soit conclu, n'ont que des moyens d'action limités pour infléchir les négociations soviéto-américaines dans ce sens. D'où l'intérêt de la convocation d'une conférence sur le désarmement en Europe où les 35 pays signataires de l'acte final d'Helsinki auraient voix au chapitre et pourraient faire valoir leurs conceptions propres.

En définitive, le désarmement n'est pas une fin en soi, mais un moyen parmi d'autres pour garantir la sécurité et affermir la paix. Si l'on veut faire des progrès dans cette voie, il faut se garder aussi bien des illusions d'un monde où régnerait la paix perpétuelle que des inspirations d'un réalisme à courte vue. En Europe, la préservation de l'équilibre par la modernisation des armements est un leurre, et une solution négociée tenant compte de toutes les composantes de la balance militaire est seule susceptible d'écarter la menace qui pèse sur notre continent si la paix précaire dont nous bénéficions venait à être rompue.

Jean Klein

11. Les mouvements pour la paix sont-ils manipulés par Moscou ?

Sylvie Mantrant

Lors de la manifestation de Bonn du 10 octobre 1981, parmi les 300 000 manifestants, un petit groupe, proche du parti communiste ouest-allemand, portait une banderole : « Plutôt rouges que morts. » Les journalistes présents s'emparèrent de ce slogan ; les jours suivants, la presse européenne titrait : « Les pacifistes manipulés par Moscou. » C'est ainsi que débutait une campagne de presse fort virulente sur ce thème.

Cette campagne se fondait sur le principe de la supériorité soviétique dans le rapport de forces en Europe. Pour combler ce retard, l'OTAN avait choisi d'implanter en Europe les fameux Pershing II et missiles de croisière américains (cf. chapitre 1). En conséquence, tout mouvement d'opinion s'opposant à cette œuvre de salubrité publique ne pouvait qu'être manipulé par Moscou. Magnanime, la presse accordait le bénéfice du doute à quelques « pacifistes naïfs, inconscients mais sincères » et s'employait par ailleurs à démontrer de quelle manière les agents du KGB s'étaient infiltrés au sein de ces mouvements.

Les éléments du décor étaient donc en place ; deux forces objectivement alliées menaçaient l'Europe : l'URSS et les mouvements pour la paix. Comme pour confirmer cette alliance, à maintes reprises, les dirigeants soviétiques et les organisations de paix qu'ils influencent, tel le Conseil mondial de la paix, saluaient avec ferveur la lutte exemplaire des mouvements de paix de l'Ouest contre le réarmement américain. Mais, en dépit des mains tendues vers l'Occident par-delà le rideau de fer, un élément imprévu venait troubler le bel agencement de ce tableau.

A l'Ouest, les mouvements réclamaient le démantèlement des SS-20 pointés sur l'Europe ! Ils osaient apporter leur soutien à Solidarnosc et aux groupes de paix indépendants (et donc réprimés) de l'Europe de l'Est. Comble d'ingratitude, ils se coordonnaient entre eux, repoussant « l'assistance » du Conseil mondial de la paix et organisaient des conférences à la préparation desquelles ils refusaient d'associer les organisations de paix officielles des pays de l'Est et auxquelles ils invitaient des personnalités indépendantes de ces pays, immédiatement qualifiées de « dissidentes » par les autorités.

Bref, ils se voulaient indépendants... non alignés ! Le mot fit frémir à l'Ouest et à l'Est — mais surtout à l'Est où l'on comptait bien récupérer une part du gâteau pacifiste. Un vent de déception soufflait sur Moscou. On s'empressa alors de partir en campagne contre ces faux mouvements de paix qui en réalité divisaient le « réel mouvement anti-guerre » (dont la source vive se trouve à... l'Est) et faisaient le jeu de la guerre froide. Ainsi, les pacifistes occidentaux étaient-ils l'objet d'attaques émanant des deux côtés. Le mur de Berlin consacre non seulement le partage de l'Europe mais divise aussi la lutte pour la paix. Nous tenterons donc ici de clarifier et d'expliquer l'histoire, les revendications et les alliances des mouvements de paix en Europe de l'Ouest.

I. Du monopole soviétique au non-alignement

En 1949, des personnalités, dont Frédéric Joliot Curie et Yves Farge, créaient le Mouvement de la paix, section française du Conseil mondial de la paix. Cette dernière organisation se faisait connaître en lançant en mars 1950 le fameux « Appel de Stockholm » exigeant l'interdiction absolue de l'arme atomique. En France seulement, cet appel devait recueillir 14 millions de signatures.

Le Conseil mondial de la paix est plus particulièrement implanté dans les pays de l'Est, mais il a quelques ramifications en Occident et dans les pays du tiers monde. A l'est, il est financé par l'intermédiaire des « fonds publics de la paix », dont le fonds soviétique avec ses 80 millions de cotisants — aux dires de la revue du Comité soviétique de défense de la paix *Le xxᵉ siècle et la paix.* Cette méthode de financement est parfois critiquée. Écoutons le témoignage d'un Tchèque en février 1983 : « Je ne supporte plus d'entendre le mot paix. Pour ne pas avoir d'ennuis, je suis contraint de me conformer à une pratique très répandue ici : verser tous les mois 1 % de mon salaire au fonds public de la paix tchécoslovaque. » Le Conseil mondial de la paix se signale par des prises de position très particulières en ce qui concerne cette notion de paix : il ne condamne pas l'intervention soviétique en Afghanistan (de même qu'il n'avait pas condamné les interventions en Hongrie et Tchécoslaquie) et il n'est pas rare d'entendre son président, Romesh Shandra, se lancer dans son discours favori : « L'Union soviétique, seule puissance qui lutte pour la paix. » (Les délégués soviétiques eux-mêmes font souvent preuve de beaucoup plus de retenue.)

L'analyse du Conseil mondial de la paix est la suivante : l'ennemi public n° 1 est l'impérialisme américain qui se manifeste notamment de deux manières : relance de la course aux armements et oppression des peuples du tiers monde. Seule l'Union soviétique apporte son soutien aux luttes de libération dans le tiers monde et en ce qui concerne l'armement nucléaire, elle doit se maintenir au même niveau que les États-Unis sous peine d'être anéantie.

Ce discours sonne familièrement à nos oreilles : il suffit de modifier quelques paroles, et en conservant la même musique, on obtient : l'Union soviétique menace la paix dans le monde (cf. Afghanistan) ; elle dispose d'un armement nucléaire bien plus puissant que le nôtre, elle arme les terroristes dans le tiers monde et elle bafoue les droits de l'homme dans les pays qu'elle contrôle. Ce refrain se chante à Washington.

Face à cette étrange collusion et dans le souci de

préserver l'indépendance de la lutte pour la paix, un certain nombre de personnalités venant de Yougoslavie, de France, des États-Unis, de RFA et de Grande-Bretagne fondaient en 1964 la CIDP (Confédération internationale pour le désarmement et la paix) qui regroupait dans 20 pays, 50 organisations nationales et internationales non alignées par rapport aux blocs (citons la Ligue yougoslave pour la paix, la Société suédoise pour la paix et l'arbitrage et le Mouvement contre l'armement atomique pour la France).

Cette confédération, dont le siège se trouve toujours à Londres, se fit connaître notamment par la campagne qu'elle mena contre la force de frappe multilatérale de l'OTAN et la mobilisation qu'elle accomplit au cours de l'été 1968 contre l'invasion soviétique en Tchécoslovaquie. Malheureusement, cette organisation qui ne bénéficiait pas du soutien de « fonds publics de la paix » dut petit à petit réduire ses activités faute de financement. Son impact international s'en trouva gravement affecté. L'évolution de la situation politique en Europe allait permettre à d'autres structures indépendantes de prendre la relève.

II. Moscou contre la Convention de Berlin

Les mouvements de paix d'Europe du Nord, en particulier, existent depuis de nombreuses années. Certains, comme la CND britannique (Campaign for Nuclar Disarmament), ont connu leur heure de gloire dans les années cinquante puis sont entrés en hibernation. D'autres sont liés à une certaine tradition locale de lutte pour la paix et la neutralité, comme en Suède. D'autres enfin, sont le résultat d'un travail en commun avec les Églises protestantes, comme en Hollande. La double décision de l'OTAN de décembre 1979 (cf. chapitre 1) les touchait en plein cœur : concrètement les peuples d'Europe du Nord et d'Italie devaient accepter de se transformer en cible pour les missiles soviétiques.

Dès avril 1980, la Fondation Bertrand Russell pour la paix (du nom du célèbre mathématicien britannique) lançait son appel pour une Europe sans arme nucléaire de la Pologne au Portugal. Le signe END (European Nuclear Disarmament) allait devenir le nouveau point de ralliement de tous les mouvements d'Europe de l'Ouest. Cet appel fut en premier lieu signé par des personnalités politiques proches de l'Internationale socialiste et par des personnalités indépendantes d'Europe de l'Est (Andreas Hagedus, ancien Premier ministre, pour la Hongrie ; Arthur London pour la Tchécoslovaquie ; Roy Medvedev pour l'Union soviétique). Le peu de signatures provenant de l'Est est en partie dû au fait qu'un tel appel ne pouvait recevoir l'accord des autorités.

Cet appel posait les bases d'une politique de paix non alignée opposée aux armes de destruction massive et tentait de prôner une alternative à la confrontation des blocs en Europe par l'établissement de zones dénucléarisées. La revendication du désarmement à l'Est (les SS-20 pointés sur l'Europe) ne faisait pas seulement référence à l'armement nucléaire. Inclure les pays de l'Est dans ce processus signifiait en outre qu'une attention toute particulière était portée au dialogue entre les peuples et au soutien aux mouvements d'émancipation dans les « démocraties populaires ».

Le sigle END et l'idée qu'il véhiculait furent repris unanimement par tous les mouvements de paix en Europe de l'Ouest. C'est ainsi que lors des grandes manifestations de l'automne 1981, au-delà des spécificités nationales (qui, comme on le verra, sont très tenaces), chaque rassemblement s'y référait (excepté en France).

Il était temps de passer à la vitesse supérieure. Les signataires (individuels ou organisés) de l'appel END, réunis à Rome en novembre 1981, annoncèrent la tenue en juillet 1982 de la première Convention pour une Europe sans arme nucléaire. En premier lieu, cette initiative était destinée à coordonner les différents efforts nationaux à un niveau international. En outre, elle se proposait d'établir, par-delà les frontières, des liens entre les Églises, les syndicats, les mouvements indépendants, les partis politiques. Enfin, il s'agissait de mettre en commun non seulement les expériences des mouvements qui militent au sein des alliances militaires mais aussi celles des pays neutres et non alignés. Un secrétariat international se mit en place pour organiser concrètement ce rassemblement. Il suivait les directives d'un comité de liaison composé de toutes les forces soutenant l'appel END.

Militer pour la paix dans son propre pays n'est déjà pas chose aisée, mais travailler pour l'unité des mouvements de paix en Europe relève parfois du pari ! En effet, au sein de ce comité de liaison, on ne cherchait pas seulement à organiser une « Convention du refus » : il fallait proposer les moyens de l'alternative à la confrontation entre les blocs. De la grande politique ! Si l'on caricature un peu les choses, les Anglais étaient insulaires, les Hollandais centralisés mais œcuméniques, les Belges en quête d'une identité avec en face d'eux des missiles soviétiques et derrière eux des missiles « indépendants » français, les Allemands divisés et les Italiens... italiens. Les autres comptaient les points. A force de compromis, de beaucoup de courage et de travail, la Convention put se tenir.

Le seul problème qui ne fut pas tranché fut celui des invitations à l'Est. Devait-on inviter les mouvements officiels de l'Est alors qu'en réalité on souhaitait travailler avec les groupes indépendants ? Finalement, les invitations à l'Est ne furent envoyés qu'aux individus signataires de l'appel END.

800 personnes environ assistèrent à ce premier rendez-vous à Bruxelles, du 2 au 4 juillet 1982. Première rencontre européenne, le succès de ce rassemblement ne résidait pas dans la qualité des débats (quasi inexistants sur les problèmes Nord-Sud, houleux sur la question Est-Ouest) mais dans le fait que l'esprit de son appel fondateur constituait une base d'unité et une démarche commune entre les différentes composantes des forces pour la paix en Europe de l'Ouest. Le second

rendez-vous fut annoncé à la séance finale de la Convention : Berlin, mai 1983.

Pourquoi Berlin ? Dans un premier temps, un certain nombre de représentants au sein du comité de liaison s'opposèrent à cette proposition, qu'ils considéraient comme trop provocatrice à l'égard de l'URSS. En réalité, les attitudes et les engagements devenaient plus clairs au sein du comité de liaison. Conformément aux bases de l'appel END, une majorité de ses membres, faisant fi du danger que pouvait comporter la tenue d'un tel rassemblement à Berlin-Ouest, s'attachait à dénoncer avec plus de dureté le partage de l'Europe entre deux alliances opposées. Berlin était le symbole par excellence de cette confrontation et des conséquences qui en résultent pour les peuples de l'Est. C'était aussi s'attaquer en toute « sérénité » à un problème maintes fois escamoté au cours des discussions : la division de l'Allemagne et son corollaire, la réunification.

Ce qui fera dire plus tard aux Soviétique[1] : « Il s'avère que les organisateurs veulent soumettre à la discussion de la Convention la prétendue « question allemande » en essayant par ce fait de mettre en doute l'indéfectibilité des frontières européennes de l'après-guerre et de violer la lettre et l'esprit de l'acte final. Nous ne considérons ces manœuvres politiques que comme une tentative de réviser les traités de la RFA avec les pays limitrophes et le statut de Berlin-Ouest. »

Dès le mois de septembre 1982, les autorités soviétiques commencèrent à s'inquiéter. A deux reprises, le Comité soviétique de défense de la paix demanda à participer à la préparation de cette Convention et aux réunions du comité de liaison. Cette demande n'était pas recevable car dans le même temps il refusait de s'associer à l'appel END. D'aucuns remarqueront qu'en tout état de cause ce comité ne *pouvait* pas s'y

---

1. Extrait de la lettre du président du Comité soviétique de défense de la paix adressée en décembre 1982 à 1 500 individus et organisations en Europe de l'Ouest.

associer et qu'il était donc superflu de le lui demander. Mais ses sollicitations en étaient d'autant plus malvenues.

Comme le soulignait fort justement Ken Coates, secrétaire général de la Fondation Russell[2] : « Notre appel concerne les peuples de cette Europe qui est prise en sandwich entre vous-même et les Américains. Il doit recevoir leur soutien si nous voulons réussir. Si vous leur offrez la paix en contrepartie d'un soutien inconditionnel à la politique de votre gouvernement dans tous les domaines qui concernent les affaires du monde, combien accepteront? (...) Alors pourquoi ne pouvions-nous vous demander de co-organiser cet événement? Parce qu'il est organisé par les signataires de l'appel d'avril 1980, que votre lettre ne comprend pas et en fait dénonce. L'ordre du jour est notre ordre du jour qui est celui du non-alignement. Dans la mesure où nous vous avions déjà informés que vous seriez le bienvenu parmi nous, vous devez sûrement comprendre que nous ne pouvons abandonner notre propre contrôle sur ce qui est notre plate-forme. Vous attendez-vous toujours à ce que les gens acceptent de telles conditions quand vous leur rendez visite? Si oui, vos voyages doivent être très limités. »

Ces commentaires sont extraits d'une réponse à la lettre que Youri Joukov, président du Comité soviétique de défense de la paix adressa en 1 500 exemplaires à des individus et organisations de paix de l'Europe de l'Ouest. Comme il en avait menacé dès octobre 1982 les membres du comité de liaison, il mettait en marche « le réel mouvement anti-guerre » contre cette entreprise déstabilisatrice qu'était la Convention de Berlin.

Écoutons M. Joukov : « Les organisateurs de la Convention (...) entreprennent, en réalité, une tentative d'isoler les mouvements et organisations antimilitaristes en Europe occidentale des mouvements de masse et des partisans de la paix dans les pays socialistes, et de

---

2. Extrait de la réponse de la Fondation Russell du 4 janvier 1983 à la lettre du Comité soviétique de défense de la paix.

les allier avec les individus qui, actifs dans le travail de sape contre le régime socialiste, ne contribuent nullement à la détente et au désarmement.

« Une monstrueuse entreprise que les agissements de ceux qui, sous le drapeau de la lutte pour la paix, essayent d'entraîner les militants du mouvement antimilitariste vers une véritable " guerre froide " contre l'opinion publique des pays socialistes, les mener dans l'impasse de l'antisoviétisme et de l'anticommunisme. Aucune déclaration des organisateurs de la Convention sur leur " neutralité " à l'égard des deux " superpuissances ", sur leur équidistance de la politique extérieure de ces États ne peuvent justifier ces agissements. »

L'organe du Comité soviétique de défense de la paix, *Le xxᵉ siècle et la paix,* ajoutait dans son numéro 4 de 1983 ; « Les tentatives de lier aux mots d'ordre antinucléaires principaux du mouvement de la paix les problèmes en principe importants, mais qui dépassent le cadre des objectifs antimilitaristes du mouvement, recèlent pour lui un grand danger. Des discussions sérieuses ont surgi à l'intérieur de celui-ci, dues notamment aux tentatives de ressusciter sous les mots d'ordre de lutte pour la paix la campagne antisocialiste de " défense des droits de l'homme " qui a échoué il n'y a pas longtemps. Fait caractéristique : si l'exigence de désarmement est présentée aux deux parties, l'Ouest et l'Est, les " violations des droits de l'homme " sont recherchées, contrairement à la logique et à la vérité, seulement dans les pays socialistes. »

Cette offensive eut pour effet de raffermir les liens qui unissaient les organisateurs de la Convention et leur certitude que celle-ci ne pouvait souffrir aucune ingérence étrangère d'où qu'elle vienne. Par ailleurs, la volonté politique qui présidait au sein du comité de liaison affirmait que la lutte pour la paix est inséparable de celle pour la liberté (qu'elle soit d'expression ou de ne pas mourir de faim). En conséquence, les alliés naturels des mouvements de paix de l'Ouest ne pouvaient être que ceux qui, dans les pays de l'Est, cherchent à établir des espaces de liberté et de contestation...

En tout état de cause, la Convention de Berlin, qui réunit 3 000 personnes permit à ces alliés naturels de s'exprimer : Solidarnosc, Charte 77. Des messages de soutien furent envoyés par les groupes indépendants de paix en Hongrie, RDA et Moscou qui n'avaient pu se déplacer faute de visa ou pour cause d'emprisonnement.

Le lecteur pourra estimer que cette partie s'attarde trop sur le processus de mise en œuvre de cette Convention. Il semblait cependant important à l'auteur de ce chapitre, très impliqué dans ledit processus, de relater, face aux accusations concernant la manipulation par les Soviétiques des mouvements ouest-européens que ces derniers doivent affronter depuis des mois, comment ils gèrent leur volonté d'indépendance mais aussi de dialogue.

Ces conventions vont se poursuivre : le prochain rendez-vous est fixé en Italie pour 1984. Il est donc nécessaire que l'opinion publique puisse juger, avec le maximum d'objectivité, à partir de quelle base ces rassemblements se sont déroulés et vers quels projets ils s'acheminent.

III. Spécificités et points communs des mouvements pour la paix d'Europe de l'Ouest

Attardons-nous à présent sur l'identité des mouvements qui constituent ce réseau européen. Contrairement à ce qu'une certaine propagande distille couramment, il ne s'agit pas de mouvements « pacifistes ». En effet, ils ne s'opposent pas à toutes les armes quelles qu'elles soient. Leur lutte est centrée sur les armes nucléaires et en particulier sur les missiles de moyenne portée déjà implantés et pointés sur l'Europe (SS-20) ou destinés à être implantés en Europe (Pershing II et missiles de croisière). Ils s'opposent à ces armes parce qu'ils ne les croient pas capables d'assurer la défense d'un pays. Ces organisations se qualifient elles-mêmes de « mouvements mus par le même état d'esprit » *(like-minded movements)* et elles se veulent partie prenante à l'émergence du « nouveau mouvement de paix européen ».

Leurs sujets d'intérêt ne concernent pas seulement les problèmes pratiques posés par l'organisation de grandes manifestations mais aussi les problèmes stratégiques et politiques. Dans le même temps, ces mouvements s'emploient à élaborer une politique de paix alternative. Pour ce faire, ils ont amorcé ce qu'ils nomment « une longue marche à travers les institutions » de leur propre pays (dialogue avec les Églises, les partis politiques, les syndicats, les associations humanitaires, de femmes, de jeunes, etc.).

Ces mouvements souhaitent combiner une analyse politique la plus large possible avec des campagnes concrètes sur des problèmes spécifiques par lesquelles ils tentent de se transformer en groupes de pression susceptibles d'influencer la politique officielle. Enfin, ils se qualifient eux-mêmes de non-alignés à l'égard des partis politiques et des deux blocs.

Telles sont les principales caractéristiques des mouvements de paix indépendants regroupés au sein de l'IPCC (International Peace Communication Center), réseau de communication et de coopération créé à Copenhague en septembre 1981 à l'initiative du mouvement hollandais IKV *(Interkerkelijf Vredesberaad,* Conseil inter-ecclésial pour la paix). A l'heure actuelle, ce mouvement joue un grand rôle en Europe. Créé en 1966 par les Églises catholiques et protestantes, il a tout d'abord accompli dans les paroisses un long travail de sensibilisation sur les questions de la paix, de la justice et des droits de l'homme. En septembre 1977, il lançait une campagne à long terme contre les armes nucléaires autour du slogan : « Aidons au retrait des armes nucléaires à travers le monde en commençant par la Hollande. »

C'était la première apparition publique des symptômes d'une « maladie » qui allait s'implanter en

Europe : la « hollandite ». Aux Pays-Bas, cette « maladie » empêche jusqu'à présent (juin 1983) le gouvernement de donner son accord à l'installation des 48 missiles de croisière qui lui sont attribués par l'OTAN. IKV constate l'échec de la voie officielle du désarmement : négocié, équilibré, contrôlé (cf. chapitre 10). Il s'agit donc de mettre en œuvre, graduellement et en toute indépendance, des mesures de désarmement qui permettraient d'amorcer la désescalade sans toutefois provoquer un risque majeur de déséquilibre.

Le succès de cette campagne inquiète. Ainsi, fin 1981, M. Joseph Luns, secrétaire (néerlandais) de l'OTAN, accusait l'IKV d'être financé par Moscou, produisant à l'appui de ses assertions quelques lignes d'un rapport de la CIA. L'affaire fit si grand bruit que le ministre de l'Intérieur intervint pour couper court à ce qu'il qualifia de « calomnies », et pour défendre les mouvements du type de l'IKV qui, dit-il, « constituent un enrichissement de la démocratie parlementaire hollandaise » (*Le Monde,* 22 octobre 1981). Une nouvelle attaque de ce type se reproduisit en 1983. Là encore, après enquête, le gouvernement fut obligé d'intervenir en faveur d'IKV.

C'est en partie grâce à l'action d'IKV et aux contacts constants que cette organisation entretenait avec des groupes de paix indépendants en RDA et en Hongrie, que ces derniers ont pris un certain essor dans ces pays. En Hongrie, le Groupe pour la paix et le dialogue a en particulier élaboré des propositions précises et concrètes sur le processus à mettre en œuvre pour aboutir à la dénucléarisation de la Hongrie[3].

En RDA, ces contacts ont permis à des groupes de paix, avec l'aide de l'Église protestante, de se pencher sur les problèmes de la course aux armements à l'Est et à l'Ouest et d'organiser des initiatives dans ce sens. Ces groupes faisaient leur le symbole de l'épée transformée

---

3. Ce texte est reproduit dans le n° 87 d'*Alerte atomique,* édité par le MDPL (Mouvement pour le désarmement, la paix et la liberté, BP 2135, 34026 Montpellier).

en charrue, statue celèbre offerte par l'Union soviétique aux Nations unies... Le port du badge reproduisant cette œuvre fut interdit par les autorités est-allemandes et les personnes qui le portaient furent interpellées, voire emprisonnées. A Iéna, en 1983, plusieurs manifestations indépendantes des autorités eurent lieu sur le thème du désarmement à l'Est et à l'Ouest. À la suite de ces initiatives, plus de 20 militants y ayant participé furent expulsés de RDA et les responsables d'IKV sont maintenant interdits de séjour dans ce pays. D'autres mouvements de l'Ouest prennent la relève.

Des contacts fructueux ont aussi été établis par IKV avec la représentation de Solidarnosc à l'étranger (dès août 1981, une déclaration commune était signée par IKV, Solidarnosc et END). De même, des rencontres ont eu lieu avec les représentants de la Charte 77 en Tchécoslovaquie. D'autres mouvements de l'Ouest se sont joints à ce travail de contact et de dialogue. C'est ainsi que le 20 juin 1983, un communiqué commun était signé par la Charte 77 et le CODENE (Comité pour le désarmement nucléaire en Europe, France). Il déclare en substance : « Au moment où les dangers de guerre s'accroissent en Europe, notamment à cause de l'implantation des SS-20 et des Pershing, les opinions publiques doivent faire pression, par-dessus les frontières, pour sortir de la politique des blocs. Pour cela, il faut que les mouvements de paix *indépendants* grandissent et se renforcent, à l'Est comme à l'Ouest. Ainsi grandira l'espoir de réaliser la paix dans la justice et la liberté, non seulement en Europe, mais pour le monde entier. »

Si IKV reste le leader du nouveau mouvement pour la paix indépendant en Europe, d'autres mouvements y jouent un rôle important :

— les organisations scandinaves, auteurs d'un projet concret pour la dénucléarisation des pays nordiques[4] ;

— la coordination des mouvements de paix italiens, née le 24 octobre 1981 à la suite de l'important succès

---

4. Ce texte est reproduit dans le n° 87 d'*Alerte atomique*.

de la manifestation qui, le même jour, regroupa à Rome 250 000 personnes ; cette coordination, en commun avec les mouvements grec et espagnol, travaille à l'élaboration de propositions pour la dénucléarisation de la Méditerranée et en particulier de la zone balkanique ;

— en France, un nouveau mouvement indépendant, le CODENE (Comité pour le désarmement nucléaire en Europe), encore peu développé, s'attache à poser le problème de l'armement nucléaire français et du rapprochement de la stratégie française avec celle de l'OTAN (cf. chapitre 6) ; ce cartel d'organisations s'investit en outre dans la mise en œuvre du dialogue avec les organisations indépendantes des pays de l'Est ;

— en Angleterre, la CND (Campaign for Nuclear Disarmament), dont l'influence sur la prise de position du parti travailliste en faveur du désarmement nucléaire unilatéral de la Grande-Bretagne n'a pas été négligeable.

N'oublions pas, enfin, les mouvements belges et l'importante mobilisation qui persiste en RFA, profondément implantée dans la population (cf. chapitre 12).

En guise de conclusion : pour une Europe
sans armes nucléaires

Au moment où ces lignes sont écrites, tous ces mouvements viennent de se réunir à Paris les 9 et 10 juin 1983. Ils ont signé une déclaration commune qui exprime concrètement leurs revendications. « Nous demandons aux États-Unis de retarder le déploiement des missiles de croisière et des Pershing II afin de permettre la création d'un cadre de travail pour de *véritables* négociations qui seraient réellement dans l'intérêt de la sécurité européenne et du désarmement général et exclueraient le déploiement. Nous demandons à l'Union soviétique de mettre en œuvre et de développer ses propositions et donc de commencer à démanteler (et de ne pas déployer ailleurs) les missiles SS-4, SS-5 et SS-20 pointés sur l'Europe. »

Telle est la réponse des nouveaux mouvements de paix indépendants à ceux qui les accusent de faire le jeu de la guerre froide ou le jeu de Moscou. Ces mouvements constituent une alternative à la confrontation et représentent une nouvelle sensibilité européenne qui est celle du dialogue entre les peuples et de l'indépendance par rapport aux deux grandes puissances.

Sylvie Mantrant

12. Y a-t-il un « national-neutralisme » allemand ?

Philippe Lacroix

Selon l'historien et germaniste américain Gordon A. Craig, les Allemands auraient une disposition plus marquée que les autres peuples aux comportements névrotiques. Il leur reconnaît cependant des circonstances atténuantes : l'expérience de l'inflation en 1923, de la grande dépression en 1929, de la guerre et de la pénurie d'après-guerre. Toutefois, si l'on analyse les commentaires suscités par l'évolution du mouvement de paix en RFA, on relève incontestablement une sorte d'unanimité sur la « mentalité » allemande : la « névrose » y vient en bonne place, et il n'est pas rare que l'on passe à l'étage supérieur en parlant de « psychose antiaméricaine ». En France, on ne s'est pas fait faute d'opposer la « pusillanimité » du mouvement allemand à la générosité des aspirations populaires en Pologne.

En bref, l'Allemagne est « malade » : elle est en proie au « rêve nationaliste de certains écolo-socialistes »[1] et l'opposition d'une grande partie de la population, de l'appareil politique SPD et même de milieux conservateurs au déploiement des euromissiles, exaspère les milieux atlantiques qui dénoncent ici le spectre de l'abdication et la « tentation du neutra-

_____

1. Pierre LELLOUCHE, « Réplique à... Gabriel Robin », *Le Monde*, 22 janvier 1983. Dans les colonnes du *Monde* s'est engagée au début de 1983 une polémique entre P. Lellouche, directeur d'études à l'Institut français des relations internationales (IFRI), qui défend les thèses de l'OTAN, et G. Robin, ancien conseiller diplomatique de Pompidou et Giscard d'Estaing, qui mettait en cause la solidité du dossier occidental sur les euromissiles.

lisme ». La volonté de défense de l'Allemagne occidentale s'effondrerait sous la pression du chantage politique et militaire de l'URSS. Par ailleurs, lors de sa visite à Moscou en juillet 1983, le chancelier Kohl n'hésitait pas à parler de la « nation allemande » et à évoquer la question de la réunification, réveillant les vieux soupçons que suscitait jusqu'à maintenant essentiellement le courant du SPD représenté par Egon Bahr et Herbert Wehner[2], accusés depuis longtemps de vouloir marchander la réunification de l'Allemagne avec les Soviétiques au prix de sa sortie de l'OTAN. Enfin, les dérapages du ministre de l'Intérieur CSU Friedrich Zimmermann et du ministre des Relations interallemandes Heinrich Windelen revendiquant, lors d'un congrès des réfugiés, une Allemagne dans les frontières de 1937, pourraient suggérer que la politique étrangère allemande remonte le cours de l'histoire.

Cependant, ces surprenantes exhumations ne semblent pas recueillir l'assentiment du chancelier et paraissent plus liées à des stratégies relevant de la politique intérieure allemande : venant des milieux les plus extrémistes de la coalition conservatrice, et notamment d'un homme comme Friedrich Zimmermann, principal artisan de la « remoralisation de l'Allemagne » (au sens « reaganien » du terme), il est probable qu'il ne s'agit là que d'une rhétorique destinée à grossir, par la droite, les rangs des électeurs de la coalition au pouvoir, et peut-être, avec l'ensemble du durcissement législatif prévu, comme le suggère l'hebdomadaire *Der Spiegel,* à placer le FDP (parti libéral), dont le chef, Hans-Dietrich Genscher, est ministre des

---

2. Egon Bahr, membre du SPD, fut toujours, et demeure, un partisan convaincu de l'établissement de bonnes relations personnelles avec les dirigeants de l'Est de façon à favoriser la détente ; il joua un rôle de premier plan dans la concrétisation de l' « Ostpolitik » lancée en 1970. Le nom d'Herbert Wehner, vétéran du SPD, reste attaché au « plan pour l'Allemagne » présenté en 1959 par le SPD et qui consistait en la formation d'une zone partiellement démilitarisée en Europe centrale devant sortir des deux systèmes d'alliance. Ce projet se référait essentiellement à la réunification de l'Allemagne.

Affaires étrangères, dans l'embarras. Celui-ci ne peut évidemment pas soutenir de telles prises de position, mais il est clair qu'après le renversement d'alliance qu'il a opéré en 1982, le parti libéral ne peut se permettre une nouvelle incartade dans le sens opposé. Ainsi mis sur la défensive, sa crédibilité diminue d'autant et les chances de Franz-Josef Strauss augmentent proportionnellement[3].

Ainsi, la persistance et le renforcement d'un vaste mouvement de paix apparu en 1981 et l'évolution du discours officiel inspirent les spéculations les plus diverses sur l'avenir de la RFA dans le dispositif occidental. Après trente années d'atlantisme diligent, la « question nationale » achève sa traversée du désert et devient apparemment un sujet de préoccupation, à la fois pour les cercles dirigeants et pour le mouvement de contestation. Le concept de nation, frappé d'interdit après la défaite du Reich, parce que souillé du sang de plusieurs millions de victimes, a cessé d'être un tabou. Beaucoup d'observateurs interprètent par ailleurs comme une évolution fondamentale de l'Allemagne contemporaine le fait que les milieux progressistes arrachent ce thème au « ghetto conservateur » pour se l'approprier et en faire, selon eux, le fondement de leur stratégie.

D'une part, il est clair qu'un discours sur l'Allemagne introduisant le concept de nationalisme est en soi dangereux en raison des connotations historiques qui lui sont attachées. Après tout, affirmer péremptoirement que le changement fondamental, dans l'Allemagne d'aujourd'hui, est le passage du nationalisme de la droite vers la gauche, sans procéder à une analyse historique de ce concept, c'est en fait dire que l'Allemagne n'a pas changé. Il est donc nécessaire de s'arrêter précisément sur la façon dont les milieux officiels et oppositionnels s'approprient la « question nationale » et sur le sens de ces discours respectifs.

3. « Die Wende wird schon praktiziert », *Der Spiegel,* n° 28, 1983, p. 21.

D'autre part, le concept de neutralisme est surtout un épouvantail commode, régulièrement agité par les défenseurs d'un atlantisme inconditionnel pour susciter l'hostilité à l'égard de toute « déviation ». Mais la polémique ne saurait remplacer l'analyse et il ne faut pas oublier les données stratégiques et techniques du débat, souvent gommées par ce discours vague sur la « mentalité allemande ». Plutôt que de présenter le neutralisme comme une impulsion coupable, en misant sur les connotations négatives que véhicule ce mot, on replacera donc la réflexion dans le cadre général de l'évolution idéologique, sociologique et psychopolitique intimement liée à la place de la RFA dans l'alliance occidentale et aux implications concrètes des technologies militaires et des doctrines stratégiques pour l'État ouest-allemand. Au risque de formuler une hérésie, on verra qu'au bout du compte, le concept de neutralisme se profile peut-être comme organiquement lié à la renaissance politique de la RFA.

Toutes ces questions sont bien sûr inséparables d'une réflexion sur la stratégie soviétique en Europe centrale qui constituera le préalable nécessaire à notre analyse du soi-disant « national-neutralisme » allemand. Il ne serait pas réaliste en effet de se pencher sur les aspirations et les revendications de la RFA en matière de sécurité sans s'arrêter sur les intérêts poursuivis par l'URSS dans cette région de la planète. C'est poser le problème de la fameuse « Ostpolitik », et donc de l'autre État allemand, où essaye précisément de s'affirmer, malgré les énormes difficultés, un mouvement indépendant pour la paix, solidaire du mouvement ouest-allemand.

I. « Ostpolitik » et euromissiles

Le nationalisme allemand évoque la perturbation continuelle de l'équilibre géopolitique en Europe centrale et la division d'après-guerre fut en fait la réponse apportée à la persistance de la menace allemande depuis 1871. Or, cette menace allemande fut une réalité tout aussi tangible pour les Soviétiques chez qui le nationalisme allemand éveille sans doute des souvenirs plus terribles encore qu'à l'Ouest si l'on garde présent à l'esprit le lourd tribut payé à la guerre par l'URSS. La « question allemande » vue par les Soviétiques évoque chez les Occidentaux le souvenir de la « note » édictée en 1952, par laquelle Staline essaya d'utiliser le désir de réunification des Allemands comme un levier pour la neutralisation de toute l'Allemagne.

Depuis cette époque, toutefois, l'ancrage occidental de ce pays s'étant définitivement consolidé au fur et à mesure qu'apparaissait l'importance économique, technologique, politique et commerciale capitale de cet État pour le dispositif occidental, les Soviétiques ne peuvent raisonnablement poursuivre une stratégie similaire. Depuis la fin des années soixante, la RFA est certes restée un « levier » utilisable mais chargé d'une dynamique nouvelle : elle est devenue pour l'URSS l'État qui, en vertu de sa situation géopolitique, est évidemment le plus susceptible de peser de tout son poids dans l'Alliance atlantique pour faciliter la détente. Cette conjonction d'intérêts « germano-soviétiques » s'est traduite comme chacun sait dans l' « Ostpolitik » lancée par Willy Brandt en 1970 et c'est sous cet angle qu'il faut analyser le sens et la portée du langage tenu par le chancelier Kohl lors de son voyage à Moscou en juillet 1983, dont il est nécessaire de souligner qu'il ne devrait surprendre personne.

Devant l'importance des échanges économiques entre la RFA et le bloc de l'Est, et, ce qui est politiquement plus significatif, l'amélioration substantielle obtenue sur le plan des relations humaines entre les deux États allemands, le langage du chancelier CDU ne peut apparaître que comme une rhétorique à l'usage des temps de crise, une façon d'assumer dans des conditions historiques particulières, un héritage politiquement vital. Andropov le sait bien, qui proférait de façon insinuante la menace d'une détérioration des relations entre la RDA et la RFA. Aussi bien, les déclarations de Kohl, qui joue maintenant la double (et impossible) carte du patriotisme et de l'atlantisme ne sont en définitive qu'une forme aiguë, mais prévisible, de l'ambivalence chronique des démarches ouest-allemandes dans le cadre des relations Est-Ouest : à l'heure où les euromissiles menacent de compromettre le modus vivendi entre les deux Allemagnes et de déterminer une *coupure* stratégiquement et politiquement insupportable, il est significatif, et il était inévitable, que des hommes politiques se mettent à parler de la réunification (qui, rappelons-le, reste un objectif fixé par la Constitution de la RFA).

Le discours sur la « nation allemande » est censé conjurer, dans l'ordre idéologique, la menace concrète du deuxième « mur », ou de cette deuxième « frontière » que seraient des missiles installés en représailles dans le glacis soviétique, et, singulièrement, en RDA. En ce sens, il n'est pas exagéré de dire que le discours sur la réunification était comme programmé dans la double décision de l'OTAN. N'était-ce pas au plus fort de la tension Est-Ouest que la réunification constituait justement une préoccupation pour disparaître de l'ordre du jour avec l'aménagement des relations Est-Ouest dans le cadre de l' « Ostpolitik » ? La dynamique idéologique pourrait donc servir aujourd'hui à combler le vide laissé par la défaillance possible de la logique gestionnaire.

Le crédit d'un milliard de marks, consenti sans garanties particulières et l'année même du déploiement des euromissiles (avec la bénédiction de Moscou et de Washington), à une RDA financièrement exsangue par des hommes politiques chrétiens-démocrates naguère farouchement opposés à la politique à l'Est du SPD, et le soutien apporté par le même gouvernement aux projets de réarmement de l'OTAN illustrent l'étroitesse de la marge de manœuvre laissée à Kohl. Il lui est politiquement impossible de renoncer à l' « Ostpolitik » et il lui est vital de manifester, à l'adresse des États-Unis, son opposition énergique aux objectifs prêtés à l'Union soviétique : la neutralisation de la seule RFA et son fameux « découplage » des intérêts américains.

Mais les Soviétiques soupçonnent les Occidentaux de vouloir « acheter leur confiance ». On peut donc penser qu'ils ont accepté cette transaction, non pas comme prélude à un marchandage sur les euromissiles, mais parce qu'elle les dispense d'accorder à un État majeur de leur glacis une aide qu'il leur est manifestement impossible d'assumer en raison de leurs propres difficultés économiques. Parallèlement à un renforcement des liens économiques et commerciaux, l'Union soviétique peut donc rester attachée à l'idée de contre-mesures stratégiques et décider de déployer des missiles en RDA, en Tchécoslovaquie, et éventuellement en Hongrie, Pologne et Roumanie. Les dirigeants soviétiques sont cependant certainement très conscients des énormes difficultés qu'ils rencontreraient. Si l'imbroglio polonais est suffisamment évident pour qu'on ne s'y arrête pas, il est sans doute préférable de ne pas réveiller la susceptibilité hongroise, où l'on relève un mélange précaire de normalisation et d'émancipation ; et on connaît l'intérêt porté par le Roumain Ceausescu à une « dénucléarisation des Balkans ».

Mais c'est évidemment en RDA que le problème serait le plus complexe : Honecker aurait peur de compromettre ainsi les échanges avec la RFA, entraînant alors une dégradation des conditions économiques qui aurait des effets désastreux sur le fragile consensus social est-allemand. Et il encouragerait en outre considérablement le mouvement de paix indépendant qui émerge dans son pays. Depuis la fin de l'année 1981, se dessine en effet en RDA un mouvement autonome pour la paix refusant la politique du secret, la confiscation du pouvoir et la phraséologie officielle qui entend présenter le militarisme forcené de la RDA comme un « service social de paix ». On sait qu'au nom de la nécessaire « défense du socialisme » les citoyens est-allemands sont soumis à un endoctrinement intensif en faveur de la « paix armée ».

Les autorités, après avoir loué les manifestations

pour la paix à l'Ouest, répriment les manifestations spontanées dont les mots d'ordre ne correspondent pas à l'orthodoxie gouvernementale. C'est ainsi qu'au mois de février 1983 furent emprisonnés à Iéna plusieurs manifestants indépendants qui durent cependant être relâchés sous la pression d'une vigoureuse campagne de protestation et de solidarité en RFA. Les porteurs du badge « transformer les épées en socs de charrues » font l'objet d'intimidations, d'arrestations et d'expulsions brutales vers la RFA, destinées à décourager toute velléité d'autonomisation par rapport aux « pacifistes » officiels (cf. chapitre 11).

La « double stratégie » soviétique prévisible en Europe centrale — coopération économique accrue et sanctions stratégiques — renferme donc d'énormes problèmes, révélateurs du processus de désagrégation du bloc de l'Est et image inversée de la fragilisation du « tissu politique » de l'Alliance atlantique. Cette dernière remarque nous amène à l'analyse du large mouvement de contestation ouest-allemand, perçu globalement comme l'émergence d'un « nouveau nationalisme » et la manifestation de la peur collective.

II. Mouvements de paix et « sentiment national » : « l'âme allemande », toujours...

Le nationalisme allemand est historiquement destructeur et moins lié à des représentations politiques que culturelles (« l'identité » allemande en tant que revendication d'un absolu philosophique-germanique rejetant le rationalisme latin, perçu comme le signe du compromis). Depuis la conscience fumeuse de la germanité opposée au patriotisme universaliste de la Révolution française, jusqu'à la légitimation biologique de l'expansion nationale sous le nazisme en passant par le pangermanisme militant et antisémite d'un Wagner et l'état d'esprit haineux et « caporalisé » caractéristique de l'ère wilhelminienne, le nationalisme allemand connote un romantisme diffus et réactionnaire s'exprimant par une rhétorique grandiloquente et l'extase des bains de foule.

Aujourd'hui, la lutte pour la paix regroupe en RFA des femmes et des hommes dont les visions politiques et idéologiques sont extrêmement disparates ; elle donne lieu à des manifestations imaginatives, marquées par le spontanéisme et où s'expriment effectivement une émotion intense, un sentiment de fraternité, une convivialité un peu exubérante et brouillonne. Les écologistes (« Verts ») y tiennent une place prépondérante, car la lutte pour la paix est en RFA un prolongement naturel des luttes contre la diffusion générale du risque technologique. Ils ont apporté leur expérience acquise dans l'opposition au nucléaire civil. Le mouvement féministe, puissant, participe très activement tandis que la mouvance « alternative », qui revendique une réappropriation de la citoyenneté, une « déspécialisation » des domaines déterminant la vie quotidienne des individus, soutient naturellement ce nouveau combat.

L'écologie est une sensibilité qui peut déboucher sur des sentiments très contrastés : canalisée par une réflexion politique, technique, économique et sociologique, elle devient un mode intéressant d'appréhension et d'explication du monde et peut être un instrument pour l'action ; mais elle peut dévier aussi vers une approche exclusivement sentimentale du monde et déboucher sur un pathos et une rhétorique apocalyptique qui semble à la fin se nourrir d'elle-même. C'est un peu l'impression que donne Petra Kelly, l'une des figures de proue des « Verts », lorsqu'elle annonce avec emphase dans l'enceinte du Bundestag que la « course aux armements (...) est une tentative démente de la part des hommes, de perpétrer encore une fois le meurtre de Dieu [4] ».

Ces accents messianiques parlent à l'instinct mais ne sont guère de nature à faire avancer la réflexion. Ils donnent des arguments aux nombreux observateurs qui

---

4. « Raketendebatte im Bundestag. Petra Kelly warnt vor Gottesmord », *Die Tageszeitung*, 16 juin 1983, p. 1.

ne veulent percevoir dans le mouvement allemand qu'un foisonnement de « pulsions » émanant de forces profondes et resurgissant à intervalles réguliers dans l'histoire allemande sous la forme du « millénarisme » : depuis les Anabaptistes de Thomas Münzer au XVIe siècle jusqu'à l'élaboration d'une Allemagne au règne millénaire par les nazis, en passant par le ton apocalyptique de nombreux expressionnistes après la Première Guerre mondiale, « l'âme allemande » serait assoiffée de catastrophes et de renaissances. Le mouvement de paix en RFA est ainsi largement considéré comme irrationnel, émotionnel, voire parareligieux. Bien des commentateurs croient devoir tirer la sonnette d'alarme en soulignant que l'Allemagne pourrait succomber à ses vieux démons (« Les Allemands, on les connaît », devait dire un commentateur à la télévision française après les grandes manifestations d'octobre 1981...).

Il faut bien reconnaître que l'on observe souvent, à la base de la mouvance écologique et alternative, une carence théorique certaine, une méfiance à l'égard de l'analyse intellectuelle ou un refus de celle-ci, trop vite discréditée au profit de « l'action concrète ». Indiscutablement, une partie de la jeunesse éprouve aujourd'hui le besoin de faire pencher la balance beaucoup trop fort du côté des instincts, opposant à l'hyperrationalisme du monde industriel une sorte « d'irrationalisme de gauche » tout à fait néfaste. Doublé d'une attitude que l'on peut qualifier « de survie », s'exprimant à travers une recherche (pas foncièrement erronée mais souvent abusive et quasi obsessionnelle par son sectarisme) d' « hygiène » alimentaire, corporelle et psychique (la fameuse « civilisation du müsli »), ces comportements encouragent chez beaucoup l'idée qu'il s'agirait là d'une version modifiée du culte « naturiste-hygiénique-biologique » encouragé par le nazisme et reposant par ailleurs en Allemagne sur une tradition solide et ancienne.

Bien que ces choix reposent initialement sur une critique et des analyses approfondies et très rationnelles des mécanismes de production et de décision du système en place, il est certain qu'il y a souvent déviance vers des attitudes irrationnalistes, et donc recul du politique au profit d'une sorte de mystique thérapeutique favorisant un repli sur soi ou ce qu'il faut bien appeler une fuite vers la « communauté rurale » sans prise sur le monde.

Le Congrès de l'Église évangélique qui s'est tenu au mois de juin 1983 à Hanovre offrait lui aussi, par bien des aspects, des arguments à ceux qui aiment voir une nouvelle « liturgie » dans les manifestations allemandes : la tendance y était en effet à l'exclusion du fait politique au profit de l'émotion collective. Les participants applaudissaient de façon assez indifférenciée quiconque prononçait le mot paix, quelle que fût sa couleur politique (mais qui n'est pas pour la paix ?). Beaucoup d'observateurs pensent que cette volonté d'œcuménisme vague est néfaste, car elle pourrait rendre aveugle aux stratégies et aux alliances erronées.

Il est pourtant clair que, dans l'esprit du mouvement de contestation, et notamment pour Rudolf Bahro, la réappropriation de la « question nationale » n'implique pas la mise en perspective d'un grand État allemand réunifié et l'exaltation du sentiment national germanique. Elle exprime au contraire l'aspiration à une démocratie de base fondée sur la défense de la souveraineté populaire et le tissage de liens régionaux destinés à contrer la logique centralisatrice de l'État, par une référence constante à la « *communauté* de base », symbole d'une autonomie reconquise contre la « sphère de la nécessité » représentée par la *société*.

On a bien relevé un discours franchement nationaliste en RFA, d'un type d'ailleurs assez particulier. Au début de l'année 1983 par exemple, on a pu observer des appels du pied de la droite néo-fasciste en direction du mouvement pour la paix. Les chefs de certains groupes d'extrême-droite firent pompeusement leurs adieux à l'hitlérisme et, se réclamant des « nazis de gauche » Georg et Otto Strasser, découvrirent soudain les vertus du communisme soviétique en déclarant unilatéralement la guerre aux Américains. Ces nouveaux « anti-impérialistes » déclaraient reconnaître « La dynamique anti-bourgeoise et anticapitaliste du bolchevisme et [désiraient] vivre dans une Allemagne neutre [RFA+RDA?], dans la paix et l'amitié avec la Russie soviétique », en ajoutant quelques slogans douteux sur la préservation de la « culture, de la langue et de la civilisation allemandes[5] ».

L'opportunisme de ces déclarations et l'isolement de leurs auteurs sont cependant assez évidents pour ne pas y accorder une importance démesurée et les déclarations des néo-fascistes ont donné lieu à des analyses dans la presse alternative *(Die Tageszeitung)* mettant en garde contre toute forme de séduction. Certains craignent cependant de voir l'émotion l'emporter sur la réflexion, incitant des pacifistes purs et durs auxquels l'analyse politique est parfaitement étrangère à sombrer dans des slogans faciles et à se laisser entraîner par une sorte d'anti-américanisme « néo-pangermaniste », galvanisés par la lutte de « Beethoven contre Mac Donald »[6].

Il y a certes également une alliance objective de l'écologisme politique, à caractère universaliste, antiproductiviste et régionaliste, et de paysans patriotes chez qui « l'écologie » relève plus d'un environnementalisme étriqué à caractère intégrateur. Ce fut le cas

---

5. « Bei dem Kampf gegen den Amerikanismus ist uns jeder recht... Abkehr vom Hitlerismus ; ein taktischer Schritt in Richtung der Linken? », *Die Tageszeitung,* 11 avril 1983. Les frères Georg et Otto Strasser appartinrent très tôt au parti nazi (respectivement 1920 et 1924). Ils défendaient les thèses « anti-capitalistes » et « révolutionnaires » du national-socialisme, dans le même esprit antisémite et pangermaniste qu'Hitler. O. Strasser quitta le parti nazi quand Hitler se rapprocha des industriels et du grand capital et s'enfuit à l'étranger en 1933. G. Strasser fut assassiné avec Röhm et le général Schleicher, lors de la « nuit des longs couteaux », le 30 juin 1934, qui marqua l'élimination de la SA et du « contre-pouvoir » de Röhm à l'arbitraire hitlérien.

6. « Revolutionäre Zellen. Zum Unterschied von Antiamerikanismus und Antikapitalismus. Beethoven gegen Mac Donald? », *Die Tageszeitung,* 6 avril 1983.

dans la lutte contre l'extension de l'aéroport de Francfort, et c'est le cas dans plusieurs luttes contre des projets d'aménagement militaire. Mais cette convergence s'opère par la force des choses, et l'on ne peut pas accuser ceux qui se mobilisent pour un idéal politique et démocratique de se battre sur le même terrain que certains vignerons ou propriétaires, éventuellement nationalistes et réactionnaires, qui défendent en l'occurrence simplement leurs intérêts immédiats.

La convergence d'aspirations démocratiques, universalistes, anti-étatiques foncièrement contraires à la tradition du nationalisme allemand, historiquement dévastateur et pangermanique, avec les revendications et les craintes de couches de la population conservatrices encore profondément marquée par le principe de l'autorité (« Obrigkeit »), et les élans « nationaux-révolutionnaires » de certains rescapés du « national-bolchevisme » à la Ernst Jünger, entretient ainsi une confusion générale dans l'appréciation de la réalité allemande contemporaine. S'il semble effectivement s'établir un divorce entre les dirigeants du mouvement pour la paix, appliqués à l'élaboration d'une nouvelle pensée politique et stratégique, et une grande partie de la base qui éprouve manifestement du mal à approfondir la réflexion et laisse subsister un flou idéologique, le concept de nationalisme est incapable de rendre compte de la nature et de la dynamique du mouvement de paix.

En insistant quasiment exclusivement sur les penchants profonds de « l'âme allemande », les commentateurs se dispensent généralement d'analyser les conditions concrètes d'émergence du mouvement de paix, qui font à vrai dire apparaître celui-ci comme le point de convergence d'une multitude de rejets et de revendications exprimant un malaise socio-politique général et ancien en RFA, intimement lié à l'évolution particulière de l'État ouest-allemand depuis la Seconde Guerre mondiale et à sa situation géostratégique particulière.

III. Le neutralisme : reconquête
de la souveraineté politique ?

Analyser le mouvement de paix, c'est garder présent à l'esprit des moments et des facteurs particuliers de l'après-guerre qui ont profondément marqué la société ouest-allemande :

— l'échec de la dénazification, le « miracle économique » et la remilitarisation qui apparaissent *a posteriori* comme la « genèse d'une crise » ;

— l'abandon de la souveraineté politique combinée à une importante « consommation de paysage » à des fins militaires, débouchant sur ce qu'il convient d'appeler une véritable « architecture de guerre » ;

— l'instauration d'un ordre intérieur assumant la défense absolue des valeurs occidentales contre le phénomène inverse en RDA, et évoquant l'idée d'un « système d'alerte rapide » destiné à détecter les conflits sociaux en gestation ;

— un vaste mouvement de contestation dans les années soixante dénonçant globalement la « colonisation » de la RFA par les États-Unis et le caractère déshumanisé de la « société de consommation ». Il fut le prélude à l'écologisme, devenu une quatrième force politique en RFA (avec le SPD, la CDU/CSU et le FDP) et exprimant le rejet d'une « croissance destructive » au profit d'une « décroissance productive » ;

— la perception d'une incompatibilité entre l'évolution des doctrines stratégiques et des technologies militaires et les impératifs de sécurité de la RFA, donnant à la « défense » un goût amer de « sacrifice ».

L'après-guerre : genèse d'une crise

Après la défaite du Reich, la disparition du *peuple* allemand en tant qu'entité politique et sa transformation en collectivité administrable fut sans doute l'expérience la plus traumatisante de l'après-guerre. Il est pratiquement unanimement admis aujourd'hui que la dénazification (qui, dans la zone orientale, indépendamment de tout jugement sur l'instrumentalisation dans le sens des intérêts soviétiques, fut en tout cas effective) devait succomber à l'Ouest à l'argument de la « compétence », en vertu duquel furent réinstallés dans leur fonction des hommes souvent largement compromis avec le nazisme. Ce qui était à l'ordre du jour, c'était en effet avant tout la reconstruction de l'économie allemande et sa réinsertion dans l'économie mondiale. L'intégration militaire accompagna tout naturellement l'intégration politique et, au moment même où Adenauer affirmait « n'avoir aucune opinion » sur le réarmement, il chargeait un général d'élaborer un « mémorandum sur la composition comparée des armées européennes et sur ce que les alliés pourraient un beau jour exiger de nous »[7].

L'opposition fut d'autant plus impuissante que le courant antimilitariste du SPD fut neutralisé par la mutation des valeurs défendues par le parti : le choix n'était plus entre le socialisme et le capitalisme, mais entre la démocratie (située à l'Ouest) et le totalitarisme (situé à l'Est). Après l'intégration de la RFA dans l'OTAN en 1955, quand les États-Unis décidèrent de fournir des armes nucléaires tactiques à la RFA, Adenauer banalisa ces armes en les présentant comme le « simple prolongement de l'artillerie ». On sait que la campagne contre le réarmement atomique tourna court, essentiellement après que le SPD eût adopté en 1959 le programme de Godesberg (abandon de toute référence au marxisme en faveur d'une gestion « socialiste » de l'économie de marché). Ayant obtenu de très mauvais résultats électoraux en Rhénanie-Westphalie (le Land le plus peuplé), le SPD voulut en effet adopter

7. Ulli JÄGER, Michael SCHMID-VÖHRINGER, « Wir werden nicht Ruhe geben... Die Friedensbewegung in der Bundesrepublik Deutschland 1945-1982 ; Geschichte, Dokumente, Perspektiven », *Dokumentation 4,* Verein für Friedenspädagogik, Tübingen, p. 2.

une attitude plus positive à l'égard des « grands projets » auxquels une majorité semblait s'identifier.

La reconstruction économique obnubila par ailleurs les esprits et, dans ce pays vidé de sa substance politique, elle devint la base essentielle du consensus social et fit refouler les risques encourus. Le pain, puis l'accumulation de la richesse, valait bien l'inconvénient de l'arme atomique. Malgré les fortes résistances du début, une majorité, séduite par les gains croissants, s'identifia dans trop de peine au modèle proposé. L'anti-communisme omniprésent joua dans le même sens. L'ennemi absolu justifiait l'arme absolue.

Mais les conditions d'apparition des crises futures étaient données : hypertrophie de l'économie, un certain vide politique dans le corps social, mansuétude à l'égard des anciens nazis.

Défense et « architecture de guerre »

La RFA devint ainsi le terrain de stationnement d'une multitude d'armes nucléaires. Il serait fastidieux de faire l'inventaire des bases et quartiers généraux américains ou britanniques disséminés sur l'ensemble du territoire. A Ramstein, près de Kaiserslautern dans la Rhénanie-Palatinat, se trouve la plus grande base américaine en Europe avec quelque 6 000 militaires. C'est d'ailleurs dans le Bas-Rhin et la Ruhr, région où la densité de population est la plus élevée, que se trouve la plus grande concentration de rampes de lancement, d'aérodromes et de dépôts d'armes chimiques et nucléaires. Le président régional du DGB (Confédération des syndicats ouest-allemands), Julius Lehlbach, comparait sa région à un « immense porte-avions bourré d'armes », promis à l'anéantissement en cas de guerre[8]. Si l'on ajoute que le déploiement des

8. « Nato-Recht geht vor Landesrecht », *Der Spiegel*, nᵒ 51, 1982, p. 26.

euromissiles et les expérimentations de nouveaux systèmes d'armes nécessiteront des surfaces supplémentaires, que les militaires prévoient, pour maximiser l'efficacité de la défense de l'avant, de recouvrir la RFA d'un réseau de quelque 1 000 dépôts de carburant et de munitions, et qu'en de multiples endroits, les Américains envisagent des déboisements massifs afin d'établir de nouveaux terrains de manœuvre, on conçoit que la « consommation de paysage » à des fins militaires prend des proportions difficilement acceptables.

Il n'existe ainsi aucune procédure d'autorisation pour l'acquisition de bien-fonds à des fins militaires; en 1957, fut adoptée la loi sur l'acquisition des sols au terme de laquelle les propriétaires fonciers, les riverains ou les associations de protection de la nature n'ont aucun droit au chapitre. Le *Spiegel* peut donc écrire avec raison que « le droit de l'OTAN prime le droit allemand[9] ».

Sécurité intérieure : un « système d'alerte rapide » ?

La RFA s'est dotée au fil des ans d'un arsenal législatif particulièrement rigide censé exercer une action préventive et assurer le maintien de « l'ordre fondamental libéral et démocratique ». La RFA présente aujourd'hui un profil socio-politique qui se signale par un contrôle poussé de la population. Le BKA (Office fédéral de la police judiciaire), perçu comme le symbole d'une scientifisation du travail policier, s'est doté d'un système de collecte et de traitement informatique des données dans un but « prophylactique » : il s'agit de détecter la déviance sous sa forme latente et de la neutraliser avant le passage à l'action. Herold, ancien directeur du BKA, déclarait ainsi en 1975 qu'il fallait équiper la RFA d'un

---

9. *Ibid.*

« système d'alerte rapide » (« Frühwarnsystem ») pour la détection préventive des conflits sociaux potentiels.

Toutefois, la déviance est un concept élastique dont la manipulation s'avère souvent inquiétante. En mars 1983 encore, un jeune mathématicien fut suspendu de ses fonctions au centre d'études mathématiques de l'université de Karlsruhe parce qu'il était membre du DKP (Parti communiste allemand, extrêmement faible en RFA). Les autorités universitaires, qui ont agi en s'appuyant « exclusivement sur des critères de sécurité », ont estimé qu'un communiste travaillant sur un ordinateur représentait un « risque » pour la sécurité de l'État. Dans la même période, et toujours dans le Bade-Wurtemberg, un jeune professeur stagiaire d'Ulm, membre des Verts, a été démis de ses fonctions après que ses notes de cours lui eurent été dérobées par la direction de l'école et que la présence d'articles de presse sur les armes nucléaires, le désarmement, la paix, l'écologie, aient persuadé les fonctionnaires du ministère de l'Intérieur que ce professeur n'était pas assez « objectif ».

C'est dans ce contexte qu'il est nécessaire d'analyser la formule (il est vrai très malheureuse) « plutôt rouges que morts », considérée généralement comme l'expression d'un désir étriqué de préservation de la vie ou le choix délibéré du camp adverse. Cette formule, qui fut d'ailleurs apparemment plus spécialement employée par les milieux proches du DKP, peut s'expliquer de deux façons : d'une part, elle est manifestement une provocation contre l'anti-communisme viscéral de « l'Allemand moyen » qu'une grande partie de la jeunesse allemande perçoit d'ailleurs comme plus mort que vif en raison d'un certain conformisme politique et d'un affairisme étranger à la nouvelle génération. D'autre part, elle est très précisément le résultat de cette omniprésence de la surveillance étatique, d'une certaine forme d'appropriation des subjectivités et du contrôle de la production du langage en RFA : lorsque la censure devient trop importante, elle peut déterminer en fait la dégénérescence du discours opposé en ce genre de slogans où s'abolissent toute nuance et toute diversité capable de rendre compte du réel. Le « plutôt rouges que morts » est-il si étonnant dans un État qui poussa le conformisme jusqu'à interdire la représentation de *L'enlèvement au sérail* de Mozart au moment de l'enlèvement de Hans-Martin Schleyer en 1977 [10] ?

De la révolte des étudiants à l'écologisme

C'est contre cette emprise généralisée de l'État, contre le rôle spécifique de la RFA dans la constellation occidentale, et contre l'engourdissement des consciences par les gratifications économiques d'une industrialisation forcenée, qu'est apparu dès la fin des années soixante un mouvement de révolte qui coïncida d'ailleurs avec l'escalade américaine au Vietnam. Les manifestations s'accompagnaient d'une réflexion intense sur le marxisme, l'impérialisme et le colonialisme tandis qu'était amorcée, notamment dans les analyses de Rudi Dutschke, inspirées par Marcuse, la recherche d'un lien entre émancipation individuelle et libération collective : les actions menées avaient aussi pour but de transformer l'individu et de contribuer à la destruction de la structure autoritaire de la personnalité.

On sait cependant que cette vaste « opposition extraparlementaire » n'aboutit pas et que la « longue marche à travers les institutions », mot d'ordre lancé à la fin des années soixante pour faciliter l'accession des éléments progressistes à des postes de responsabilité, fut vite interrompue par la loi sur les « interdictions professionnelles » de 1972.

La conscience écologique, pressentie à la fin des années soixante, prit un essor fulgurant à la fin des

---

10. Sebastian COBLER, « RFA : l'État normal », *Les Temps modernes,* juillet-août 1979 (« Allemagne fédérale : difficile démocratie »), p. 70.

années soixante-dix, dans le traumatisme général que causa la mort de plusieurs membres de la RAF (Fraction armée rouge) dans la prison de Stammheim. La jeunesse ouest-allemande, dans un pays où, plus qu'ailleurs, la croissance économique tenait lieu depuis longtemps de projet social, voyait sans doute plus clairement, sur le territoire exigu de la RFA, comment l'homme s'émancipait à tel point de sa détermination biologique et instinctive qu'il compromettait les conditions de sa survie et de sa reproduction. À ses yeux, l'ancienne génération avait doublement trahi son humanité : la première fois en succombant à la séduction du nazisme, la deuxième fois, acquiesçant à l'inversion de la rationalité économique, en considérant la croissance comme une fin.

Prenant acte de l'apparition d'un règne de la production désormais séparé du genre humain, elle ne voulait plus adhérer aux mots d'ordre traditionnels des partis ouvriers préconisant la « défense des intérêts acquis ». Une grande partie de la jeunesse refuse alors de déléguer son pouvoir à des experts incontrôlables (fussent-ils de « gauche ») dont le programme se limite à la démocratisation d'un système de production dont elle ne partage plus la philosophie. Cette perte de crédibilité de la social-démocratie devait largement déterminer l'émergence de l'écologie sur la scène politique. S'y est ajouté le refus de « jouer le jeu » dans un État devenant irrésistiblement le médiateur obligé de toutes les formes de communication et où le discours autonome de l'individu tend à disparaître au profit d'une simple attitude de choix entre des formules stéréotypées et également aliénantes où s'abolit toute expression de la spécificité du sujet parlant.

Sécurité militaire : défense ou sacrifice ?

C'est dans ce contexte qu'est apparu, venu des Pays-Bas, le mouvement d'opposition aux euromissiles au début de l'année 1981. Dans une société marquée par des contradictions et des phénomènes de rejet aussi massifs, la « double décision de l'OTAN » (cf. chapitre 1) ne pouvait que faire l'effet d'une « bombe ».

Si l'on en croit la définition traditionnelle de la défense militaire, celle-ci a pour objectif d'assurer *l'intégrité matérielle* du territoire national contre les agressions extérieures. En 1955, eurent lieu en RFA des manœuvres de l'OTAN, dites « Carte blanche ». Il s'agissait de démontrer la capacité à mettre hors de combat, à l'aide des armes tactiques, les bases militaires et les réseaux de communication de l'ennemi. L'exercice se chiffra théoriquement pour la RFA par 1,7 million de morts et 3,5 millions de blessés. Le *Spiegel* parla à cette époque, dans un article critique, de 171 bombes « lâchées » sur le territoire de la RFA[11]. Tous les stratèges savent donc depuis longtemps que l'engagement des armes nucléaires dans le but de défendre la RFA conduit à *l'auto-anéantissement* final, *a fortiori* lorsque disposant sur son sol d'armements présentant la capacité technologique de la première frappe et dont la décision d'engagement relève exclusivement de la compétence américaine, la RFA sera automatiquement perçue par l'URSS comme une source de danger à neutraliser en priorité (cf. chapitre 1 et 7).

Si l'on se réfère à l'idée traditionnelle d'une alliance, celle-ci comporte par définition l'idée d'un engagement mutuel assurant dans l'égalité la sécurité des partenaires. L'attitude de va-t'en guerre des responsables américains et le mépris ostensiblement affiché par ceux-ci pour les intérêts spécifiques des puissances européennes, sacrifiées à la croisade contre l'URSS, ressemble à la défense unilatérale des intérêts américains, en aucun cas au souci de la sécurité de *partenaires égaux en droits*.

La RFA a une superficie d'environ 250 000 km^2 pour quelque 62 millions d'habitants. Sa densité de population est deux fois et demie plus élevée qu'en France, ce qui donne par ailleurs aux Allemands, comme nous

_____

11. U. Jäger, M. Schmid-Vöhringer, *op. cit.*

l'avons vu plus haut, le triste privilège d'être partout en contact direct avec les armes. D'une part, dans ce contexte, l'argument de la mobilité des nouveaux systèmes d'armes comme moyen de protection contre les attaques de l'ennemi est une sinistre plaisanterie. Mais aussi, là où la menace, loin d'être abstraite, se présente sous la forme tangible d'un dispositif omniprésent, la *conscience du risque* est inévitablement plus élevée, surtout lorsque démonstration a été faite, par les manœuvres, des conséquences certaines de leur engagement.

Enfin, est-il productif de disserter sur « l'hystérie collective » des « nouveaux croisés » du pacifisme allemand sans s'interroger sur la réintroduction de la doctrine médiévale de la « guerre juste » contre « l'Empire du mal » à l'heure des armes nucléaires ?

Il faut souligner en outre que les médias français sont curieusement très silencieux sur la recherche sur la paix allemande (ou ne la cite qu'avec condescendance et ironie). Cette discipline regroupe pourtant des universitaires, qui travaillent dans des instituts tout à fait officiels et fournissent un important travail éditorial et analysent avec beaucoup de rigueur l'évolution des doctrines militaires et des armements à l'Est et à l'Ouest, en s'efforçant de trouver des solutions réfléchies, et souvent étayées par des argumentations serrées, pour sortir de l'impasse actuelle.

Ces remarques éclairent le mouvement de paix en RFA d'un nouveau jour et nous permettent de formuler une explication plus réfléchie de sa véritable dynamique : il s'agit d'un refus compréhensible de la « déterritorialisation » des centres de décision, de l'internationalisation des appareils économiques, militaires et industriels au profit des grandes puissances qui privent les citoyens de tout droit de regard sur les processus économico-politiques et militaires par lesquels ils sont pourtant les premiers concernés. Il s'agit d'un refus de ces décisions « cybernétiques », prises dans le secret, imposées aux populations et aux appareils politiques sans consultation parlementaire. Il est clair que cette dynamique n'a pas grand-chose à voir avec le nationalisme, qui semble totalement impropre à rendre compte de la réalité ouest-allemande contemporaine. De toute évidence, les femmes et les hommes qui manifestent contestent aux seuls « experts » le droit exclusif d'appréhender le monde et de définir les choix qui engagent l'humanité.

Si l'on ajoute que le contre-mouvement qui se lève à l'Est a ceci de particulier et d'essentiel qu'il n'aspire ni au modèle occidental, ni à un réformisme dans le cadre du socialisme réel, mais à une *troisième voie* assez proche de celle revendiquée par les écologistes et ceux qui luttent pour la paix en RFA, cette convergence est symbolique : elle signale en effet dans les deux blocs une volonté de dépassement des représentations imposées par les deux pouvoirs antagonistes. Des deux côtés du rideau de fer, c'est la même contre-culture qu'inventent les jeunes pour exprimer leurs espoirs, leurs revendications, leur refus ; c'est le même désir de se libérer des carcans et des prudences imposées et de sortir de l'impasse où nous enferme le couple dialectique division du monde/spirale de la terreur, condamné *par essence* à œuvrer dans le sens de l'explosion.

C'est précisément ce phénomène qui donne tout son sens aujourd'hui au concept de « neutralisme », effectivement analysé par toute une branche de la recherche sur la paix en RFA avec beaucoup plus d'objectivité et de sérénité qu'en France. Sous le signe d'une course aux armements dont la dynamique s'émancipe toujours plus de la logique politique et finit même par la déterminer, il est à interpréter non pas comme une abdication ou une démission, mais comme la volonté de se *désengager* d'une évolution perverse en réinstaurant *le primat du politique* avant que la montée vers les extrêmes ne soit devenue inévitable.

Constatant l'incompatibilité croissante des doctrines stratégiques en vigueur avec les impératifs de sécurité des États de faible dimension géographique en particulier, un chercheur comme Ulrich Albrecht, de l'Université libre de Berlin, entend par « neutralisme », non pas les projets de réunification des années cinquante, mais une *modification qualitative* des rapports entre les États-Unis et l'Europe de l'Ouest, qui assurerait à la RFA en particulier et à l'Europe de l'Ouest en général (l'option neutraliste ne peut pas concerner un seul État) une souveraineté accrue en matière économique, politique et commerciale. La « politique à l'Est » s'inscrit évidemment dans une telle voie qui, sans remettre en cause l'ancrage à l'Ouest, n'est qu'une façon de tenir compte de la situation géographique particulière de la RFA ; l'intérêt de l'option neutraliste se résume aujourd'hui par une double constatation :

— l'utilité décroissante des armements (nucléaires) en matière de sécurité et même l'inversion de la dynamique militaire dans le sens de la destabilisation et de l'insécurité (cf. chapitres 1 et 7) ;

— le déplacement du mode de règlement des conflits dans le sens d'une compétition pour le partage des ressources et des marchés, toutes choses dont un État neutre peut aussi bien venir à bout qu'un État tenu par une alliance (et même mieux si l'on tient compte du fardeau économique que représenterait l'augmentation des dépenses militaires régulièrement demandée par Washington à ses alliés européens).

C'est parce que cette *neutralité relative* implique un retour des États européens à la souveraineté juridique et politique qu'elle suscite cependant des résistances acharnées. En filigrane, se profile en effet le « spectre » d'une Europe susceptible de traiter d'égal à égal avec les États-Unis, et d'agir moins en fonction des intérêts américains que de ses propres intérêts. Pour la RFA, en tout cas, lorsque l'atlantisme menace de devenir mortel, ce neutralisme-là n'est-il pas la seule voie possible de son émancipation et de sa renaissance politique ?

IV. En guise de conclusion : le nécessaire élargissement des perspectives

Les connotations négatives attachées aux termes de nationalisme et de neutralisme, jetés ici et là pour susciter l'hostilité, projettent donc une ombre sur la réalité contemporaine. Elles occultent l'orientation profonde des forces qui s'expriment en RFA, et, plus globalement, dans une grande partie de l'Europe. Le problème posé ici est en réalité celui des limites imposées à la démocratie par la politique des blocs. C'est bien de cela qu'il s'agit lorsqu'en RDA, le gouvernement s'arroge le monopole du discours sur la paix et la police d'État déchire les banderoles des militants indépendants. Mais c'est aussi cette question qui s'impose lorsqu'en RFA, le ministre de la Culture du Bade-Wurtemberg, Gerhard Mayer-Vorfelder, raye des programmes scolaires les cours prévus sur le thème « guerre et paix » et, dans la même foulée, sur le thème « christianisme, judaïsme et antisémitisme »[12]. Ou lorsque le ministre de la Défense, Manfred Wörner, fait « mettre sous clé » le dernier *Livre blanc* sur la défense, qui devra être « réécrit » parce que l'analyse qu'il présente de la puissance militaire soviétique, beaucoup plus nuancée que celle du Pentagone, ne lui semble pas assez alarmiste[13]. C'est aussi le problème de la démocratie qui est posé lorsque dans cette même RFA, le Land de Bade-Wurtemberg équipe sa police de balles en caoutchouc, particulièrement meurtrières, en prévision des manifestations que suscitera le début d'implantation des nouveaux missiles autour d'Ulm, de Schwäbisch-Gmünd et de Heilbronn[14]. Enfin, c'est la démocratie qui est en question lorsque le ministre de l'Intérieur ouest-allemand, Friedrich Zimmermann,

---

12. « Schulen-Peinlich betroffen », *Der Spiegel*, nº 15, 1983, p. 39.
13. « Das Feindbild muss wieder stimmen », *ibid.*, p. 19.
14. « Aufrüstung bei der Polizei. Gummigeschosse in Baden-Württemberg », *Die Tageszeitung*, 28 avril 1983, p. 5.

envisage une limitation inquiétante du droit de manifestation, derrière laquelle se profile un large débat sur la légalité/légitimité de l'opposition aux projets de réarmement.

Cependant, pour arriver à la maturité, le mouvement allemand devra dépasser le cadre strict de la lutte contre l'implantation des euromissiles. L'imminence et la gravité de ce déploiement en 1983 expliquent certes la concentration des efforts dans ce sens et l'on ne saurait faire grief aux Allemands de dénoncer l'incohérence de doctrines stratégiques qui ne tiennent aucun compte des impératifs de sécurité de leur pays. Il n'en reste pas moins que le danger de guerre procède d'une dynamique complexe dont les différents étages s'imbriquent les uns dans les autres et doivent être clairement perçus. L'horreur et la mort ne sont pas toujours spectaculaires ; l'accumulation de pénuries, de crises locales, de « guerres limitées » entraînent l'anéantissement plus ou moins brutal de millions d'êtres humains et c'est déjà presque une provocation que de parler de « préservation de la paix » dans ce contexte. Aussi faut-il dénoncer avec plus de vigueur et d'insistance un système international dans lequel la très relative sécurité des Européens s'opère au prix de l'insécurité absolue de la « périphérie ».

Une partie non négligeable du mouvement allemand doit donc se libérer de cet « européocentrisme » que lui reprochent déjà certains de ses membres, et que beaucoup craignent maintenant de voir dériver vers un « germanocentrisme ». Les craintes justifiées que suscite le stationnement des euromissiles ne doivent pas faire accepter tout ce qui est en deçà de la guerre nucléaire. C'est cela même que voulait dire, après la rencontre d'avril 1983 entre écrivains des deux Allemagnes, l'écrivain ouest-allemand Peter Schneider lorsqu'il déclarait qu'il ne faut pas se laisser « hypnotiser » par les missiles [15]. Enfin, les militants allemands

---

15. Interview mit Peter Schneider, « Mit starrem Blick auf die Raketen », *Die Tageszeitung*, 25 avril 1983, p. 3.

devront s'attaquer au grave problème de l'incompré-
hension et de l'hostilité qu'ils inspirent aux militants
polonais de Solidarité, beaucoup de Polonais prônant
une « politique de la force » à l'égard de l'URSS [16].

À quelques centaines de kilomètres donc, les peuples
ne vivent pas à la même heure : les Allemands se voient
au bord du gouffre, les Polonais défient quotidienne-
ment l'oppression du « socialisme réel ». Pourtant tous
se battent contre les manifestations différentes d'un
même phénomène : la confiscation du pouvoir et la
déresponsabilisation des peuples. Comment le faire
comprendre, par-delà la traditionnelle et compréhensible méfiance ou hostilité de la Pologne à l'égard de
l'Allemagne et de la Russie ? C'est peut-être le plus
grand défi lancé au mouvement pour la paix, et sans
doute, d'abord aux Allemands.

Philippe Lacroix

---

16. « Die Polen und die westliche Friedensbewegung — Nur
Stärke imponiert den Russen », *Die Tageszeitung,* 9 mai 1983, p. 3 ;
cf. également l'article de la revue polonaise clandestine *Tygodnik
Mazowsce,* n° 39 du 13 janvier 1983, reproduit dans le même
journal : « Raketen oder Butter. »

13. Que proposent les mouvements pour la paix ?

Sylvie Mantrant

« Non aux nouveaux missiles américains, non aux SS-20 », tels sont les slogans qui ont ponctué les grandes manifestations de l'automne 1981. Ce refus spontané de la part de centaines de milliers d'Européens a sans doute été en partie le résultat d'un phénomène de peur : peur de devenir la cible des missiles soviétiques (en Europe de l'Ouest, où la densité de population est très élevée, il est impossible d' « isoler » les missiles) ; peur de la guerre nucléaire « limitée » dont menaçait le président Reagan en novembre 1981, peur, aussi, des décisions qui se prennent entre gouvernements sans que les populations concernées puissent s'exprimer.

Mais ce phénomène de peur semble marginal par rapport à l'analyse rationnelle développée par les forces de paix qui ont canalisé ce mouvement d'opinion. En premier lieu, ces forces estiment que la thèse occidentale du « déséquilibre » en faveur de l'Union soviétique n'est pas fondée. A cet égard, elles s'appuient sur des documents officiels émanant aussi bien du Pentagone que du SIPRI (Stockholm International Peace Research Institute), sur des études engagées par des experts militaires et sur des textes publiés par des instituts de recherche dont le sérieux n'est pas contesté.

Tous s'accordent pour démontrer que les nouveaux missiles américains relancent la course aux armements en introduisant des innovations technologiques que l'adversaire ne maîtrise pas encore. Par ailleurs, le fait d'installer des missiles capables d'atteindre Moscou en 6 minutes est un facteur de déséquilibre et d'accroissement des tensions, mais aussi des risques d'accident (cf. chapitres 1 et 7).

En second lieu, ces mouvements considèrent que

l'implantation de nouvelles armes à l'Ouest ne peut en aucun cas résoudre le problème des droits de l'homme à l'Est. Au contraire, dans ce contexte de relance de la tension Est/Ouest, l'URSS ne tolérera aucune mesure de libéralisation susceptible de remettre en cause son hégémonisme sur les pays de l'Est. Par contre, la protestation à l'Ouest peut encourager les peuples du bloc soviétique à amorcer une démarche semblable (on l'a vu dans le cas de la RDA malgré la répression que subit le mouvement est-allemand).

Enfin, ces mouvements se déclarent partisans d'initiatives de désarmement indépendantes afin de désamorcer la course à l'escalade.

I. Unilatéralisme ou « gradualisme » ?

Ce dernier point mérite d'être expliqué. Au sein des nouveaux mouvements de paix indépendants, deux thèses s'affrontent : celle du désarmement nucléaire unilatéral et celle des initiatives indépendantes de désarmement. L'unilatéralisme s'inspire du fait que, quel que soit le risque pris en désarmant unilatéralement, il sera moindre que le risque engendré par la course aux armements. Dans la mesure où l'on s'oppose à tout système de défense fondé sur des armes de destruction massive, il s'agit de s'en débarrasser le plus rapidement possible afin de ne pas être l'objet d'une attaque préventive de la part de l'adversaire. Cette analyse est en partie celle de la CND anglaise (Campaign for Nuclear Disarmament), mouvement qui, avec ses 50 000 adhérents, ses 300 000 sympathisants, ses 138 villes « dénucléarisées » peut être considéré comme extrêmement puissant. Mais il semble que l'unilatéralisme ne fasse pas recette en Grande-Bretagne. En effet, le parti travailliste qui, lors des élections de juin 1983, avait fondé sa campagne sur ce thème, a subi une défaite significative. Il serait exagéré d'attribuer cet échec à la seule position du parti travailliste sur les questions de défense. D'autres facteurs, économiques et sociaux, entrent en ligne de compte. Cependant bien des Anglais reconnaissent eux-mêmes que cette campagne aurait eu plus de succès si elle s'était concentrée sur des thèmes concrets tels que le refus de l'implantation des missiles de croisière.

Les adversaires de l'unilatéralisme considèrent que cette thèse ne tient pas compte des réactions « psycho-sociologiques » de l'opinion publique (la sécurité/dissuasion ne peut être assurée que par les armes nucléaires, faute de mieux...) ainsi que de la réalité politique européenne. Cette Europe « prise en sandwich » est la zone de tension par excellence. Le moindre facteur déstabilisant, ou affaiblissant un bloc par rapport à l'autre, risque d'avoir des répercussions de l'autre côté. Il est donc préférable de mettre en œuvre des initiatives prudentes de désarmement qui n'accroissent pas le sentiment d'insécurité des populations et n'agissent pas de façon destabilisatrice, tout en permettant d'amorcer une désescalade (concept de « gradualisme »). Il ne s'agit pas d'entériner le statu quo ou d'accepter l'existence des blocs militaires. Cette analyse se veut réaliste, elle comporte elle aussi une part de risque, celui-ci étant toutefois plus acceptable.

II. Vers une zone dénucléarisée

Les unilatéralistes et les autres se rejoignent sur une proposition : l'établissement en Europe de zones dénucléarisées. Une zone dénucléarisée est un territoire qui renonce à posséder des armes nucléaires (qu'il s'agisse de ses propres armes ou du stockage d'armes appartenant à une puissance étrangère aux termes d'alliances militaires), qui refuse que ces dernières y transitent, le survolent, etc. Les conséquences d'une telle décision sont multiples. Nous les résumons brièvement :

— la zone cesse d'être une cible pour l'adversaire ;
— un certain nombre d'accords (bilatéraux et multilatéraux) doivent garantir que les pays possesseurs de ce type d'armes s'engagent à ne pas les employer contre

ladite zone ; cette dernière s'engage à ne pas participer à un conflit aux côtés de puissances nucléaires ;

— enfin, dans le cas où la zone ferait partie d'une alliance, sa dénucléarisation aurait pour conséquence l'affaiblissement du système de défense de cette alliance ; il s'agit donc soit de sortir de cette alliance et d'assurer un système de défense indépendant et performant, soit d'apporter une contribution différente à ses partenaires.

Les partisans de l'établissement de zones dénucléarisées insistent donc sur le fait que le principal objectif d'un tel projet est la détente. En excluant la menace d'une attaque nucléaire en provenance ou en direction de certaines régions, de telles zones peuvent contribuer à réduire la tension entre les blocs. Ceux-ci pourraient alors aller au-delà en proposant d'autres mesures de nature à renforcer la confiance.

Le fait de se débarrasser des armes nucléaires réduit également le risque de voir son propre territoire dévasté en cas de guerre. Mais, ce n'est pas la principale motivation pour l'établissement de zones dénucléarisées. Ce serait une illusion de croire à la possibilité de faire de son « petit coin d'Europe » un sanctuaire en cas de guerre nucléaire. Le principal but des zones dénucléarisées, comme celui de toute politique de défense, est d'éviter cette guerre. Enfin, chaque zone dénucléarisée devrait être ouverte. Tout accord concernant une région déterminée doit permettre l'extension aux régions voisines. Pour toutes ces raisons, l'établissement d'une zone dénucléarisée est donc un acte politique avant d'être un acte militaire ou technique.

« Et les chars soviétiques ? » diront les sceptiques. À cette question, les mouvements répondent qu'en ce qui concerne l'armement conventionnel, les pays de l'Europe de l'Ouest peuvent faire face à n'importe quelle attaque de chars soviétiques avec des systèmes antichars très perfectionnés et en surnombre (cf. chapitre 1). Par ailleurs, dans la mesure où cette proposition vise avant tout la réduction des tensions et l'élaboration d'un nouveau système de relations fondé sur l'amélioration de la confiance, son objectif est la prévention de tous les risques de guerre, nucléaire ou conventionnelle.

Des initiatives ont déjà vu le jour. Parmi celles-ci, citons en particulier :

— dans la zone balkanique, le Premier ministre grec a entamé des pourparlers avec la Bulgarie, la Roumanie et la Yougoslavie ;

— venant de l'Est, une proposition a été élaborée par le groupe hongrois pour la paix et le dialogue ;

— les mouvements de paix des pays scandinaves ont rédigé un projet visant à la dénucléarisation des pays nordiques (on peut se procurer le texte de ce projet auprès de la Campagne Norvégienne pour le Désarmement nucléaire (Nei til Atomvapen, Youngsgt. 7, Oslo 1, Norvège) ;

— un ancien ministre belge, Albert de Smaele, a été le promoteur d'un projet de « zone de sécurité en Europe » regroupant à l'Est et à l'Ouest les pays non nucléaires, qu'ils soient ou non membres d'alliances ;

— Egon Bahr, membre de la Commission Palme et du SPD allemand, propose l'établissement d'une zone dénucléarisée en Europe centrale, en particulier entre les deux Allemagnes.

Ces projets ne peuvent être considérés comme utopiques. Leurs auteurs ont pris en considération les éléments juridiques, économiques et politiques caractérisant les relations entre les différents pays européens et les grandes puissances.

III. Où commencer ?

Le choix du point de départ est l'objet de controverses au sein des mouvements de paix. Certains insistent sur le fait qu'une zone dénucléarisée doit d'abord être établie à l'endroit où les tensions sont les plus vives, c'est-à-dire les deux Allemagnes. Cette proposition est très répandue au sein de certains mouvements allemands pour lesquels le mot « paix » ne signifie pas seulement « lutte contre les armes nucléaires ». L'histoire allemande leur enseigne que la paix, c'est aussi la sécurité des deux Allemagnes, pays qui abritent le stock d'armes nucléaires le plus important (cf. chapitre 12) ; et le droit à la liberté des citoyens et des mouvements pacifistes de RDA.

Cependant, la RDA et la RFA, « symboles » de la division de l'Europe, sont en quelque sorte les « représentantes » des deux alliances militaires. Les adversaires de cette première proposition soulignent donc que « toute proposition visant à une modification de l'image politique de la RFA et/ou de la RDA soulève immédiatement la question des conséquences de cette modification sur la stabilité en Europe » (Mient Jan Faber, secrétaire général d'IKV [cf. chapitre 11], extrait d'une de ses interventions lors de la Convention de Berlin, au cours d'un forum sur « la dénucléarisation des deux États allemands : quelles conséquences pour le reste de l'Europe ? »). Il ne s'agit pas d'entériner cette fameuse stabilité qui est en fait celle de la division. Mais avant de s'attaquer au cœur du problème, c'est-à-dire avant de remettre en cause les deux « bastions avancés » du système, n'est-il pas préférable de commencer à le « miner » par la périphérie, là où ces projets pourraient être mis en œuvre sans trop de difficultés (Balkans, zone nordique) ?

Le débat n'est pas tranché et le sens de l'action du mouvement pour la paix est au centre de ce débat. Mient Jan Faber propose un essai de définition à ce sujet : « Le mouvement pacifiste a principalement pour mission d'associer la sécurité d'un pays à celle des autres pays et de mettre cette association en évidence dans toutes ses propositions »... Définition idéale... vers laquelle tendent les mouvements de paix par l'intermédiaire de propositions telles que l'établissement de zones dénucléarisées.

Cette notion de sécurité est aussi l'un des thèmes principaux sur lesquels se fonde la campagne pour le « gel » aux États-Unis. Le 12 juin 1983, près d'un million de manifestants se réunissaient à New York, appelant les États-Unis et l'Union soviétique à « geler » la course aux armements. Cette proposition doit être considérée comme un moyen terme, une étape pour stopper l'escalade nucléaire.

Selon la définition du gel, tirée du bulletin n° 1 de la Campagne pour le gel nucléaire, « les États-Unis et l'Union soviétique, pour améliorer la sécurité nationale et internationale, devraient mettre un terme à la course aux armements. En particulier, ils devraient " geler " bilatéralement les essais, la production et le déploiement des armes nucléaires, des nouveaux missiles et de leur force aérienne destinée exclusivement ou essentiellement à lancer des armes nucléaires. Il s'agit d'une première étape pour la diminution du risque de guerre nucléaire et pour la réduction des arsenaux nucléaires. »

IV. Négociations : sortir du rituel

Cette proposition sous-entend pour ses auteurs la mise en place d'un contrôle des armements, « concret, spécifique et réalisable ». Ce contrôle peut d'ores et déjà être effectué à l'aide des moyens techniques dont disposent les grandes puissances : satellites, radars, etc. Par ailleurs, la mise en œuvre de cette proposition de gel permettrait l'ouverture de véritables négociations pour amorcer la désescalade à partir des stocks existants.

Pour ceux qui redoutent de voir les États-Unis défavorisés par cette mesure, l'Institut des études sur la défense et le désarmement (États-Unis) a établi l'évaluation suivante (mai 1982) : « En comparaison avec les forces de l'URSS, un gel actuel laisserait les États-Unis avec :

— moins de têtes ICBM, mais plus de têtes SLBM (cf. chapitre 1) ;

— une capacité de représailles puissante et invulnérable ;

— une capacité anti-forces comparable, compte tenu des missiles basés à terre et sur sous-marins et de leur vulnérabilité ;

— une force sous-marine de l'OTAN disposant d'un nombre de têtes plus élevé que celui porté par les SS-20 pointés sur l'Europe de l'Ouest et moins vulnérables que ces derniers ;

— un grand avantage en matière de bombardiers, de technologie des missiles de croisière et de guerre anti-sous-marine. »

Cette campagne a pris un essor considérable aux États-Unis dans la mesure où elle propose une alternative qui, sans être une mesure de désarmement, mène à celui-ci, en tenant compte par ailleurs de la situation internationale, politique et militaire. Puisque les grandes puissances disposent de formidables arsenaux nucléaires, pourquoi ne pas proposer, dans un premier temps, qu'elles s'y tiennent et ne les augmentent pas ? La seconde étape sera celle de la négociation pour réduire les stocks existants.

En outre, si cette campagne a pris autant d'ampleur, c'est en partie parce que les mouvements, de part et d'autre de l'Atlantique, constatent que les négociations de Genève sur les armes stratégiques et sur les armes de portée intermédiaire en Europe, sont dans une impasse (cf. chapitre 10). Il s'agit donc de pousser les gouvernements à engager de véritables négociations, qui ne visent pas à codifier la course aux armements mais à y mettre un terme.

En ce qui concerne les négociations de Genève, les mouvements européens faisaient en décembre 1982 l'analyse suivante : « Les propositions américaines concernant les négociations INF (forces nucléaires intermédiaires) visent à des coupes unilatérales dans les forces nucléaires soviétiques en Europe : les États-Unis veulent affirmer leur supériorité. Les propositions soviétiques concernant les négociations INF visent à affaiblir le lien entre l'Europe et les États-Unis. Si la réduction à 300 systèmes était acceptée, comprenant les forces française et anglaise, lesquelles sont en cours de modernisation (cf. chapitre 1), il n'y aurait plus de place pour une présence américaine significative. »

Il résulte donc que les grandes puissances ne souhaitent pas parvenir à un accord à Genève mais bien au contraire, ont cherché à « endormir » les opinions publiques en ouvrant ces négociations dont le seul objet est de faire entériner le déploiement.

Au moment où ces lignes sont écrites (juin 1983), les mouvements pour la paix se trouvent confrontés à l'éventualité de ce déploiement qui devrait débuter fin 1983. Des manifestations sans précédent et des milliers d'initiatives locales et nationales contre les implantations se dérouleront durant les derniers mois de l'année 1983. Vont-elles réussir à empêcher le déploiement ? Vont-elles briser le consensus des pays membres de l'OTAN ? Car c'est bien de cela qu'il s'agit. Si tel n'est pas le cas, les mouvements vont-ils se radicaliser ? Pour prévenir cette radicalisation, dans certains pays déjà (en Grande-Bretagne et en Allemagne de l'Ouest) la répression se fait plus dure (arrestations, heurts violents avec les forces de police).

En tout état de cause, les mouvements de paix ne sont pas décidés à cesser leur action, quels que soient les résultats des négociations de Genève. La campagne qu'ils ont entreprise se situe dans le long terme. Il s'agit pour eux maintenant d'affermir leur pression afin de la rendre incontournable.

Sylvie Mantrant

14. Y a-t-il une alternative à l'actuelle doctrine stratégique occidentale ?

Philippe Lacroix

Les développements qui précèdent ont montré la gravité des menaces qui pèsent sur la sécurité des peuples. Jusqu'ici, les armes nucléaires avaient rendu la guerre « impensable », le potentiel destructeur accumulé à l'Est et à l'Ouest n'ayant plus pour fonction que de signaler la folie du « passage à l'acte ». Mais en ôtant son sens à la guerre, la dissuasion ôtait son sens à la paix, et ce qui fut donné comme tel aux peuples-otages, ce fut en fait, comme le dit le chercheur norvégien Johan Galtung, la « crise de l'utilisation de la violence ».

« Le prix de cette politique », dit le chercheur allemand Dieter Senghaas, « c'est une pratique consistant à préparer continuellement la guerre, à la planifier, à s'y attendre en permanence, c'est-à-dire d'une certaine manière à anticiper perpétuellement la guerre, pour la contenir dans ses éventuelles manifestations[1]. » Ainsi pouvons-nous retenir que la dissuasion nucléaire est une guerre latente et qu'elle fait disparaître la paix en tant que *projet politique* et *objet d'une volonté,* c'est-à-dire en tant que morale de l'existence. La permanence des conflits qui ensanglantent la périphérie du monde industrialisé nous enseigne par ailleurs que la dissuasion nucléaire a consolidé la division du monde en une partie où une fausse paix s'impose aux États et

---

1. Dieter Senghaas, « Zur politischen Theorie organisierter Friedlosigkeit », in : Dieter Senghaas (éd.), *Zur Pathologie des Rüstungswettlaufs. Beiträge zur Friedens-und Konfliktforschung,* Rombach, 1970, p. 30.

une autre où les États peuvent encore imposer la vraie guerre.

Mais, outre qu'un dilemme fondamental de la dissuasion nucléaire est de reposer sur un pari consistant à créditer l'adversaire d'un comportement toujours rationnel (cf. chapitre 6), l'ensemble de l'édifice sur lequel reposait notre « tranquillité » se fragilise. La dynamique technologique des armes nucléaires (cf. chapitres 1, 3 et 7) annonce la diffusion générale de concepts opérationnels. Les doctrines stratégiques révèlent leur caractère essentiellement déstabilisateur. La « riposte flexible », et maintenant « Air-Land Battle » (cf. chapitre 4), introduisent un dangereux déterminisme de l'escalade, la présence massive en RFA d'armes nucléaires très précises et à temps de vol très court est une incitation à la première frappe désarmante. Les implications sont évidentes : la « défense » du territoire européen ne s'opérera qu'au prix de sa destruction.

Aussi observe-t-on à l'heure actuelle un important effort de recherche pour sortir du fameux dilemme « suicide ou capitulation ». La recherche d'alternatives à la politique de dissuasion nucléaire est déjà ancienne mais la crise générale, économique, politique et stratégique, avec les risques d'escalade qu'elle comporte, lui redonne aujourd'hui une brûlante actualité. Nous analyserons ici rapidement, et sans prétendre à l'exhaustivité, deux directions de la recherche : un concept défensif à dominante conventionnelle avec dissuasion nucléaire minimale (ce concept a été assez largement commenté en RFA, « champ de bataille » désigné), et la « défense populaire non militaire ».

I. Concept défensif conventionnel avec dissuasion nucléaire minimale

Description du modèle

Le chercheur ouest-allemand Horst Afehldt propose une reconversion du dispositif militaire de l'armée allemande dans un sens clairement défensif pour supprimer l'effet de provocation lié aux armes offensives[2]. Afehldt ne renonce pas aux armes nucléaires mais diminue, selon lui, la probabilité de leur engagement en préconisant le stationnement en mer qui supprimerait de part et d'autre la tentation de l'attaque préventive. La nécessité de ne pas offrir à l'adversaire potentiel des cibles intéressantes à détruire suppose l'absence de tout dispositif facilement repérable. Pour optimiser la stabilité stratégique, Afehldt propose le développement d'une stratégie autonome utilisant sciemment d'autres moyens que ceux de l'adversaire de façon, selon lui, à mettre un terme à la course aux armements.

Le « modèle Afehldt » est basé sur un double dispositif :

— des « techno-commandos » non nucléaires opérant sur le modèle de la guérilla ;

— des armes nucléaires censées exercer une menace à caractère strictement « politique ».

Les « techno-commandos »

Il s'agirait de petites unités de vingt hommes chargées de lutter contre l'avance des blindés. A chaque

---

2. Horst AFEHLDT, *Verteidigung und Frieden. Politik mit militärischen Mitteln*, Munich, 1976 ; Thomas TREMPNAU, « Horst Afehldts Konzept einer defensiven, reaktiven Verteidigung », *Antimilitarismus information*, n° 3, 1981, Berlin, pp. 17-22.

commando s'ajouterait une quinzaine d'hommes destinés à mener notamment des opérations antiaériennes. Chaque unité défendrait en moyenne 20 km^2 mais n'opérerait pas dans les grandes villes qui, selon Afehldt, seraient ainsi épargnées par la bataille. Estimant qu'il faut pouvoir défendre environ 200 000 km^2 en RFA (la RFA a une superficie totale de 250 000 km^2), il préconise la mise sur pied d'environ 10 000 commandos, soit 360 000 hommes auxquels il faudrait ajouter les unités de liaison pour le ravitaillement (environ 30 000 hommes), soit un total de 390 000 hommes. Ces commandos seraient équipés d'armes antichars de grande précision, de mines, d'armes légères, de fusées antiaériennes et auraient pour fonction de rendre l'occupation militairement aussi coûteuse que possible. Afehldt estime que statistiquement chaque commando détruirait trois chars ennemis. Ce réseau de guérilla, combiné à une résistance populaire dans les villes, ralentirait l'avance des blindés, empêcherait l'effet de surprise et le fait accompli, et permettrait aux États-Unis de faire valoir éventuellement la menace nucléaire pour rétablir le statu quo.

La dissuasion nucléaire minimale

Il s'agit exclusivement d'un potentiel stationné sur sous-marins, dont la menace d'emploi est destiné à imposer des négociations et à mettre fin aux hostilités. Selon Afehldt, ces armes nucléaires deviennent, dans le contexte par lui décrit, les instruments d'une « stratégie rationnelle de menace et de coercition ». On renonce par principe aux armes dirigées contre la population de l'adversaire, c'est le gouvernement ennemi qui constitue désormais la cible. Le but de la stratégie est également d'empêcher les États de l'Europe de l'Est de participer à l'agression soviétique en menaçant par exemple leurs centres industriels.

La doctrine d'Afehldt se propose ainsi de redonner une rationalité à l'usage des moyens militaires, en maintenant les conséquences de la bataille en deçà du seuil où l'ampleur des destructions ne peut plus faire apparaître la violence comme un moyen de la politique.

Gert Krell et Berthold Meyer, chercheurs à la Fondation de la Hesse pour la recherche sur la paix et les conflits, proposent quatre critères pour analyser la pertinence d'un modèle stratégique[3] : l'efficacité préventive (assurer la stabilité en cas de crise), la limitation des dommages (ne pas détruire ce qui est à défendre), la « socio-comptabilité » (coût matériel et humain, aptitude à produire un consensus, adéquation avec les valeurs fondamentales de la société), et la cohésion de l'alliance (si l'on postule que la défense de la RFA n'est possible que dans le cadre de l'OTAN).

Krell et Meyer font remarquer que le modèle Afehldt entraînerait probablement un affaiblissement de la dissuasion en raison de la non-automaticité de la riposte nucléaire. L'adversaire courrait « seulement » le risque de perdre un corps expéditionnaire et craindrait moins l'éventualité de dommages sur son propre territoire. Il pourrait éventuellement être plus tenté de risquer l'emploi en premier d'armes nucléaires de faible puissance.

Il est assez probable, selon Krell et Meyer, que ce modèle soit plus approprié à la stabilité stratégique que la riposte flexible ou la doctrine « Air-Land Battle » (cf. chapitre 4) puisqu'il est moins menaçant pour l'adversaire et qu'il offre moins de cibles intéressantes. Mais il est nécessaire de formuler ici une réserve

---

3. Gert Krell, Berthold Meyer, « NATO-Strategie in der Kontroverse. Stellungnahme zur aktuellen Diskussion über Verteidigungskonzepte », in : HSFK (Hessische Stiftung Friedens und Konfliktforschung), *Friedensforschung Aktuell,* n° 3, Francfort.

supplémentaire : il n'est pas du tout évident que le déploiement en mer des armes nucléaires revête à terme un caractère moins provocateur que l'actuel déploiement au sol, car l'évolution technologique des missiles tend à conférer de plus en plus la capacité de première frappe aux engins basés sur sous-marins (cf. chapitre 1 : les remarques sur le système Trident).

L'intérêt du « modèle Afehldt » pour la détente paraît évident, mais il semble difficile de faire adopter une doctrine similaire au Pacte de Varsovie en raison des données historiques et géostratégiques dans lesquelles s'enracine l'actuel concept militaire soviétique (cf. chapitre 4). Il est clair que le modèle Afehldt se prête mieux à la limitation des dommages que l'actuelle doctrine de l'OTAN, mais la dissuasion nucléaire, même « minimale », comporte par essence le risque de l'escalade. *Le problème du modèle Afehldt est qu'il suppose une certaine rationalité dans le cadre de la menace nucléaire.* D'autre part l'utilisation d'armes strictement conventionnelles peut fort bien conduire à des destructions d'une ampleur considérable (cf. chapitre 1 : les armes quasi nucléaires). Enfin, comme le soulignent Krell et Meyer, « la limitation des dommages n'est assurée que si l'adversaire accepte les règles d'une guerre conventionnelle de ce genre ». Force est de reconnaître que l'adversaire peut choisir, pour neutraliser plusieurs techno-commandos, d'employer des armes à saturation de zone, détruisant ainsi des surfaces considérables et tuant des centaines ou des milliers de civils.

La « socio-comptabilité » de ce concept défensif ne paraît pas non plus évidente ; on sait d'ores et déjà que le coût des nouvelles armes « intelligentes » est extrêmement élevé et on ne voit pas pourquoi on n'aboutirait pas là aussi à une sophistication croissante, par effet action/réaction et en vertu de la dynamique autonome de la recherche-développement (cf. chapitre 3) qui absorberait des sommes considérables et qui agirait négativement sur la stabilité stratégique. La « consommation de paysage » à des fins militaires pourrait aussi rester élevée : il faudrait probablement des surfaces assez importantes pour assurer l'entraînement des techno-commandos et l'effet de militarisation de la société n'est nullement à exclure.

Il faut souligner en outre, et c'est un aspect capital, que la conversion de la RFA à un modèle convention-nel/défensif susciterait des résistances majeures chez les alliés et que ce problème ne peut donc pas être isolé d'une réflexion plus générale sur les liens politiques, économiques, commerciaux qui unissent la RFA au monde occidental. Il est tout à fait envisageable que les alliés dissuadent la RFA de ce genre de démarche en la menaçant de sanctions économiques ou commerciales, voire en dernière extrémité, en l'occupant massive-ment.

Restent deux remarques : le modèle des techno-commandos et de la guérilla peut devenir carrément anachronique, en raison de l'évolution des armes anti-guérillas. Les armes de détection (à infrarouge ou à système olfactif) ou bombes antipersonnel larguées en grappe peuvent sûrement faire encore beaucoup de « progrès ». Enfin, ces techno-commandos ne résolvent pas le problème grave des représailles : il est même très probable que les populations resteraient en situation d'otages : l'adversaire peut très bien sommer ces unités de se rendre en menaçant d'exécuter des civils ou de détruire carrément une ville par bombardement. On ne voit donc pas comment le fait que ces techno-comman-dos opèrent uniquement en dehors des villes garantirait que celles-ci demeurent épargnées par la bataille.

Comme il est clair que les villes ne seront pas épargnées de toute façon et qu'il est parfaitement naïf ou mystificateur d'affirmer le contraire, il est même peu judicieux de faire intervenir les commandos unique-ment en dehors des centres urbains et de se priver des ressources considérables qu'offrent ces derniers sur le plan de la dissimulation. On peut avancer par ailleurs qu'une stratégie préconisant le déploiement de commandos à proximité de centres économiques importants pour l'ennemi leur assurera une durabilité accrue, l'adversaire ne tenant pas, pour détruire un ou plusieurs commandos, à utiliser des armes à saturation de zone anéantissant des ressources dont il espère tirer profit. Les systèmes antiguérillas seraient aussi moins efficaces dans les villes que dans les espaces ruraux (notamment les vols de nuit des hélicoptères avec intensificateur de lumière, comme aux Malouines).

Il semble possible de conclure que ce modèle, malgré sa volonté défensive, ne supprime pas deux problèmes fondamentaux de la dissuasion nucléaire : *la provocation* et *l'escalade*. Il révèle surtout qu'il n'est pas possible de conférer une rationalité humaine aux armes nucléaires, mais que ce sont bien les armes nucléaires qui imposent leur rationalité. Ce concept n'en constitue pas moins une recherche intéressante et mérite une analyse approfondie susceptible de lui apporter certaines améliorations. Soulignons que dans une interview du 13 mai 1983 avec le quotidien ouest-allemand *Süddeutsche Zeitung,* Wolfgang Altenburg, inspecteur général de la Bundeswehr, préconisait la formation de milices de réservistes destinées à servir un réseau d'armes antichars très perfectionnées et assez proche des « techno-commandos » de Horst Afehldt. Cette convergence entre l'*establishment* militaire et la « recherche sur la paix » signale une évolution possible de la pensée officielle.

Un certain nombre de chercheurs soulignant l'impasse où conduiraient inévitablement les solutions militaires, préconisent la conversion à une défense populaire non militaire, dont nous allons étudier les caractéristiques.

II. Défense non militaire : la typologie
de Galtung

Le chercheur norvégien Johan Galtung a tenté de poser les fondements théoriques de la défense non militaire et propose une typologie des moyens à mettre en œuvre dans ce but[4]. Il discerne au préalable trois grands axes, empruntés à la pensée militaire traditionnelle, autour desquels doivent s'inscrire ces mesures :

— des mesures dirigées contre l'agresseur effectif ou potentiel ;
— des mesures d'autoprotection ;
— des mesures de dissuasion.

Le premier volet consiste d'une part, non pas à optimiser les pertes de l'agresseur (concept militaire traditionnel), mais à minimiser les gains qu'espère tirer l'attaquant d'une victoire et d'une occupation. Il s'agit, en pratique, non plus de détruire le secteur civil de l'adversaire (sa « richesse ») mais de « dévaluer » son propre secteur civil exploitable par l'occupant. Deux moyens sont disponibles : le sabotage (c'est-à-dire : interdire à l'occupant l'accès à ses propres richesses) et la non-coopération (ou la désobéissance civile).

Il consiste d'autre part à neutraliser les forces adverses, non plus par leur anéantissement, mais soit en diminuant l'incitation à l'agression et à l'occupation, soit, si l'occupation a lieu, en brisant la volonté destructrice ou meurtrière de l'adversaire. Galtung distingue deux voies : la coopération positive avant toute attaque, le maintien d'un certain nombre de contacts positifs après une attaque ou le recours à des mesures positives en cas de progrès dans le comportement de l'occupant pouvant signaler l'amorce d'une solution ; la mise en évidence de la souffrance causée par l'occupant pour, éventuellement, le faire reculer.

Le deuxième volet, l'autoprotection, concerne d'une part les mesures susceptibles d'optimiser l'efficacité de la résistance et comporte un double aspect : le maintien d'un réseau efficace de communication chez l'agressé, susceptible d'assurer la diffusion des informations et des directives à suivre ; l'aménagement de caches pour les personnes et les matériels indispensables à la résistance.

---

4. Johan GALTUNG, *Peace, War and Defense. Essays in Peace Research,* volume II, éditions Christian Eglers, 1976.

Les mesures d'auto-protection supposent par ailleurs deux autres types de mesures qui renvoient plus spécifiquement à la notion de protection de la collectivité en tant qu'entité physique et sociale :

— la réduction maximale de la vulnérabilité par une « défense civile » dépassant le cadre traditionnel de ce concept (cf. chapitre 9) et minimisant les chances de l'adversaire de « réduire » la résistance par diverses voies (bombardement, famine, etc.) ;

— le maintien et la mise en évidence des valeurs de la société à défendre, afin d'assurer la cohésion et l'unité de la résistance.

Le troisième volet, la dissuasion, comporte lui-même deux étages, dont l'un concerne son *établissement et sa démonstration* et appelle deux sortes de mesures : l'organisation de la défense non militaire *dès le temps de paix* afin d'éviter toute improvisation vouée tôt ou tard à l'échec ; la tenue d'exercices démontrant clairement la volonté de défense de la population.

Le deuxième étage renvoie à la crédibilité de cet édifice dissuasif qui peut, selon Galtung, être assurée de deux façons :

— la limitation volontaire de la liberté d'action des membres de la population nationale faisant de la résistance civile une réaction plus ou moins automatique à toute agression et occupation. Cela signifie l'instauration d'une morale normative, comportant éventuellement une traduction législative, décourageant toute velléité de collaboration ;

— un haut degré de satisfaction sociale, montrant clairement à l'adversaire le caractère improbable d'une capitulation.

Appréciation

Nous allons reprendre les éléments de cette typologie, pour en apprécier l'intérêt en nous inspirant d'ailleurs parfois des remarques et des critiques que formule Galtung sur son propre concept.

Le sabotage idéal serait une détérioration minimale (pour assurer la réversibilité) entraînant un dysfonctionnement maximal. Ceci suppose de toute évidence des techniciens capables d'apprécier la pertinence d'une telle intervention, *a fortiori*, semble-t-il, dans le contexte d'une généralisation des technologies complexes. Theodor Ebert, politologue à l'Université libre de Berlin, souligne de son côté que des sabotages trop violents peuvent être extrêmement nuisibles à la défense populaire car ils pourraient permettre à l'agresseur de justifier une oppression accrue[5]. Cette remarque nous semble relever d'une vision extrêmement timorée de la résistance ; à partir d'un certain seuil d'exaspération de la population attaquée, personne ne pourra empêcher certains groupes, qui n'auront pas forcément tort, de donner une expression concrète et violente à leur volonté de résistance. Avoir trop peur de susciter la colère de l'adversaire, c'est en fin de compte reculer le seuil de l'illégitimité des actions de l'occupant, ce qui n'est pas très défendable.

On dispose bien sûr de l'exemple de la « bataille de la Ruhr » à l'occasion de l'occupation par les Français et les Belges du cœur industriel de l'Allemagne afin d'obtenir les livraisons de charbon et de bois exigées par le traité de Versailles : sabotages des locomotives, des treuils, des cabines d'aiguillage, coupures de courant[6]... Mais toutes ces mesures n'ont pas empêché les Français de parvenir à leurs fins. De même, le principe de la non coopération, ou désobéissance civile, suppose une obstruction minimale créant un préjudice maxi-

5. Theodor EBERT, « Abhalten statt abschrecken — Die Warnungswirkung der sozialen Verteidigung », également : « Technokommandos oder soziale Verteidigung ? Ein Vergleich », *Antimilitarismus information, op. cit.*, pp. 29-37.

6. Wolfgang STERNSTEIN, « La bataille de la Ruhr. Les problèmes économiques de la défense civile », *Cahiers de la réconciliation*, n° 3, mars 1975 (le terme « défense civile » ne s'emploie plus dans le sens de défense populaire ou non militaire pour éviter la confusion avec la « défense civile » gouvernementale, sans aucun rapport, cf. chapitre 9).

mum. On se heurte alors au problème de la mise à contribution de personnels ennemis, comme ce fut le cas pendant la « bataille de la Ruhr » : selon Ebert, sur les 170 000 cheminots allemands de la région, seuls 400 coopérèrent. Les Français et les Belges durent mettre en place 10 000 employés. Mais l'argumentation des théoriciens de la défense non militaire n'est pas du tout convaincante : l'issue du combat dépend simplement de l'importance de l'enjeu pour l'occupant. S'il estime qu'il est vital (économiquement, stratégiquement), il sera de toute façon prêt à payer très cher son occupation.

Quant aux travaux forcés, l'expérience de la Norvège pendant l'occupation nazie semble indiquer les limites de ce moyen en face d'une résistance particulièrement unie et décidée[7]. Les déportations ne firent pas fléchir l'immense majorité des professeurs qui refusaient de céder à la propagande du gouvernement Quisling, à la botte des nazis. Les parents d'élèves apportèrent leur contribution à cette résistance et Quisling dut reculer et renoncer à obtenir des enseignants qu'ils inculquent l'idéologie nazie à leurs élèves. Mais il est fort peu probable que cet exemple historique puisse servir de référence universelle pour ce genre de situation. En l'occurrence, les Norvégiens jouissaient certainement d'un préjugé favorable auprès des Allemands en raison de leur « nordicité ». Le type de relations entre États susceptibles d'exercer une action préventive suppose selon Galtung symétrie, interdépendance et interpénétration.

Entre l'Est et l'Ouest, nous en sommes aujourd'hui à l'heure des anathèmes et des sanctions (selon Ronald Reagan, l'URSS est « l'Empire du Mal ») et « l'illusion de la détente » par la coopération économique est l'un des arguments favoris des défenseurs de la nouvelle guerre froide. L'interpénétration se heurte à la peur

---

7. Magne SKODVIN, « Résistance non violente en Norvège sous l'occupation allemande », *Cahiers de la réconciliation*, n° 11-12, novembre-décembre 1974.

mutuelle de la « contamination idéologique » que seule une « éducation à la paix », à long terme, semble susceptible de dépasser, mais qu'il faut manifestement imposer contre des résistances considérables et qui ne sera pas forcément couronnée de succès. Dans le cas d'une occupation, on peut certes favoriser le « contact direct d'homme à homme » en établissant, selon les termes de Galtung, une distinction entre « l'interaction formelle » et « l'interaction informelle » : refuser la coopération avec l'ennemi en tant qu'administrateur, soldat, etc., mais s'adresser à lui en tant qu'homme.

Mais les théoriciens de la défense non militaire paraissent ici tout à fait irréalistes : on pense bien sûr à la Tchécoslovaquie en 1968 où les Tchèques essayèrent d'engager la conversation avec les servants des chars russes[8] ; comme on le sait, l'enjeu était très important pour l'URSS et l'on a vu que cette stratégie n'a aucunement porté ses fruits. Ce type d'interaction suppose par ailleurs que l'on dépasse les problèmes émotionnels (haine profonde, ressentiment), ce qui par exemple ne fut pas le cas lors de la bataille de la Ruhr où s'exerça des deux côtés le nationalisme le plus haineux (est-ce évitable à partir d'un certain seuil d'injustice ? Rien n'est moins sûr). L'ennemi peut du reste développer une contre-offensive très simple : l'interdiction de fraternisation en menaçant son propre personnel de sanctions. Il peut aussi rendre cette fraternisation très improbable : on pense à l'Afghanistan où les Russes ont renouvelé les unités d'occupation et choisi des ethnies étrangères aux mœurs de l'occupé. Il reste, là aussi, le problème de la terreur pure : menace de la destruction nucléaire ou conventionnelle. Ce choix peut ne pas sembler rationnel *a priori* si l'occupant désire exploiter le territoire occupé, mais il peut fort bien anéantir une ville de moindre valeur industrielle pour obtenir la capitulation d'une région

8. Adam Roberts, Anders Boserup, Andrew Mack, « Tchécoslovaquie 1968 », *Cahiers de la réconciliation,* n° 3, mars-avril 1976.

économique importante. La défense non militaire n'est ici d'aucun secours.

La mise en évidence de la souffrance infligée par l'adversaire fait penser à l'acte de l'étudiant Jan Palach qui s'immola par le feu à Prague pour protester contre l'invasion soviétique. Galtung récuse manifestement ce genre de comportement qu'il considère comme une simple inversion de la pulsion de violence. On peut penser aussi à des grèves de la faim, mais cette stratégie est assez peu réaliste, l'adversaire pouvant instaurer une *distanciation* maximale et rendre cette souffrance parfaitement abstraite et étrangère ; il peut même la faire percevoir comme justifiée s'il apprend à son peuple à considérer l'autre comme de moindre valeur. La haine raciale, pour autant que l'on sache, est toujours d'actualité. Là encore, la solution, à long terme, passe par un processus de rapprochement, d'interpénétration qui n'est pas à l'ordre du jour et dont on ne perçoit aucun signe à l'horizon.

Dans le cadre des mesures d'auto-protection, le maintien d'un réseau efficace de communication offre un certain nombre de précédents : pendant l'occupation nazie, les Norvégiens résistants portaient par exemple des petits drapeaux nationaux pour se reconnaître entre eux. Au-delà de ces actes symboliques, mais stimulants et générateurs de cohésion, la communication suppose bien sûr la mise en place d'un support matériel efficace : presse clandestine, radio-pirates (comme ce fut le cas en Tchécoslovaquie en 1968 et en Pologne aujourd'hui), dont il est clair qu'il doit être bien préparé à l'avance, son maniement supposant un entraînement de la population ; mais on bute ici sur le problème, fondamental, de l'utilisation possible de la résistance populaire, contre des empiètements de son propre gouvernement, c'est-à-dire sur le problème politique de l'exercice de la citoyenneté, de la constitution d'espaces de liberté, de l'émancipation collective et de la contre-information en temps de paix.

Le même problème se pose pour les caches utilisables en cas d'occupation étrangère. Une connaissance approfondie, par une importante partie de la population, des ressources de la géographie urbaine ou rurale a peu de chances d'être appréciée par les gouvernements, même « démocratiques », qui aiment de plus en plus savoir exactement ce que font leurs sujets ; ici encore, la citoyenneté serait potentiellement subversive.

Les mesures d'auto-protection proprement dites appellent par exemple la constitution de stocks de nourriture concentrée et lyophilisée, donc facile à cacher pour éviter la destruction des réserves par l'occupant et la réduction de la résistance par la famine. L'approvisionnement énergétique demeure un problème ; il est clair que le gigantisme actuel des installations de production d'énergie facilite leur contrôle par un occupant. À l'inverse, de petites unités de production peuvent compliquer la tâche de l'adversaire, mais ce n'est pas le chemin que nous avons pris et on retrouve ici un problème des « temps de paix » : choix énergétiques et modèle de société...

Galtung souligne que la protection des valeurs sociales, en cas d'occupation, suppose la constitution d'un contre-gouvernement bien préparé aux tâches essentielles de la résistance : communication, protection des chefs, protection de la population contre la famine et protection des valeurs fondamentales. De toute évidence, un tel gouvernement devrait être bien rôdé, entretenir des relations de confiance extrêmement poussées avec la population, ou alors être carrément autocratique.

L'établissement de la capacité de dissuasion suppose en temps de paix l'instauration d'un processus éducatif sur le modèle associatif où les différentes organisations (syndicales, professionnelles) devraient analyser la contribution particulière qu'elles peuvent apporter à la résistance. Galtung préconise ici un travail organisé, par exemple, sur le modèle du mouvement ouvrier. On pourrait ajouter que l'histoire de ce mouvement enseigne la nécessité de trouver un point d'équilibre entre la responsabilisation des individus et la technique d'encadrement, ce qui n'est pas simple ; et l'on retrouve encore une fois le caractère « subversif » de cette organisation. Il faudra certes des exercices capables de démontrer la volonté de défense de la population, mais il faudra, si l'on y invite des journalistes ou des attachés militaire, veiller à ce qu'ils soient convaincants et il reste à éviter (même sans armes) l'écueil d'une militarisation toujours possible (tendance à l'exagération de la mobilisation psychologique).

L'idée de garantir la crédibilité de la dissuasion par une forme d'institutionnalisation préalable de la défense non militaire déterminant en quelque sorte une automaticité des mesures non militaires est bonne en soi. Galtung propose ainsi un arsenal législatif interdisant la collaboration et établissant des sanctions pour violations des normes à respecter ou des récompenses dans le cas inverse. Mais il reconnaît qu'on trouvera de toute façon des « objecteurs de conscience à l'envers » : ceux qui voudront absolument se battre et « chasser l'ennemi » par la force ; quel rapport pourrait alors s'instaurer entre eux et une majorité pour la défense non militaire ? Quelle utilisation pourrait faire l'adversaire de ce désaccord ?

L'idée des récompenses pose clairement le problème des mobiles véritables de l'action humaine : résistera-t-on pour les gratifications et pour la gloire ou parce qu'on adhère profondément à un modèle de vie ? Cette dernière question introduit la dynamique essentielle de la dissuasion non militaire : l'identification au modèle à défendre, l'absence de cassures exploitables par un occupant. Cela s'appelle la paix sociale, pas le « consensus » des « démocraties » modernes, médiatisé par les « institutions protectrices de la majorité silencieuse ».

Ce bref exposé est loin d'épuiser la problématique de la défense non militaire et des interrogations que soulève Galtung lui-même. Il nous permet néanmoins de formuler deux remarques fondamentales : d'une part, il est évident que la défense non militaire est moins une défense territoriale (pensée militaire traditionnelle) que la défense d'une réalité sociale (politique, économique, culturelle). L'éventualité de l'occupation est acceptée et la victoire sur l'adversaire n'est plus assimilable au contrôle de l'espace, mais à la capacité de défendre et d'imposer ses propres valeurs pour faire renoncer l'adversaire à sa volonté hégémonique. Cet axe territorial/social explique que dans les pays scandinaves et en Allemagne cette forme de défense reçoive le nom de « défense sociale ». Le postulat de la défense non militaire est donc que l'agressé puisse *priver* l'agresseur d'une richesse dont il dispose. Elle ne serait par exemple d'aucun secours dans le cas d'une population ou d'une ethnie occupant un territoire vierge de toute industrialisation mais qu'un agresseur voudrait mettre en valeur (on peut penser par exemple à la construction d'une base militaire ou même à la création d'une zone-tampon pour des raisons purement stratégiques ; dans ces deux cas, il suffit malheureusement d'exterminer la population ou de la déporter) ; on ne peut alors que se battre avec des armes.

Cette observation nous ramène à la constatation faite au début de cette analyse, concernant la « paix » du centre et la violence périphérique. En effet, il est nécessaire de souligner, dans ces conditions, que la défense non militaire représente un « luxe » des pays riches, et, dans le cas d'une dissuasion de ce genre fonctionnant parfaitement au « Nord » (ce qui est parfaitement utopique), le « Sud » peut rester le théâtre d'un déchaînement de violence permanent. Nous n'avons d'ailleurs pas posé ici le problème du statut de l'industrie militaire et du commerce des armes dans le cas d'une conversion à la défense non militaire.

D'autre part, cette brève étude fait apparaître que la défense non militaire procède d'une logique participative, s'organisant autour de deux axes (administratif/associatif) où l'ensemble des administrations du système socio-politique assure la réglementation et la cohérence de la défense et où l'ensemble des associations garantit la multiplication des fronts [9].

L'équilibre entre coordination et décentralisation, verticalité et horizontalité, constitue donc un problème majeur à résoudre, pour éviter le double écueil de la rigidité des directives et de l'émiettement des actions. Il est assez évident que la préparation, la souplesse, la coordination ont fait défaut aux expériences de résistance passive dans la Ruhr en 1923 ou de la Tchécoslovaquie en 1968, qui ont toutes deux souffert de l'improvisation. La nécessité d'une préparation signifie la reconquête d'une souveraineté populaire qui est strictement contraire à la conception des élites dirigeantes œuvrant avec l'efficacité que l'on sait à la déresponsabilisation des masses et à la privatisation des intérêts. La défense non militaire constitue donc une *politisation de la défense,* ce que Galtung exprime en écrivant que « la défense non militaire est moins un élément du système que le système lui-même en état de mobilisation ».

III. Pour une politisation de la défense

Il ressort de ces considérations que notre question initiale est mal posée. Ce qu'il faut se demander, ce n'est pas s'il existe une alternative à l'actuelle doctrine stratégique et à la dissuasion nucléaire, mais s'il existe une alternative au système qui produit *nécessairement* la dissuasion nucléaire. Celle-ci apparaît en effet comme l'aboutissement *logique* et l'ultime expression d'une violence structurelle multiforme qui lui fournit le terrain sur lequel elle peut prospérer. Si l'on pose que la dissuasion nucléaire est, dans l'ordre militaire, le système qui se prête le mieux à la consolidation des rapports de pouvoir entre gouvernants et gouvernés, une défense alternative (comprenant une défense *terri-*

9. Jean-François LECOCQ, « Les deux axes d'organisation de la défense non violente », *Les monographies de la défense civile (Cahiers de la réconciliation),* n° 12, décembre 1979, pp. 23-27.

toriale inspirée du « modèle Afehldt » et une défense « *sociale* » imaginative) ne pourra être, de son côté, que l'aboutissement d'une autre forme d'organisation sociale.

Une approche technique de la politique de défense est donc impossible : le problème se révèle essentiellement politique car derrière toute politique de défense se cache un projet idéologique recouvert par un jargon technique destiné à expulser « ceux qui ne savent pas » des processus de décision (bien qu'aujourd'hui le projet idéologique de l'OTAN se « cache » sans doute de moins en moins derrière le discours militaire comme l'indique la tendance à couvrir le champ militaire dans les sommets « économiques » — Williamsburg — et à investir les structures militaires d'un droit de regard élargi sur les questions économico-politiques). Il est clair en tout cas que la critique de la dissuasion nucléaire ne peut pas se limiter au refus des armements nucléaires, mais doit porter sur les différents degrés de la violence d'État : « Pour refuser les armes nucléaires, il faut refuser beaucoup plus que les armes nucléaires [10]. » Cela signifie :

— Lutter dans les pays industrialisés pour une véritable démocratisation des rapports sociaux, contre la centralisation du pouvoir et l'opacité des phénomènes économico-politiques, en dénonçant continuellement les intérêts liés à l'expansion du militarisme, le gâchis économique et social de l'armement et le gigantisme des appareils techniques et administratifs sur lequel s'appuie ce système pour « diluer » les responsabilités et décourager la participation.

— Dénoncer le caractère déstabilisateur des nouveaux systèmes d'armes et lutter, avec les scientifiques responsables, pour la diffusion d'une mentalité anti-techniciste rendant un nombre croissant de chercheurs sensibles aux conséquences de leurs travaux. Il ne faut

---

10. Raymond WILLIAMS, « Quelle politique pour le désarmement nucléaire ? » in Edward THOMPSON, *L'exterminisme. Armement nucléaire et pacifisme,* Presses universitaires de France, 1983, pp. 55-79.

pas sous-estimer cependant le caractère très hypothétique de ce combat contre l'idéologisation de la science et la scientifisation de la politique, car la recherche-développement, essentiellement anticipatrice, programme longtemps à l'avance des choix technologiques (cf. chapitre 3) qui déterminent des scénarios militaires et des doctrines d'emploi qui, à leur tour, resserrent la palette des choix politiques. Ici, le processus est malheureusement déjà très avancé.

— Assurer la multiplication des contacts et la circulation de l'information entre les pays de l'Est et l'Europe occidentale, telle qu'elle se pratique déjà au niveau des combattants pour la paix. L'objectif est de mettre en évidence l'identité des intérêts et d'accroître, des deux côtés, les pressions de la base contre les représentations imposées en soutenant parallèlement le combat pour les droits de l'homme à l'Est, sans lequel toute paix est une mystification.

— Dénoncer sans relâche l'injustice fondamentale du système économique international entretenant dans le tiers monde un état de violence endémique, la famine, l'exploitation économique et la dictature. L'objectif est de contrer l'entreprise de redistribution des ressources au seul profit des grandes puissances, et de s'opposer à l'idéologie, prônée par Washington, de la « défense globale ». Celle-ci, en avançant l'argument de l'insécurité des approvisionnements en ressources économiques et l'accroissement de la présence soviétique, justifie la mise en place d'appareils militaires destinés à intervenir dans l'hémisphère Sud et structurés autour de régimes autocratiques générateurs d'injustices, de crises sociales et politiques et de « guerres limitées » lourdes d'escalades possibles, dans le contexte desquelles le potentiel destructeur accumulé en Europe prendrait tout son sens. (Il ne faut pas oublier en outre qu'une guerre nucléaire ne serait pas nécessairement « européenne ».)

Le partage des ressources énergétiques tient ici une place prépondérante : ce n'est pas la « protection », par l'interventionnisme militaire tous azimuts, des réserves pétrolières, qu'il faudra inévitablement de plus en plus partager, qui résoudra le problème énergétique de cette fin de siècle, mais l'abandon d'une politique de gaspillage de l'énergie dans l'hémisphère Nord qui, seul, privera de tout fondement la rapacité des riches et leur volonté de contrôle.

Mais ce gaspillage n'est-il pas simplement un élément d'une *stratégie globale de production d'insécurité,* qui justifie en retour *l'idéologie sécuritaire à l'échelle planétaire*? Et n'est-ce pas là le problème fondamental auquel doit s'arrêter toute recherche attachée à l'optimisation de la stabilité stratégique et au désarmement? Ainsi, l'alternative à l'actuelle doctrine stratégique nécessite une recherche approfondie.

De toute évidence, il ne faut pas chercher systématiquement à contrer l'adversaire avec les mêmes moyens que lui, mais à le « désarmer » par *un dispositif contre lequel la structure de ses forces et sa doctrine d'emploi peuvent s'avérer inadéquates* (cf. également chapitre 4 : la doctrine stratégique soviétique) : une défense conventionnelle cherchant à tirer profit de la *souplesse* d'une « guérilla » contre la *lourdeur* d'un dispositif ennemi, et appuyée sur une résistance populaire massive (sans laquelle aucune guérilla ne peut survivre) est certes séduisante et constitue indiscutablement une voie à explorer, mais nous avons vu les problèmes *politiques* que pose ce concept. La recherche de l'alternative est par ailleurs manifestement inséparable de l'étude des stratégies déstabilisatrices sur le plan économique, de la nature des conflits, des peuples et des civilisations concernés.

Cependant, étant donné la rapidité avec laquelle évolue la déstabilisation stratégique, c'est une véritable *course de vitesse* qui s'engage entre la volonté politique et la logique militariste, et c'est celle-ci qui, en tout état de cause, l'emporte aujourd'hui. C'est pourquoi, dans un premier temps, il semble intéressant de *désamorcer* la situation en œuvrant pour une zone dénucléarisée (mais aussi « déquasi-nucléarisée » ? — cf. chapitre 1) en Europe (cf. chapitre 13), susceptible d'apporter un répit en aménageant un *espace politique* où puisse s'élaborer un nouvel ordre de paix. Dans le cas contraire, la concentration de nouveaux moyens militaires en Europe *bloquera* l'approche politique des problèmes en déterminant une désastreuse obsession de l'agression qui occupera peu à peu tout le champ de la pensée stratégique, barrant dangereusement la voie aux réflexions politiques, économiques ou diplomatiques, c'est-à-dire à la réflexion tout court.

Enfin, est-il nécessaire de souligner qu'une intense activité de réflexion, de la part des militants pour la paix, sera nécessaire pour analyser leur propre insertion, et celle de leurs concitoyens, dans les stratégies alternatives qu'ils défendent ? Il est utile de rappeler ici que l'ensemble des réflexions sur le nucléaire civil, les énergies alternatives et la société « conviviale » ne s'est pas accompagné d'un processus suffisant d'intériorisation de la problématique soulevée. Tout comme on a trop souvent simplifié le problème en postulant un déterminisme autogestionnaire et participatif (pourtant inexistant) dans les énergies dites nouvelles, trop nombreux sont ceux qui, en matière de politique de défense, semblent miser inconsciemment sur notre transformation par celle des outils alors que c'est la nôtre qui conditionnera la leur.

Un vaste mouvement de retour à la sphère privée, de narcissicisme et d'hédonisme, repérable à l'échelle de la société entière, et relayé par tous les médias, pénètre aujourd'hui jusque dans une certaine « gauche » qui, partant d'une constatation compréhensible de la misère relationnelle en milieu militant dans les années soixante et soixante-dix, affirme maintenant un peu trop complaisamment le primat absolu de la subjectivité et de la « révolution personnelle » sur l'action collective. De là à la démission, il n'y a souvent qu'un pas : on croit avoir montré que l'heure n'est pas à la démission. On croit avoir montré aussi que la défense populaire est la défense *par le peuple :* il ne faudrait pas que ce dernier demeure introuvable.

Philippe Lacroix

1. Centre d'études et de recherche

• **Association française de recherches sur la paix (ARESPA),** 54, boulevard Raspail, 75270 Paris Cedex 06 (tél. 544-39-79, poste 333). Publie avec le CIRPES le bulletin bimestriel *Paix et Conflits.*

• **Centre d'études de défense et de sécurité internationale (CEDSI),** Faculté de droit de l'Université de Grenoble, Saint-Martin-d'Hyères, 47 X, 38040 Grenoble Cedex.

• **Centre d'études politiques de défense (CEPODE),** 9, rue Malher, 75004 Paris (tél. 278-33-22).

• **Centre d'études et de recherche sur le désarmement (CEREDE),** Université de Paris-II, UER de sciences politiques, 9, rue Malher, 75004 Paris (tél. 278-33-22).

• **Centre d'études et de recherches internationales (CERI),** Fondation nationale des sciences politiques, 27, rue Saint-Guillaume, 75341 Paris Cedex 07.

• **Centre interdisciplinaire de recherches sur la paix et d'études stratégiques (CIRPES),** 71, boulevard Raspail, 75006 Paris (tél. 222-01-07). Publie les *Cahiers du CIRPES, L'annuaire du CIRPES,* et, avec l'ARESPA, le bimestriel *Paix et Conflits.*

• **Fondation pour les études de Défense nationale (FEDN),** Hôtel national des Invalides, 75007 Paris (tél. 783-50-77).

• **Institut français de polémologie,** Fondation pour les études de Défense nationale, Hôtel national des Invalides, 129, rue de Grenelle, 75007 Paris (tél. 555-92-30).

• **Institut français des relations internationales (IFRI),** 6, rue Ferrus, 75014 Paris (tél. 580-91-09).

• **Institut de politique internationale et européenne (IPIE),** Université de Paris-X, rue de Rouen, 92001 Nanterre (tél. 769-92-34).

---

1. Liste d'adresses tirées de l'édition 1983 de *L'état du monde, annuaire économique et géopolitique mondial,* La Découverte/Maspero, Paris, 1983.

2. Organisations

- **Association internationale du livre de la paix (AILP),** 17, rue Brey, 75017 Paris (tél. 227-22-21).
- **Artisans de Paix,** 15, quai des Pêcheurs, 67000 Strasbourg.
- **Citoyens du monde,** 15, rue Victor-Duruy, BP 98, 75722 Paris Cedex 15 (tél. 531-29-99).
- **Centre local d'information et de coordination pour l'action non violente (CLICAN),** BP 624, 83053 Toulon Cedex.
- **Commission sociale économique et internationale (CSEI),** fédération protestante de France, 47, rue de Clichy, 75009 Paris (tél. 874-15-08).
- **Comités pour le désarmement nucléaire en Europe (CODENE),** 23, rue N.-D.-de-Lorette, 75009 Paris.
- **Défense et paix,** 13, rue Petit, 75019 Paris (tél. 209-62-03).
- **École instrument de paix (EIP),** 15, rue Victor-Duruy, 75015 Paris.
- **ECOROPA,** 107, rue de la Course, 33000 Bordeaux.
- **Fédération mondiale des ville jumelées - citées unies,** antenne française, 2, rue de Logelbach, 75017 Paris (tél. 766-75-10). Publie une revue trimestrielle.
- **Fédération des objecteurs de conscience** c/o MDPL, 8, villa du Parc-Montsouris, 75014 Paris (tél. 588-38-18).
- **Femmes pour la paix** (Section française), 68480 Biederthal.
- **La Forge,** 10, rue de Paris, Langpont-sur-Orge, 91310 Montlhéry (tél. 901-99-81).
- **Justice et paix,** commission française, 71, rue Notre-Dame-des-Champs, 75006 Paris (tél. 325-02-91).
- **Ligue internationale des femmes pour la paix et la liberté,** 24, quai Louis-Blériot, 75016 Paris.
- **Mouvement pour une alternative non violente (MAN),** 20, rue Dévidet, 45200 Montargis (tél. 38/93-13-73). Édite le mensuel *Non-violence politique*.
- **Mouvement pour le désarmement, la paix et la liberté (MDPL),** 8, villa du Parc-Montsouris, 75014 Paris (tél. 588-38-18) ; BP 2135, 34026 Montpellier. Édite la revue *Alerte atomique*.
- **Mouvement international de la réconciliation (MIR),** 99, bd Beaumarchais, 75003 Paris.
- **Mouvement chrétien pour la paix (MCP),** 46, rue de Vaugirard, 75006 Paris.
- **Mouvement de la paix,** 35, rue de Clichy, 75009 Paris (tél. 874-35-86).

- **Paix et désarmement,** BP 54, 93120 La Courneuve.
- **Pax Christi,** 44, rue de la Santé, 75014 Paris (tél. 336-36-68). Édite *Le Journal de la Paix.*
- **Résistance internationale des femmes à la guerre,** BP 52, 94210 La Varenne (tél. 886-50-90, 883-61-24).
- **Union mondiale des villes martyres, villes de la paix,** Hôtel de ville, 11, rue du Président-Poincaré, BP 312, 44107 Verdun Cedex (tél. 29/86-18-39).
- **Union pacifiste de France (UPF),** 4, rue Lazare-Hoche, 92100 Boulogne-sur Seine. Publie le mensuel *L'Union pacifiste.*

LES AUTEURS

Alain JOXE : Maître assistant à l'EHESS. Responsable du Groupe de sociologie de la défense de l'EHESS et directeur du Centre interdisciplinaire de recherches sur la paix et d'études stratégiques (CIRPES).

Jean KLEIN : Maître de recherches au CNRS, Institut français de relations internationales.

Philippe LACROIX : Membre du CODENE.

Yves LE HÉNAFF : Physicien, membre de l'APRI (Association pour la protection contre les rayonnements ionisants).

Sylvie MANTRANT : Membre du CODENE, responsable des relations avec les mouvements de paix en Europe.

Christian MELLON : Représentant du MAN (Mouvement pour une alternative non-violente) au CODENE (Comité pour le désarmement nucléaire en Europe), enseigne à l'Institut d'études sociales de l'Institut catholique de Paris sur les questions de paix et de désarmement.

Antoine SANGUINETTI : Amiral (CR) ; membre du Parti socialiste.

Jacques SAPIR : Assistant en économie à Nanterre ; chargé de conférences à l'EHESS ; membre du conseil scientifique du CIRPES.

Monique SÉNÉ : Physicienne, maître de recherches au CNRS, présidente du GSIEN (Groupement de scientifiques pour l'information sur l'énergie nucléaire).

Marek THEE : Directeur de l'Institut de recherches sur la paix d'Oslo (PRIO).

TABLE

DANS LA PETITE COLLECTION MASPERO

Achevé d'imprimer en octobre 1983
sur presse Cameron
dans les ateliers de la S.E.P.C., Saint-Amand (Cher)
Composition Bussière, Saint-Amand
Dépôt légal : octobre 1983
Numéro d'imprimeur : 1896-1332

Premier tirage : 7 000 exemplaires

ISBN 2-7071-1431-6